CW00431165

Jean-Jacques Rousseau

Discours sur les sciences et les arts

Lettre à d'Alembert sur les spectacles

*Édition établie
et présentée
par Jean Varloot*

Gallimard

PRÉFACE

Quel lien peut unir un Discours académique et une Lettre publique séparés par huit années ? Quel intérêt gardent ces pages de discussion « philosophique » sur le rapport des « mœurs » avec ce que nous appelons culture : sciences, arts, spectacles ? Leur auteur est célébré de nos jours comme le créateur de l'autobiographie, comme romancier, comme théoricien politique. On oublie le plus souvent qu'il a d'abord participé à un débat majeur pour les hommes de son temps, et qui l'est redevenu pour nous. Le Discours sur les sciences et les arts et la Lettre à d'Alembert sur les spectacles déclenchèrent une polémique nourrie ; nous les publions ici comme les noyaux de deux ensembles critiques, dont nous donnons une idée avec quelques-uns des textes qu'ils suscitèrent. On verra que ces deux ensembles sont liés logiquement l'un avec l'autre.

Où en est Jean-Jacques Rousseau lorsqu'il se décide à concourir sur le sujet posé par l'Académie de Dijon ? Né trente-sept ans plus tôt à Genève, la cité de Calvin, il n'a pas réussi ses débuts à Paris, capitale de l'Europe des lumières. Séduisant, il a profité de ses protecteurs pour s'instruire, mais il est allé de vexation en humiliation dans le monde des « Grands » et des

*gens de lettres, et s'est à peine fait connaître comme musicien.
On dit déjà qu'il ne doit s'en prendre qu'à lui-même, qu'il
souffre de « vapeurs », qu'il est un ami versatile ; on trouve
sauvage son goût pour la solitude. Ses biographes verront en lui
un inquiet maladif, un inadapté souffrant d'égocentrisme, on lui
reprochera longtemps les contradictions de sa pensée... Or il a
prétendu tout le contraire et que toute sa philosophie lui était
apparue, par une espèce d' « illumination », au moment où il
lut dans le* Mercure de France *le sujet de son premier*
Discours.

*Il s'agissait de développer une thèse banale, selon laquelle les
mœurs ont été rendues meilleures grâce aux lettres, aux sciences
et aux arts. Le thème des mœurs était alors à la mode. On en
traitait au collège, on lisait* Le Courtisan *de Castiglione,
maître de la politesse, tous les « moralistes » mondains, de
Montaigne à La Bruyère, La Rochefoucauld, et bien entendu
Fénelon. On était friand de cas de conscience, sujet favori des
auteurs de comédies et de romans, tel un Marivaux ; et de
grands « historiens » comme Montesquieu et Voltaire compa-
raient les mœurs des différents peuples sous différents climats.
Bien plus, la question était souvent traitée dans les académies et
sociétés qui proliféraient dans les provinces, de même que dans
les gazettes dites « littéraires ». Et presque toujours on y
soutenait la thèse du progrès : au moins en France et dans les
contrées voisines et au moins depuis deux siècles, les mœurs sont
devenues meilleures grâce à la « politesse », nous disons
maintenant la civilisation ; au moment où le* Discours de
*Rousseau est couronné à Dijon, le jeune Turgot fait l'éloge, en
pleine Sorbonne, de ce que nous appelons la Renaissance, qu'il
exalte pour avoir ressuscité les « mœurs ».*

*Or Rousseau choisit la thèse opposée. Pourquoi ? Par
paradoxe, affirmera Diderot, et sous mon influence. Rousseau*

dira au contraire qu'elle lui fit prendre conscience, définitivement, de ce qui allait se révéler la clé de toute sa pensée : *sciences et arts, culture,* dirions-nous, *ont eu et ont toujours un effet nocif, immoral, et vont à l'encontre du vrai bonheur de l'homme et d'une juste société. Une primauté absolue doit donc être donnée aux bonnes mœurs.*

Voilà qui ne pouvait que susciter une levée de boucliers, et d'abord chez les encyclopédistes. Dès son Discours préliminaire, d'Alembert signale, à la fin de son « tableau des trésors littéraires » du siècle, que, si l'on ne veut pas retomber dans la « barbarie », il est nécessaire de « repousser les traits qu'un écrivain éloquent et philosophe a lancés depuis peu contre les sciences et les arts ». Mais le holà s'étendit : dans toute l'Europe littéraire retentit, au cours de l'été 1751, un feu nourri de « réponses », « répliques » et « observations ». Rousseau fit face, la polémique se prolongea sur plus de trois années ; elle mérite qu'on en marque les principales étapes.

Première escarmouche : Raynal, directeur du Mercure de France, *publie un résumé des réactions de ses lecteurs, et la réponse sommaire de l'auteur du Discours. Grand affrontement :* sous un anonymat transparent, le roi Stanislas de Pologne, duc de Lorraine, beau-père de Louis XV, envoie à la même revue une Réponse *argumentée et bien tournée, à laquelle Rousseau réplique par des* Observations *publiées en brochure. Passons sur bien d'autres attaques, méprisées en général par notre auteur. La contre-offensive finale est à chercher dans la* Préface *qu'il met à sa comédie de Narcisse : il s'y révèle à la fois maître de son éloquence et sûr de ses idées. Enfin, pour répliquer à tous ceux qui l'accusent d'hypocrisie, il décide d'être conséquent avec lui-même et d'illustrer ses idées par sa manière de vivre : il refuse d'être présenté au roi et se choisit une existence pauvre et indépendante.*

En bonne logique la réflexion du moraliste mène à une philosophie politique. Nous n'avons pas ici à entrer dans le détail de son second Discours, traitant « *De l'origine de l'inégalité parmi les hommes* ». On verra que dans la Préface de Narcisse il présente la propriété comme la source des maux dont souffre la société, et que déjà il avait écrit à Stanislas : « *La première source du mal est l'inégalité.* » Mais si le passage est direct du premier au second des Discours, des ponts mènent aussi de la condamnation des sciences et des arts à celle des spectacles : celle-ci allait même de soi, et ne dut qu'à une coïncidence d'être déclenchée par la menace d'établir un théâtre à Genève. Le théâtre, condensé d'immoralité ! à Genève, patrie du « citoyen » et rare peuple encore à l'abri, selon lui, de la décadence des mœurs !

Est-ce hasard, aussi, si la menace vint de Voltaire, et par le truchement de d'Alembert ? Voltaire, comme Stanislas, était un exilé. Eloigné lui-même de son pays, Rousseau leur portait sympathie. Il avait loué la patrie du roi de Pologne comme celle de la liberté, salué même à mots couverts ses braves officiers ; mais il reprochait à ceux-ci d'avoir créé à Lunéville un milieu artificiel et d'entretenir un théâtre. A l'égard de Voltaire, qu'il appelle encore de son nom plébéien dans le Discours, il respecte son génie et le plaint d'avoir à chercher refuge à Berlin, mais tout change lorsqu'il le voit s'installer en Suisse, auprès de Genève, et surtout tenter d'y « établir un théâtre ». Et la menace est portée à son comble quand, pour convaincre les Genevois, Voltaire fait plaider d'Alembert dans l'article qu'il consacre à leur ville au tome VII de l'Encyclopédie, paru en 1757.

*

Rousseau est redevenu genevois depuis 1754, et l'enfant prodigue est un défenseur plus sourcilleux que les autres. Lui qui

dans le Discours s'est laissé aller à dire « *parmi nous* » *pour
désigner son entourage parisien, il parle désormais de sa cité
comme du* « *pays des hommes* », *du* « *pays de la sagesse et de la
raison* ». *Genève n'est pas seulement pour lui la mère perdue, ou
trahie, et retrouvée, mais comme un modèle idéal, l'inverse de la
Babylone parisienne qui présente, comme disait déjà le Discours,* « *les apparences de toutes les vertus sans en avoir
aucune* ».

*La Genève réelle était autre. D'abord parce que la religion
n'en écartait pas les dangers causés par la richesse : le
calvinisme n'avait pas inventé le capitalisme, importé depuis
longtemps de l'Italie catholique, mais il n'interdisait pas
l'usure, et la banque y florissait comme à Amsterdam, Londres
et Montpellier, aussi bien qu'à Paris. A vrai dire, le
contempteur de l'inégalité n'en fit pas plus reproche à ses
concitoyens qu'au* « *peuple de Dieu* », *et se montra fort
indulgent dans* La Nouvelle Héloïse *à l'égard des* « *Genevois
épars dans l'Europe pour s'enrichir* ». *Il disait seulement :* « *Je
ne suis ni grand seigneur ni capitaliste ; je suis pauvre et
content.* » *Ce qu'il voulait, c'était limiter les dégâts dus à
l'inégalité dans une communauté encore prémunie par ses
anciennes mœurs, en faisant tout pour éviter qu'elles ne soient
définitivement dénaturées par une sorte de colonisation. Genève
ne doit pas copier Turin, Lyon et surtout Paris ; elle est encore
capable et digne d'être sauvée du mauvais exemple, elle peut
rester le centre d'une Suisse imaginée comme une ville-parc, un
Etat-jardin...*

*Mais en même temps, comme l'écrit Monique Vernes à qui je
viens d'emprunter cette image* « *étrange* », *il faut bien voir
qu'en Rousseau* « *la prise de conscience de la menace économique
et morale que l'installation d'un théâtre préconisé par l'article*
Genève *fait peser sur la ville semble marquer le début de la*

démythification ». On suit les étapes de celle-ci dès La
Nouvelle Héloïse, *puis dans* Emile *et le* Contrat social.
*Rousseau se rendra à l'évidence en abdiquant sa « bourgeoisie »
en 1763. Aussi la* Lettre à d'Alembert *peut-elle se lire
comme le combat d'arrière-garde d'un homme qui, déjà, perd ses
illusions et en réalité défend aussi bien vis-à-vis de lui-même que
vis-à-vis des autres l'image qu'il s'est faite de sa cité idéale.*

On peut aussi lire la Lettre *comme faisant partie d'un
échange entre deux hommes, qui s'estimaient assez pour
dialoguer sans mauvaise foi. D'Alembert n'était pas pour
Rousseau un ennemi. Il y avait au contraire entre eux des
affinités, et d'abord dans leur vie personnelle. Rejetés peu ou
prou par leurs parents, ils étaient comme ces « enfants
illégitimes » évoqués dans la préface de* Narcisse, *« qu'on
envoie chercher fortune sans beaucoup s'embarrasser de ce qu'ils
deviendront ». D'où leur répugnance à construire une famille,
leur refus d'assurer une paternité. Tous deux, bien que pour des
raisons différentes, conçurent animosité et même haine contre les
Grands : « liberté, vérité, pauvreté » était la devise de d'Alembert comme de Rousseau. Tous deux tournés vers eux-mêmes,
Jean-Jacques et Jean Le Rond cultivèrent l'autoportrait pour se
justifier devant la postérité par un « testament de mort » —
comme disait le second dans son* Eloge de l'abbé de Saint-
Pierre, *qu'ils vénéraient l'un et l'autre.*

*Ces liens affectifs et intellectuels permettent de comprendre
quel fut leur dialogue, dont l'histoire vaudrait un long ouvrage.
Quant aux étapes que parcourt le présent recueil, on a vu qu'au*
Discours *de l'un l'autre répondit brièvement à la fin de celui
qui préludait à l'*Encycopédie *; le premier lui répliqua dans
ses* Observations sur la Réponse de Stanislas. *Le second
répond à la* Lettre sur les spectacles *par une* Lettre
publique *(qu'on lira dans notre dossier), puis revient sur les*

thèses du Discours sur les sciences et les arts *dans ses* Eléments de philosophie, *aux chapitres sur la morale de l'homme et sur la morale du citoyen. Telle est, très simplifiée, la succession d'échanges que vécurent deux esprits qui s'estimaient, du moins dans la période considérée. Il faudrait y ajouter ceux qui les unirent au cours de la querelle dite des Bouffons, qui opposa les partisans de Rameau et ceux de la musique italienne. D'Alembert, comme Diderot, soutint sur le fond la* Lettre sur la musique française *où l'auteur du* Devin du village *prit parti pour les « bouffons », et cinq ans plus tard, dans ses* Remontrances sur la liberté de la musique, *il loue encore Rousseau pour sa « lettre fameuse tant combattue et si peu réfutée ».*

Ainsi la seconde controverse incluse dans le présent volume n'eut-elle rien d'un conflit personnel. Si les deux hommes se divisèrent à propos de Genève, ce fut sur deux points a priori secondaires, dont le premier n'a de sens que si on replace l'article Genève *dans la campagne menée par l'*Encyclopédie *contre les préjugés religieux. Les auteurs du* Dictionnaire, *faisant, comme on sait, feu de tout bois, utilisaient parfois à fin polémique les articles « géographiques » : ainsi Jaucourt fit scandale en incorporant un éloge de Bayle dans* Foix *(comté dont Bayle était originaire). D'Alembert menait un combat d'ensemble et trop apparent : ses articles, de* Collège *à* Corruption *et* Démonstration *au tome IV, et surtout* Forme substantielle, Fornication *(Morale) et* Futur contingent *au tome VII, déclenchèrent la fureur des défenseurs de la religion, la suppression de l'*Encyclopédie*... et la retraite prudente du coupable. C'est donc au point culminant de cette campagne que se situe l'article* Genève, *dont la pagination prouve qu'il fut tardivement inséré. Un bon tiers du texte, le dernier, y est consacré à la « religion de Genève », et se lit en*

réalité comme une critique par contraste. Le folliculaire de La
Religion vengée *dénoncera l'intention de l'auteur : « C'est la
France qu'il a principalement en vue lorsqu'il parle de ces pays
où la philosophie n'a pas fait moins de progrès qu'à Genève,
mais où la vérité est encore captive. » Et déjà* Fanatisme *avait
suscité cette remarque : « Les encyclopédistes n'aiment pas cette
intolérance, ils aiment mieux la disposition des pasteurs de
Genève. Quand on ne croit rien, on n'est guère intolérant »*

*Mais d'Alembert, sans doute abusé par les confidences de
quelques pasteurs, avait attribué à tous des positions allant
jusqu'au socinianisme. Grimm tira la sonnette d'alarme :
« L'auteur y avance fort inconsidérément que les théologiens sont
sociniens, et même déistes ; c'est une étourderie d'autant plus
grande de la part de M. d'Alembert que certainement son
intention n'était point de déplaire à la république de Genève. »
Et de fait les pasteurs s'émurent, protestèrent, et le citoyen de
Genève se fit un devoir de défendre leur orthodoxie et de prouver
qu'on ne pouvait les assimiler aux partisans d'une « secte
hérétique ». Mais si on le lit de plus près, on constate qu'il ne
réfute pas les idées générales de d'Alembert sur la religion des
Genevois, qu'il l'approuve dans l'ensemble et même le remercie,
et qu'il ne consacre à cette question qu'un vingtième de la
Lettre... En réalité, comme le souligne d'Alembert dans sa
réponse (en y consacrant les quatre cinquièmes de celle-ci) c'est
l'introduction du théâtre à Genève (qui n'occupait qu'un
huitième de son article) qui déclencha la réaction de Rousseau.*

*Alors que l'encyclopédiste faisait entrer dans son éloge d'une
cité tolérante le souhait de la voir accueillir honorablement les
comédiens excommuniés par les prêtres catholiques (« une petite
république aurait la gloire d'avoir réformé l'Europe sur ce projet
plus important peut-être qu'on ne pense »), Rousseau dissocie
tolérance et morale. Le théâtre est l'agent le plus dangereux de la*

corruption, sa force est dans l'illusion qui substitue les signes
aux choses, il est l'expression la plus achevée de la mascarade
qui installe les hommes dans l'artifice, les rend moins présents
les uns aux autres, désagrège le corps social... C'est l'ennemi
numéro un parmi les sciences et les arts.

*

Ainsi existe-t-il une unité entre le premier Discours *et la*
Lettre sur les spectacles. *Discontinus dans le temps, ils sont
conjoints par leurs thèses, et concordent dans la pensée de
Rousseau. D'où vient alors le reproche de contradiction qui lui
fut adressé? Pour y répondre, il faut d'abord écarter les
incertitudes du lexique. On trouvera dans notre annotation les
explications demandées par les archaïsmes et le déchiffrement de
la signification alternative de mots comme* académie, théâtre,
comédie. *Mais ce qui touche au fond de l'œuvre est le sens
restreint donné le plus souvent à* sciences et arts : *la science,
dans le* Discours, *n'est que le savoir qu'on acquiert en écoutant
un maître ou en lisant des textes (en ce sens, les* lettres *la
précèdent). Quant à l'*art, *c'est le travail des mains, et l'artiste
est un ouvrier, rarement un peintre ou un sculpteur.*

*Ce n'est pas que Rousseau néglige la précision ; il y fait
appel quelquefois, et joue même sur les mots en polémiste. Faut-
il taxer de tricherie ces ambivalences ? Le* barbare *renvoie-t-il
au monde antique et médiéval, ou se confond-il avec le* sauvage ?
Le philosophe *est-il le sage, l'homme de bon sens, ou le
dangereux et méprisable intellectuel à la mode ? Les* lumières
*éclairent-elles ou brûlent-elles le fol adepte de Prométhée ?
Heureusement, l'ambiguïté n'atteint pas les clés :* mœurs *et*
vertu.

Il faut aussi dénoncer, dans ce que Rousseau appelle ses

« contrariétés », la part de son imagination, de ses incertitudes de composition, et surtout de son asservissement à la rhétorique. Pour plaider sa cause, il a gardé des conventions remontant à la scolastique, il s'est laissé imposer l'abstraction et le syllogisme.

Tout philosophe, selon Lévi-Strauss, peut tirer des « notions justes », comme la nature de l'homme, d'un état « qui n'a peut-être point existé ». « Commençons donc par écarter tous les faits, car ils ne touchent pas à la question », dit Rousseau dans son second Discours. Mais si l'on fait l'impasse de l'histoire, peut-on avoir recours à elle pour argumenter ? Peut-on prendre à témoin Plutarque et justifier l'incendie de la bibliothèque d'Alexandrie ? Et si on se fonde sur l'histoire, peut-on confondre causalité et simultanéité, même en arguant d'une persistance ? Si « nos âmes se sont corrompues à mesure que nos sciences et nos arts se sont avancés... », tout est-il dit dans cet à mesure ? Comment alors distinguer entre pureté originelle et préjugés ? Et puis la simultanéité peut prouver le noir et le blanc : les beaux-arts causent les vices mais immortalisent la figure du sage, l'iconoclaste s'incline devant une image sainte... C'est que souvent la logique précède les faits : « passons du raisonnement à l'expérience » est-il dit dans la Lettre à propos de la pudeur.

Mais si, inversement, le raisonnement se prétend déduit des faits, c'est par « supposition » ou généralisation d'un cas choisi arbitrairement. Dans la rhétorique d'Aristote, l' « exemple » sert à une « induction » qui va du particulier au général, comme l' « indice » selon lequel les doctes sont justes parce que Socrate était docte et juste ; Aristote ajoutait que cet indice est réfutable et qu'on n'en tire pas de syllogisme, mais l' « exemple » des Montagnons, présenté comme exceptionnel, sert pourtant de preuve à l'auteur de la Lettre. Au reste, il se rend compte de la faiblesse de son raisonnement, et lorsqu'il lui faut admettre que les exemples qu'il cherche dans les pièces dramatiques n'ont rien

de sûr, il ne peut s'en tirer que par une échappatoire : il s'inspire
de « l'esprit général du théâtre ».

La logique de Rousseau peut donc apparaître comme le
vêtement d'emprunt d'un esprit fruste (« slipshod reasoning »,
écrit J. S. Spink) et on l'a traitée d' « intempestive »
(Fr. Bouchardy). Il revêt en effet successivement tel ou tel
élément du costume du rhéteur, qu'il juge approprié à sa
démonstration ; il en change quand l'argumentation lui semble
l'imposer ; mais il sait bien que c'est artifice, et s'excuse de ses
« transitions », de ses « digressions ». C'est dénoncer par
avance les erreurs de ses interprètes, les « malentendus », comme
dit J. Starobinski, qui nous invite d'abord à une « lecture
fragmentaire », puis à la découverte d'une philosophie cohérente,
comme l'a fait E. Cassirer. A vrai dire, cette découverte suppose
qu'on explicite, avec le génie d'un historien de la philosophie, le
lexique de Rousseau. A cette époque décisive, les « philosophes »
découvrent la nécessité absolue de s'inventer leur propre langage.
Rousseau n'en est pas là, et ne saurait l'imaginer puisqu'il
s'adresse au « peuple ». Mais s'il est perpétuellement gêné par
les manques du vocabulaire, sa réflexion n'y accorde pas
tellement d'importance. Qu'importe, après tout, les contradictions à une pensée contradictoire ? Kant inventera l'antinomie,
Hegel sa dialectique, Rousseau en est au stade de la dénonciation ; la réflexion fonctionne chez lui comme une dénonciation
des incompatibilités ; sa logique est celle d'un ou d'exclusion :
vertus ou sciences, spectacle ou bonnes mœurs.

*

Dans une cohérence d'idées réelle mais encore sous-jacente à
l'époque que nous considérons, notre analyse se bornera à relever
les thèmes principaux, ceux qui nous semblent intéresser

*davantage le lecteur actuel : les femmes, la démocratie et surtout
les spectacles. Mais n'oublions pas que Rousseau était un
autodidacte sur qui, plus que sur bien d'autres, a pesé le lourd
héritage de l'Antiquité. Il a pendant longtemps pensé à l'aide et
en fonction de ses sources anciennes ; Diderot dira même que tout
lui vient de là, et en tout cas le lecteur moderne est étonné, sinon
lassé, par la multitude des références (explicites ou indiquées par
une annotation même limitée) qui le renvoient aux auteurs grecs
et latins. La Grèce antique est un décor permanent et la maison
de Julie sera le temple de la vertu. Quand Rousseau écrit :
« c'est la vertu que je défends », il se tourne en même temps vers
Lacédémone où « l'air même du pays semble imposer la vertu ».
Il vit dans Plutarque, où il s'est familiarisé avec Lycurgue et les
Spartiates, et où Athènes, après Solon, n'offre pour lui qu'une
image négative, voilée à tout jamais par la condamnation de
Socrate ; c'est le début d'une décadence qui se répétera dans le
monde latin, quand il oubliera la Rome antique et sombrera
dans la corruption.*

*Cette Antiquité figée a ses statues, les sages, qu'il faut
distinguer, en tant que vrais philosophes, de la « vaine
philosophie » d'un Epicure qui préfère le plaisir à la vertu ; la
meilleure définition de celle-ci est celle de Platon, le goût de
l'ordre, la bonne morale. Chez les Latins, Tacite, Suétone et
Pétrone seront surtout requis comme témoins de la corruption des
mœurs.*

*Ces sources, Rousseau les puise souvent dans Montaigne,
complété par Charron et Agrippa ; le seizième siècle en a dégagé
une leçon de scepticisme, puisque la vertu, qui était au berceau de
l'Antiquité, ne l'a pas protégée de la décadence, et que les
« sciences et les arts », loin de la sauvegarder, ont contribué à sa
perte. Leur « rétablissement » ne pouvait jouer que dans le
même sens.*

Dans une perspective pessimiste, on dit familièrement : à quel saint se vouer ? Or ce n'est pas métaphore pour Rousseau. Il est revenu à la foi de son enfance. Dès son premier discours il a rompu avec les athées, traités de déclamateurs. Quand il proclamera Jésus-Christ son maître, à la fin de la quatrième des Lettres ecrites de la montagne, il rappellera qu'il a *affirmé sa fidélité à l'Evangile dès sa* Réponse au roi de Pologne. *Il pouvait ajouter que dans la* Lettre à d'Alembert *il avait dit sa conviction qu'on ne peut être vertueux sans religion, bien avant d'écrire dans* Emile *: « Sans la foi nulle véritable vertu n'existe » et qu'il y avait répété sa rupture avec l' « opinion trompeuse », l'athéisme, qui, selon lui, fonde l'égoïsme et annihile ou du moins désarme la vertu.*

C'est donc par la religion qu'il a justifié sa position dans un domaine aussi brûlant alors qu'aujourd'hui, pour les croyants comme pour les philosophes : la question du rôle de la femme. Elle avait déjà débordé, en effet, la simple application des commandements enseignés par les Eglises ; posée à nouveau au siècle précédent par des féministes avant la lettre, comme Poullain de la Barre, elle était maintenant vécue par bien des femmes quelque peu cultivées.

Devant cette question, qu'il a le mérite de mettre en relief et de traiter sans détours, Rousseau réagit en puisant à la fois dans les leçons pour lui très prenantes de l'Antiquité, dans une connaissance semi-livresque du monde moderne empruntée à son compatriote Muralt, dont il lit en 1756 les Lettres sur les Français et les Anglais, *et dans son expérience personnelle d'une Genève et d'un monde parisien vite schématisés dans un tableau contrasté.*

Aussi ne le voit-on pas intéressé par les spéculations sur la différence physiologique des sexes ; il se refuse à l'apriorisme de Fénelon, qui attribue aux filles d'Eve une « nature artifi-

cieuse » justifiant mise au couvent et mariage forcé. Dans sa vision de la société, que les « mœurs » définissent, il part de constatations courantes qu'il ne met pas en question. Les femmes se caractérisent par le désir de plaire, qui leur fait transformer une pudeur spontanée en une affectation tentatrice : la « coquette » Célimène en est le symbole. La femme est donc devenue dangereuse d'abord pour elle-même : sujette à une faute qu'elle devra racheter, elle n'est plus que très exceptionnellement « vertueuse ».

Comment empêcher cette dépravation, lutter contre un divorce de fait qui jette hommes et femmes dans la galanterie ? Le seul remède consiste, à l'exemple des Anciens, dans la séparation des sexes : « il n'y a point de bonnes mœurs pour les femmes hors d'une vie retirée et domestiquée », dit la Lettre. Seul moyen de faire revivre les qualités naturelles du sexe, et l'amour du mari.

Rousseau accorde en effet, contrairement aux blasés de son temps, une valeur essentielle à l'amour dans le couple. Non pas la première : cette forme d'amour est classée dans le Discours après l'amour pour les parents, pour la patrie, pour le genre humain, mais elle est, comme les autres, originelle et quasi religieuse. Elle ne contredit pas la séparation des sexes, puisque celle-ci est postérieure au mariage et que, auparavant, les jeunes gens doivent être mis en contact systématiquement pour qu'il y ait entre eux possibilité de choix ; à l'opposé des interdits ecclésiastiques, il faut même organiser des bals où se mêleront jeunes filles et jeunes gens. « Jean-Jacques, peut écrire Mme Piau-Gillot, réhabilite donc le droit naturel à la passion, le mariage d'amour. Il faudra plus de cent ans, dans toutes les couches sociales, pour que ses idées fassent leur chemin. »

D'où vient alors le reproche d'antiféminisme que lui adressent de nos jours les féministes ? Sans doute est-on agacé par ses plaintes répétées contre « l'empire du sexe », mais c'est de sa *part affaire personnelle. Ce qui provoque l'irritation a une portée plus grande. La femme est un être inférieur, apte seulement à remplir les fonctions propres à son sexe (encore ne doit-on pas la laisser étouffer l'esprit de ses enfants) ; elle est « sans génie », c'est à dire incapable d'invention, de création, sauf très rares exceptions. Elle reste donc mineure à vie. D'abord dans le couple, conformément à l*'Encyclopédie : « *Le droit positif des nations policées, les lois et les coutumes de l'Europe donnent l'autorité du gouvernement unanimement et définitivement au mâle* » (article Femmes). La *Lettre invoque elle aussi « le cri de la Nature et la voix unanime du genre humain ». Jean-Jacques a justifié d'avance le Code civil de 1804.*

La femme est aussi mineure à vie dans l'Etat, elle n'a aucun droit civique, même dans une démocratie : « dans une république, il faut des hommes. » Les seuls liens d'ordre collectif qui lui sont permis après le mariage doivent être contenus dans des « cercles » féminins, comme à Genève. Nulle place n'est prévue pour un chœur féminin dans la fête nationale imaginée à la fin de la Lettre sur les spectacles.

Les lectrices contemporaines se sont-elles senties comme les nôtres « légalement opprimées » ? Il n'y eut que quelques émancipées pour protester. Dans la masse des semi-illettrées, seule l'exaltation de la vertu eut des échos et c'est par ses proclamations morales que Rousseau a contribué à faire naître chez les femmes l'esprit révolutionnaire. Très rares ont surgi des revendications comme les Vues législatives pour les femmes, *adressées à l*'Assemblée Nationale par Mlle Jodin d'Angers, *fille d'un citoyen de Genève.*

Nous voici amené à évoquer la « politique » de Rousseau, bien que les deux ouvrages que nous donnons à lire ne soient pas à ranger proprement parmi ses « écrits politiques ». Il est vrai qu'ils encadrent le Discours sur l'origine de l'inégalité, *et nous avons relevé les similitudes qui les en rapprochent, auxquelles il faudrait ajouter la double méthode de raisonnement avec ou sans l'histoire, et l'attaque contre le mauvais usage de la raison. Mais on y trouve aussi le schéma de la corruption de la société par la décadence des mœurs, et de façon générale cette association de la morale et de la politique qui est la clé de l'ensemble. Rousseau aurait pu adopter la formule de Montesquieu : « Dans la plupart des endroits où je me suis servi du mot de* vertu *j'ai mis* vertu politique » ; *il dira nettement dans* Emile : « *ceux qui voudront traiter séparément la politique et la morale, n'entendront jamais rien à aucune des deux* ».

De même que leurs femmes et beaucoup plus consciemment, les révolutionnaires de 1789-1793 se sont réclamés de la vertu républicaine. Chez Rousseau, elle est l'aboutissement de la vertu individuelle, qui fait le bonheur terrestre, et « vigueur de l'âme », elle se développe dans un combat qui prépare aux luttes pour la patrie. Comme elle vise au bonheur d'autrui, elle exclut la profession militaire et mercenaire, mais dans les « républiques pauvres et guerrières », comme les appelle Emile, *c'est par vertu qu'est défendu le sol de la patrie, et c'est ainsi que le comprendront les soldats de l'an II.*

Si l'armée d'une république peut être amenée à exporter la vertu, c'était l'affaire des Spartiates et des Romains. L'amour de la patrie s'exerce normalement en temps de paix ; la vertu est la raison d'être permanente de chaque membre du corps social, elle fait sa noblesse, la seule véritable ; elle consiste dans l'utilité : « tout citoyen inutile peut être regardé comme un homme pernicieux », dit le Discours ; *le bonheur de l'Etat dépend donc du travail de chacun comme de tous.*

Cette conception d'une république pure et dure n'est possible que dans un cadre restreint. Les amusements peuvent y être contenus, les impôts répartis équitablement, la richesse limitée. Mesures de politique pratique qui ne sauraient être transposées dans d'autres formes d'Etat ; appliquées dans un grand pays, elles suffisent que le monarque soit lui-même, et seul d'ailleurs, vertueux. Encore faut-il que le « mal » soit curable et qu'on se soucie, « ne pouvant plus approprier aux peuples malades la plus excellente police, de leur donner du moins, comme Solon, la meilleure qu'ils puissent comporter », dit la Réponse à Stanislas.

Ce pessimisme du réformateur explique que Rousseau n'ait jamais envisagé avec confiance une révolution comme le monde en a connu depuis : « il n'y a plus de remède, dit déjà le Discours, *à moins de quelque grande révolution presque aussi à craindre que le mal qu'elle pourrait guérir, et qu'il est blâmable de désirer et impossible à prévoir. » Peut-être même a-t-il rêvé plutôt d'un démembrement des empires en confédération de cités : « Ils croient, dit-il de ses adversaires dans sa* Dernière Réponse *(que nous n'avons pu joindre à la première polémique), m'en imposer avec leur mépris pour les petits Etats : ne craignent-ils point que je ne leur demande une fois s'il est bon qu'il y en ait de grands ? »*

Ne nous méprenons donc pas sur la démarche du citoyen de Genève. Si par la suite il acceptera de rédiger des projets de constitution pour les Corses et les Polonais, il ne prétendait pas, avant le Contrat social, *appliquer ses idées à un peuple inconnu de lui. Il voulait empêcher ou arrêter la dégénérescence des mœurs chez un peuple qui en possède d'originellement bonnes. Médecine préventive, curative, voire chirurgicale. Interdiction totale du « moindre changement dans les coutumes »* (Préface de Narcisse) : *« toutes innovations sont dangereuses... il n'en faut jamais faire sans des motifs urgents et* graves » (Lettre). *L'idéal, dit-il à Stanislas, serait de ramener* « *les hommes à cette première égalité, conservatrice de l'innocence et source de toute vertu* ». *C'est aller contre l'apologie du luxe, contre le libéralisme économique prôné par tant de* « *philosophes* ». « *Que deviendra la vertu quand il faudra s'enrichir à quelque prix que ce soit ?* » (Discours). *Il s'agit donc d'une réaction, parfois d'une répression, voire d'un appel à la police. Tout plaisir est a priori suspect, et malgré la condamnation du fanatisme, le lecteur se prend à songer, tantôt aux interdictions jetées par les religions établies, renouvelées de nos jours par un monothéisme de terreur, tantôt aux consignes despotiques d'une citadelle assiégée à qui ses principes valent un assaut permanent.*

Marcel Proust s'est demandé ce qu'il adviendrait de la politesse dans une société égalitaire. La civilité n'est qu'un aspect de la culture, et l'on a vu combien Rousseau est hostile à celle de son temps, au prosélytisme et au cosmopolitisme des « *lumières* ». *Sans doute ne nie-t-il pas, sauf parmi les femmes, l'existence d'êtres de génie, et il les recommande aux monarques comme conseillers. Mais ce sont des individus d'exception et rares sont les* « *savants de premier ordre* ». *Si* « *la science est très bonne en soi* », *comme il dit à Stanislas, les sciences sont peu utiles, même la médecine, si l'on se fie à la nature et à la vertu.* « *Peuples, s'exclame-t-il avant de terminer la première partie du* Discours, *sachez donc une fois que la nature a voulu vous préserver de la science, comme une mère arrache une arme dangereuse des mains de son enfant ; que tous les secrets qu'elle vous cache sont autant de maux dont elle vous garantit...* » *A plus forte raison, le plaisir culturel est suspect, autant sinon plus que tout autre, et les moyens qui le dispensent sont à proscrire. A la fin du* Discours, *une note dénonce* « *les désordres affreux que l'imprimerie a déjà causés en Europe* ».

*

Rousseau a quelque peu atténué sa condamnation du livre, comme s'il prévoyait l'apologie qu'en ferait Hugo. « Gardons-nous, dit-il en répondant à Stanislas, d'en conclure qu'il faille aujourd'hui brûler toutes les bibliothèques et détruire les Universités et les Académies. Nous ne ferions que replonger l'Europe dans la barbarie, et les mœurs n'y gagneraient rien. » Mais il appelle les hommes à se fier à « un guide intérieur plus infaillible que tous les livres » et condamne l'éducation qui fige leur raison dans l'enfance.

L'éducation n'est pas seule en cause, ou plutôt elle se prolonge à travers les activités dépravées d'ordre social, véritable déformation permanente, dont le théâtre est une des plus néfastes pour les mœurs. Dénoncé dans le Discours comme l'œuvre d'inutiles poètes, comme spectacle vain dans la prosopopée de Fabricius, il l'est encore, dans l'intervalle qui mène à la Lettre, par une note en marge de Muralt : « Le théâtre peut corriger les manières, jamais les mœurs. » La critique des spectacles est partie intégrante d'une philosophie morale, avant d'entraîner des interdits d'ordre politique : leur seul but est de plaire, ils exaltent les passions, à commencer par l'amour ou par son entremise.

Cette condamnation n'était pas originale pour des lecteurs nourris de Bossuet et de Conti, même si on leur offrait quelque nouvelle évaluation des passions, bonnes ou mauvaises, dans telle œuvre dramatique ; mais elle devait les étonner de la part d'un homme de lettres et même de métier. Ils ne le connaissaient pas encore comme romancier (comment deviner que telle page sur les femmes insérée dans sa Lettre avait été écrite pour l'Héloïse ?), mais voyaient en lui un auteur de théâtre. On néglige un peu trop, de nos jours, cette première carrière du *citoyen de Genève ; ses pièces n'avaient pas eu un réel succès, mais son public devait attendre de lui une apologie plutôt qu'un réquisitoire. Ignorait-il donc la nature même de son « talent » ?*

Il traite en effet cette espèce d'œuvres d' « art » que sont les pièces dramatiques comme ces statues antiques qui présentent seulement un intérêt décoratif ou une signification religieuse, et ne disent rien de la réalité : « elles n'offrent, dit Saint-Preux, aucune sorte d'instruction sur les mœurs particulières au peuple qu'elles amusent. » Rousseau n'est pas seul à souligner que la comédie de son temps ne montre les manières que des gens du monde, mais il va plus loin en accusant Molière, plus dangereux parce que génial, d'avoir donné l'exemple.

On est surpris qu'il n'ait pas compris la réaction que représentait alors ce qui fut appelé le « drame bourgeois », dont Diderot élaborait la doctrine et donnait des exemples. Peut-être a-t-il évité, pour une fois, d'attaquer de bonnes intentions, mais il eût été intéressant de trouver sous sa plume la dénonciation des différences sociales, respectées de l'honnête homme de naissance remplacé par l'honnête homme enrichi, ou par le négociant philosophe cher à Voltaire et à Sedaine. Il se contente de prédire que ce théâtre n'aura pas la faveur du public, et la composition de celui-ci lui donnait raison d'avance.

Il s'intéresse plutôt, en moraliste toujours, à l'effet du spectacle : mettez en présence des personnages vicieux et des spectateurs ; ils les feront rire, et en tout cas ne seront pas condamnés ferme, car tout juré s'habitue au criminel et se laisse aller aux circonstances atténuantes. Aussi nia-t-il la possibilité d'un théâtre édifiant, condamnant d'avance le théâtre moralisant du siècle suivant, et sans doute tout « réalisme socialiste » systématique.

Mais cette attitude est-elle compatible avec son respect des *chefs-d'œuvre qu'il analyse avec tant de soin pour montrer qu'ils sont « à thèse » ? Ne va-t-il pas jusqu'à classer les caractères d'après la signification morale qu'il leur prête ? Ces analyses astucieuses sont passées à la postérité, chez les critiques littéraires et dans l'exercice scolaire, où elles alimentent un débat permanent. Mais elles intéressent moins le lecteur moderne, qui se demande si n'y est pas oubliée la nature même du théâtre. On s'étonne que, connaissant les réflexions de l'abbé Du Bos sur la différence entre réalité et imitation, Rousseau n'aille pas aussi loin que lui dans l' « esthétique » ; qu'il n'admette pas que la « fiction ingénieuse » nous laisse libres de nos réactions et que nous soyons conscients d'une « illusion comique ». C'est qu'il fallait que le « mensonge » de la scène fût réel, puisqu'il devait expliquer son influence sur les mœurs.*

Il est impossible d'expliquer la thèse de Rousseau par un privilège accordé au texte sur le spectacle. Il montre parfois qu'il ne néglige pas le jeu, le côté visuel et signifiant de la représentation, par exemple la mimique du diable dans une tragédie « burlesque » ; il veut seulement en limiter la portée : « sur la scène même il ne faut pas tout dire à la vue, mais ébranler l'imagination ». Venu au théâtre par la musique, mais honni des acteurs de l'Opéra (Alceste est aussi un opéra), assidu à la Comédie-Française et ami de l'acteur Jelyotte, Rousseau, dans le contexte contemporain, ne rejette pas plus les spectacles que les bibliothèques. Son imagination travaille à en inventer, et son Pygmalion futur symbolise cette tendance à en créer.

Il faut donc éviter tout jugement simpliste. Ses observations sur le contenu du spectacle sont destinées à en révéler les effets moraux sur le spectateur et ne se présentent pas comme des réflexions sur l'art dramatique. En outre elles laissaient place à une seconde partie de la Lettre à d'Alembert, celle qui envisage le théâtre en tant qu'institution, abstraction faite de ce qu'il représente.

*

L'existence d'une « comédie » dans une « société » entraîne pour ses membres des conséquences morales, qui vont, selon Rousseau, de l' « isolement » de l'individu spectateur à une diminution du temps qu'il doit à la collectivité : des calculs de fréquentation, même approximatifs, révèlent que ce temps perdu ou volé est proportionnel au nombre des habitants. C'est donc dans la « grande ville », Paris, que s'est hypertrophié le mal du spectacle, dénoncé comme incurable dans la Préface de Narcisse *et dans* La Nouvelle Héloïse *; à l'autre extrémité, Genève, encore « petite ville » (elle abrite 20 à 25 000 âmes), peut et doit être vaccinée.*

Le danger d'épidémie était réel. L'éditeur savant de la Lettre, *Max Fuchs, a retracé l'expansion d'une civilisation du spectacle après 1715 et surtout 1750. Sous l'impulsion du pouvoir central ou de la demande locale, dans les villes frontières regorgeant d'officiers ou dans les vieilles cités où le Parlement luttait contre le fléau du jeu, comme à Bordeaux, les architectes bâtirent des salles nouvelles inspirées des planches de l'Encyclopédie. Achevé en 1756 sur les plans de Soufflot, le théâtre de Lyon était dit le plus beau d'Europe, et devait rendre jaloux ceux des Genevois qui, selon leur compatriote, « ne désapprouvent pas les spectacles », dégoûtés qu'ils sont des marionnettes et des pantins à peine tolérés par leurs pasteurs. Mais en dépit ou plutôt en raison de l'appui apporté par Voltaire, ils n'eurent pas gain de cause ; même à Carouge, le privilège du roi de Sardaigne fut supprimé, et pour un quart de siècle encore la cité protégea sa « constitution », que, dit Rousseau, le théâtre aurait* attaqué « *en rompant l'équilibre qui doit régner entre les diverses parties de l'Etat, pour conserver le corps dans son assiette* » (*formule bien abstraite et prudente pour désavouer ceux qui dans la « tête » de ce « corps » essayaient de faire triompher ce que les observateurs modernes de la Suisse appellent une culture élitaire*)

Le citoyen mentionne une première « attaque », celle des comédiens contre les mœurs, et il propose d'interdire de séjour ces agents de contamination, dont le libertinage est encore plus nocif quand ils sont d'un sexe doué pour le simulacre et vivant naturellement par procuration. Sans doute cette réputation était-elle assez justifiée pour donner maille à partir à certaines troupes en tournée, et Diderot lui-même a admis que leur façon de vivre jurait parfois trop avec le respect dû aux personnages qu'ils représentaient. Il mettait cependant en garde, dans son Discours sur la poésie dramatique, *contre la généralisation* : « *Attaquer les comédiens par leurs mœurs, c'est en vouloir à tous les états* », et surtout il allait développer dans son Paradoxe *l'idée fondamentale que le comédien ne doit pas être assimilé à son rôle*. Rousseau, au contraire, parti de sa thèse de sincérité absolue, identifie l'un à l'autre et confond sous le nom d'hypocrite *le sens moderne et le sens étymologique*. Ainsi est justifiée la proscription du théâtre.

Comment alors s'amuseront les Genevois, même si l'on tolère les « entretiens de la halle », quelques parades sans sous-entendus grivois ? Peut-on même admettre l'idée d'une distraction, d'un divertissement, si toute activité doit être utile et collective ? Il n'est qu'une solution, de type dialectique, la fête, le spectacle où le spectateur et l'acteur se confondent : jeux civils, sportifs, militaires, se déroulant comme en Grèce « *à la face de toute une nation* ». C'est avec cette large évocation que le citoyen termine sa Lettre, *vision enthousiaste à la fois et condamnation implicite du théâtre fermé à la parisienne, où le parterre ne reçoit même plus le peuple.*

La fête, à vrai dire, n'est pas ici imaginée comme spontanée. Malgré sa tolérance inattendue pour les cafés où s'enivrent les « hommes libres » (libres d'abord de leurs femmes), Rousseau ne la prévoit qu'organisée. Et l'on a vite fait de lui attribuer un certain despotisme, ou du moins une réaction d'aristocrate condescendant pour le « vulgaire »; on étend même parfois l'accusation en parlant de culture « de masse », celle qui maintient la majorité du peuple à un niveau médiocre tandis que le Discours *sélectionne les rares hommes de génie destinés à servir le pouvoir. C'est mal interpréter une pensée qui chemine, et oublier que la* Réponse à Stanislas *affirme que tout vrai mal vient de l'inégalité. La fête idéale est conçue comme une des formes de cette culture qui sera délivrée de tout préjugé ; elle sera un moyen de s'approprier le monde.*

*

Notre époque, héritière à bien des égards des grands rassemblements de la première république française, connaît cette institution de la fête. Elle a aussi connu plus d'une tentative pour transformer le théâtre traditionnel au nom des aspirations les plus démocratiques et, selon les sociologues penchés sur le problème qu'ils intitulent « spectacle et société », c'est un domaine dans lequel on retrouve toujours Rousseau. Peut-on reconnaître ici en lui une sorte de garant de la modernité ?

L'avenir semble d'abord avoir comblé les vœux de l'auteur de la Lettre sur les spectacles *: de 1789 à 1917, en 1936, 1944 et 1968, la fête a vérifié sa dernière note de bas de page : « Il n'y a de pure joie que la joie publique, et les vrais* *sentiments de la nature ne règnent que sur le peuple.* » Les quatorze juillet annuels, les rassemblements autour d'un parti ont renoué avec l'enthousiasme des fêtes paysannes, réhabilité le folklore. Faut-il cependant parler de fête quand une bourgade reconstitue au bord de la rivière des événements historiques qu'elle convie les gens d'ailleurs à venir voir moyennant finance ? Le mérite de ces acteurs bénévoles est indéniable, mais obéissent-ils à un « vrai sentiment de la nature », à la recherche d'une communion ? Leur but est plutôt de provoquer chez autrui l'admiration, et, plus innocemment, la gaieté, la tendresse, la pitié : dans ce genre, on rencontre des initiatives élémentaires au long des rues.

Rien de pur aux yeux de Rousseau dans un tel comportement. Orfèvre en la matière, il y voit plutôt le désir d'affirmer son existence, d'afficher sa personnalité, et c'est là pour lui toute la vocation du comédien. Mais comment s'en étonner, puisque le théâtre de son temps vit d'ostentation et de prestige ? La salle à l'italienne, avec son or et ses lumières, ses loges, sacralise la ségrégation, que renforce l'illusion d'une « représentation » qui recule tout dans le temps : « on ne l'approche pas de nous, on l'en éloigne », lit-on dans la Lettre.

Ce rapport du spectacle à la société n'a pas disparu ; il reste dénoncé de nos jours comme une drogue sociale, et c'est pourquoi, se réclamant de Rousseau et de la démocratie, des rénovateurs ont tenté de rompre avec les habitudes et les techniques dramatiques traditionnelles. Il est à l'honneur de notre siècle que leurs intentions aient pu dépasser le stade du vœu pieux et du bavardage abstrait. Certains sont parvenus à « désemboîter » la scène, à rapprocher et même associer spectateurs et comédiens ; l'évocation de 1789 et de 1793 a rendu plausible la « participation » et réduit à néant l'impression de recul dans le passé.

Mais peut-on en dire autant de l'existence d'un « lieu

theâtral » ? Rousseau n'aurait pas cautionné l'exclusion des
« chefs-d'œuvre du passé » réclamée par Antonin Artaud, et crié
avec ses disciples de 68 : « Assez d'œuvres classiques. Molière
est un fasciste. » S'il n'imagine qu'une scène fixe, des places
payantes, à plusieurs prix, c'est que la fête ne peut être
permanente, et que si théâtre il y a, la pièce qu'on y joue ne
saurait être improvisée. Il y faut un meneur de jeu, bien sûr,
mais aussi un auteur, un texte valable. La dernière idée neuve
qu'on peut trouver chez lui ne porte pas sur la mise en scène, la
façon de dire ou de mimer, elle consiste à affirmer la possibilité
d'une réinterprétation totale des rôles. Remettre en cause le
Misanthrope parce que Molière a « mal saisi » sa « passion
dominante », c'est appeler le personnage à la révolte contre
l'auteur. On a déjà étudié le rousseauisme de Pirandello.

*

Ainsi nos « textes » n'ont pas vieilli et recèlent sans doute
bien d'autres significations. Mais notre auteur serait-il passé à
la postérité pour ses seules idées s'il n'était pas aussi, ses pires
adversaires en conviennent, un écrivain, ou, comme il disait, un
artiste ? Qu'entend par là celui qui condamne les arts tout en
écrivant un roman et qui ne voit dans le « goût » des critiques
que l' « art de se connaître en petites choses » ? Il ne conteste pas
les « règles » imposées aux genres « classiques », comme le
théâtre. Dans quel genre rangeait-il son Discours et sa
Lettre ? Il a parlé lui-même d'essai, mais comme les
connotations de ce terme ne dépassent pas des « réflexions », des
« observations » mises en ordre, mieux vaut chercher ce qu'ont
de commun les deux ouvrages, et d'abord ce que chacun n'est pas.

Le Discours n'a rien d'un exposé magistral, c'est une plaidoirie vivante, faite d'interpellations. L'orateur s'adresse tantôt

à tout un auditoire qui juge de sa cause — ces Messieurs
—, tantôt à un groupe de témoins ou d'aversaires, guerriers,
savants, philosophes, tantôt à un personne précise, Voltaire ou
tel peintre, dont la finesse de son ouïe a perçu ou imaginé la
remarque et vers qui il se tourne : moment qu'il appelle
« digression ».

La Lettre n'est pas une épître, elle suit la démarche inverse
du Discours. Malgré quelques mentions du destinataire
officiel, des anonymes sont apostrophés, et Rousseau finit par
dire : « j'écris pour le peuple », non pas seulement le peuple
genevois, mais pour « le plus grand nombre ».

Il ne s'agit donc pas d'un dialogue. L'ensemble des
« réponses » au Discours, l'échange avec d'Alembert ne sont
pas des dialogues, pas plus que les « dialogues fictifs » d'un
roman épistolaire ou le pseudo-dialogue mis en préface à La
Nouvelle Héloïse. Rousseau n'a pas été un « homme de
dialogue », ni non plus un « dialoguiste », comme le montre
la faiblesse de ses essais dramatiques.

Son génie, en effet, est d'être éloquent : aux pires moments
de leur conflit, Diderot n'a pas osé lui refuser cet éloge.
L'éloquence mène de la facilité de parole à l'art de convaincre ;
et même si le discours n'est pas prononcé, l'auteur l'écrit comme
s'il parlait. La Préface de Narcisse prouve à quel point cette
démarche oratoire est naturelle chez Rousseau, et le situe à cent
lieues de la rhétorique des collèges.

Qu'il y ait donc essai ou art de persuader, il ne consiste pas à
démontrer pour l'esprit, mais à toucher le cœur, à communiquer
sa propre passion, fût-ce contre la nocivité des passions. Et celui
qui veut convaincre est ainsi le contraire de ces charlatans que
sont les littérateurs professionnels. L'éloquence n'a plus rien
en effet d'un métier, puisque son objet est le bonheur des
hommes ; l'esthétique s'identifie avec la morale, le « beau

moral ». *Même si elle est feinte pour le besoin de la cause,
l'indignation reste sincère, l'ironie n'a rien de stérile, le
paradoxe est une dialectique vécue. L'« âme simple » qui reçoit
le message y trouve l'immédiate intuition de la véritable bonne
foi : « Il ne faut, pour sentir la mauvaise foi de toutes ces
réponse, que consulter l'état de son cœur à la fin d'une
tragédie. » L'auteur n'est donc pas seul, même s'il l'est d'abord
contre tous, puisqu'il l'est pour le bonheur de tous : « Le plus
méchant des hommes est celui qui s'isole le plus, qui concentre le
plus son cœur en lui-même ; le meilleur est celui qui partage
également ses affections à tous ses semblables. »*

Ces formules marquent la volonté d'un rapport égalitaire
entre l'orateur et chacun de ceux qu'il veut entraîner ; il peut
s'imaginer parmi eux sur le chemin du bonheur et écrire déjà le
scénario et les hymnes du triomphe. Sans doute n'est-il pas un
stratège des foules, sans doute est-il incapable de composer une
symphonie pour chœurs et grand orchestre ; sa musique reste une
mélodie, son grand air un solo. Mais son solo touche tous les
auditeurs, son grand air est riche de bien des thèmes d'un
possible opéra ; musicien déjà, le voici aussi écrivain : il sait
jouer des mots comme des sons.

Les précieux relevés de Michel Launay, qui épargnent
désormais la répétition de tant de sottises à propos du
vocabulaire de Rousseau, n'ont pas enregistré les cris, les
plaintes dont l'Essai sur l'origine des langues affirme
qu'ils sont le langage initial d'un « jeune cœur ». C'est qu'ils
n'ont pas été transcrits dans les textes, peut-être par respect de
l'euphonie, cette euphonie ou harmonie que Rousseau met
« immédiatement après la clarté, avant la correction » (lettre à
Rey du 8-7-1758). L'euphonie n'interdit pas, conseille même
l'archaïsme quand il est savoureux, les tournures populaires qui
hérissent Sophie d'Houdetot, et ces raccourcis, ces revirements

*de la phrase qui font croire d'abord à de la gaucherie. Le style
du premier* Discours *fut sans doute moins travaillé que celui du
second, l'auteur s'en est accusé dans les* Confessions, *mais
cette modestie tardive ne doit pas cacher que cet « essai »
apparut comme un coup de maître, et qu'il est dit seulement dans
la préface de la* Lettre *qu'il lui a « fallu changer de style ».
L'allusion ne semble pas viser cette première diction sautante et
sentencieuse que lui aurait inculquée Diderot, spécialiste de
« pensées » ; elle annonce plutôt qu'il se libère définitivement de
la structure oratoire. Multiplication des tournures interroga-
tives, insistantes ; alternance de phrases courtes, incisives, et de
périodes plaisamment arrondies ; raccourcis, et mieux, décro-
chages opérés avec des signaux ironiques comme « savoir »,
« donc », « excepté » ; phrases interrompues après une supposition écartée en cours de route ; phrases sans verbe, comme cette
équation attribuée à Sully. Les notes ajoutées le sont-elles
réellement, ne sont-elles pas un autre mode d'écriture, d'autant
qu'elles se terminent parfois sur un couac baroque et volontaire ?
Et les rares corrections dont nous avons la trace, grâce à la
correspondance échangée avec l'éditeur de la* Lettre, *montrent,
outre le souci de l'euphonie, la volonté d'alléger, d'élaguer les
« queues traînantes », et finalement révèlent un écrivain réflé-
chi, déjà sûr de lui, « éloquent » au sens le plus général du mot.*

*

*Est-il possible, d'après les œuvres réunies dans le présent
volume, d'ébaucher une image de Rousseau ? Au premier abord,
elle apparaît fuyante ; c'est plus tard qu'il s'en fera une bien
nette, en se retranchant, de guerre lasse, dans une citadelle
personnelle. Il en est encore à vitupérer son époque, mais l'on est
tenté de lui voir emprunter le même chemin que d'illustres*

*devanciers. Devant l'hypocrisie des hommes, bien des prophètes
s'enfuirent au désert. Diogène s'isole dans un tonneau. Savona-
role tente de réformer l'Eglise, attaque les beaux-arts vecteurs de
l'immoralité païenne : il finit seul. Nos textes ne vont pas
cependant si loin, ils se bornent à marquer la rupture de
Rousseau avec ses faux amis, à exalter la franchise impossible
du Misanthrope et à proclamer le retour à la simplicité de la
foi ; c'est seulement entre les lignes qu'ils annoncent une solution
de fuite. Ce qu'ils laissent entendre, c'est le refus de toute
dépendance,* avant *la recherche d'un refuge.*

*Mais comment expliquer un tel personnage, une telle
démarche ? La justification par le caractère est simpliste, et
usée. Une nouvelle lumière a été cherchée dans la motivation
sociale : celui qui rêve des Montagnons, qui se sent déraciné
dans un Paris déjà tentaculaire, souffre, disent les ethnologues
qui étudient la ville du XVIIIᵉ siècle, du « malaise urbain ». Ne
pouvant avoir la campagne à la ville, il lui faudra étendre la
ville vers la campagne, de Montmorency à Ermenonville. On a
pu écrire sur un Rousseau écologiste. Mais comment rester un
citoyen sans vivre en citadin ? Pourrait-on imaginer une
communauté artificielle, puisque le premier devoir de chacun est
de sauvegarder sa personnalité ? La réflexion de Rousseau va
dépasser ces premières contradictions ; la crainte d'un écartèle-
ment va le mener au-delà de la nostalgie de ces valeurs anciennes
qui lui semblaient avoir soudé la société originelle, au-delà
d'une contestation permanente et stérile de toute nouveauté.*

*C'est que le primat de l'éthique — pour parler avec Cassirer
le langage du philosophe de métier — n'a pas seulement la face
critique du défaitisme ; il se révèle à Rousseau source d'énergie :
l'individu est perfectible. La personnalité se crée en découvrant
elle-même ses richesses ; la bonté n'est pas donnée ; la liberté se
conquiert par le savoir de soi-même et procure enfin l'identité ;*

enfin celle-ci se traduit à la fois par une nouvelle évidence rationnelle et par le sentiment intérieur immédiat... Ainsi s'élabore peu à peu en Rousseau sa vraie philosophie, scellée par l'accord de la raison et du cœur. Il en attend la paix. Du moins donne-t-elle déjà à son éloquence la force et la beauté qui lui assureront l'avenir.

Jean Varloot

DISCOURS

QUI A REMPORTÉ LE PRIX
A L'ACADÉMIE
DE DIJON.

En l'année 1750.

Sur cette Question proposée
par la même Académie :

*Si le rétablissement des sciences et des arts
a contribué à épurer les mœurs.*

Par un Citoyen de Genève [1]

Barbarus hic ego sum quia non intelligor illis, Ovid.

PRÉFACE

Voici une des grandes et belles questions qui aient jamais été agitées. Il ne s'agit point dans ce Discours de ces subtilités métaphysiques qui ont gagné toutes les parties de la littérature, et dont les programmes d'Académie ne sont pas toujours exempts ; mais il s'agit d'une de ces vérités qui tiennent au bonheur du genre humain.

Je prévois qu'on me pardonnera difficilement le parti que j'ai osé prendre. Heurtant de front tout ce qui fait aujourd'hui l'admiration des hommes, je ne puis m'attendre qu'à un blâme universel ; et ce n'est pas pour avoir été honoré de l'approbation de quelques sages [2], que je dois compter sur celle du public : aussi mon parti est-il pris ; je ne me soucie de plaire ni aux beaux esprits, ni aux gens à la mode. Il y aura dans tous les temps des hommes faits pour être subjugués par les opinions de leur siècle, de leur pays, de leur société : tel fait aujourd'hui l'esprit fort et le philosophe, qui, par la même raison n'eût été qu'un fanatique du temps de la Ligue. Il ne faut point écrire

pour de tels lecteurs, quand on veut vivre au delà de
son siècle.

Un mot encore, et je finis. Comptant peu sur
l'honneur que j'ai reçu, j'avais, depuis l'envoi, refondu
et augmenté ce Discours, au point d'en faire, en
quelque manière, un autre ouvrage; aujourd'hui, je
me suis cru obligé de le rétablir dans l'état où il a été
couronné. J'y ai seulement jeté quelques notes et laissé
deux additions faciles à reconnaître, et que l'Académie
n'aurait peut-être pas approuvées[3]. J'ai pensé que
l'équité, le respect et la reconnaissance exigeaient de
moi cet avertissement[4].

DISCOURS

Decipimur specie recti[5].

Le rétablissement des sciences et des arts a-t-il contribué à épurer ou à corrompre les mœurs[6]? Voilà ce qu'il s'agit d'examiner. Quel parti dois-je prendre dans cette question? Celui, messieurs, qui convient à un honnête homme qui ne sait rien, et qui ne s'en estime pas moins.

Il sera difficile, je le sens, d'approprier ce que j'ai à dire au tribunal où je comparais. Comment oser blâmer les sciences devant une des plus savantes compagnies de l'Europe, louer l'ignorance dans une célèbre Académie[7], et concilier le mépris pour l'étude avec le respect pour les vrais savants? J'ai vu ces contrariétés; et elles ne m'ont point rebuté. Ce n'est point la science que je maltraite, me suis-je dit; c'est la vertu que je défends devant des hommes vertueux. La probité est encore plus chère aux gens de bien que l'érudition aux doctes. Qu'ai-je donc à redouter? Les

lumières de l'Assemblée qui m'écoute? Je l'avoue;
mais c'est pour la constitution[8] du discours, et non
pour le sentiment de l'orateur. Les souverains équitables n'ont jamais balancé à se condamner eux-mêmes
dans des discussions douteuses; et la position la plus
avantageuse au bon droit est d'avoir à se défendre
contre une partie intègre et éclairée, juge en sa propre
cause.

A ce motif qui m'encourage, il s'en joint un autre qui
me détermine : c'est qu'après avoir soutenu, selon ma
lumière naturelle, le parti de la vérité, quel que soit
mon succès, il est un prix qui ne peut me manquer : Je
le trouverai dans le fond de mon cœur.

PREMIÈRE PARTIE

C'est un grand et beau spectacle de voir l'homme
sortir en quelque manière du néant par ses propres
efforts; dissiper, par les lumières de sa raison, les
ténèbres dans lesquelles la nature l'avait enveloppé;
s'élever au-dessus de lui-même; s'élancer par l'esprit
jusque dans les régions célestes; parcourir à pas de
géant, ainsi que le soleil, la vaste étendue de l'univers;
et, ce qui est encore plus grand et plus difficile, rentrer
en soi pour y étudier l'homme et connaître sa nature,
ses devoirs et sa fin. Toutes ces merveilles se sont
renouvelées depuis peu de générations.

L'Europe était retombée dans la barbarie des premiers âges. Les peuples de cette partie du monde

aujourd'hui si éclairée vivaient, il y a quelques siècles, dans un état pire que l'ignorance. Je ne sais quel jargon scientifique, encore plus méprisable que l'ignorance, avait usurpé le nom du savoir, et opposait à son retour un obstacle presque invincible. Il fallait une révolution pour ramener les hommes au bons commun ; elle vint enfin du côté d'où on l'aurait le moins attendue. Ce fut le stupide Musulman, ce fut l'éternel fléau des lettres qui les fit renaître parmi nous. La chute du trône de Constantin porta dans l'Italie les débris de l'ancienne Grèce. La France s'enrichit à son tour de ces précieuses dépouilles. Bientôt les sciences suivirent les lettres ; à l'art d'écrire se joignit l'art de penser ; gradation qui paraît étrange et qui n'est peut-être que trop naturelle [9] ; et l'on commença à sentir le principal avantage du commerce des Muses, celui de rendre les hommes plus sociables en leur inspirant le désir de se plaire les uns aux autres par des ouvrages dignes de leur approbation mutuelle.

L'esprit a ses besoins, ainsi que le corps. Ceux-ci font les fondements de la société, les autres en sont l'agrément [10]. Tandis que le gouvernement et les lois pourvoient à la sûreté et au bien-être des hommes assemblés ; les sciences, les lettres et les arts, moins despotiques et plus puissants peut-être, étendent des guirlandes de fleurs sur les chaînes de fer dont ils sont chargés, étouffent en eux le sentiment de cette liberté originelle pour laquelle ils semblaient être nés, leur font aimer leur esclavage et en forment ce qu'on appelle des peuples policés [11]. Le besoin éleva les trônes ; les sciences et les arts les ont affermis. Puissances de la terre, aimez les talents, et protégez ceux

qui les cultivent*. Peuples policés, cultivez-les : heureux esclaves, vous leur devez ce goût délicat et fin
dont vous vous piquez ; cette douceur de caractère et
cette urbanité de mœurs qui rendent parmi vous le
commerce si liant et si facile ; en un mot, les apparences de toutes les vertus sans en avoir aucune.

C'est par cette sorte de politesse, d'autant plus
aimable qu'elle affecte moins de se montrer, que se
distinguèrent autrefois Athènes et Rome dans les jours
si vantés de leur magnificence et de leur éclat : c'est
par elle, sans doute, que notre siècle et notre nation
l'emporteront sur tous les temps et sur tous les
peuples. Un ton philosophe sans pédanterie, des
manières naturelles et pourtant prévenantes, également éloignées de la rusticité tudesque et de la
pantomime ultramontaine : voilà les fruits du goût
acquis par de bonnes études et perfectionné dans le
commerce du monde.

Qu'il serait doux de vivre parmi nous, si la conte-
nance extérieure était toujours l'image des dispositions
du cœur ; si la décence était la vertu ; si nos maximes
nous servaient de règles ; si la véritable philosophie
était inséparable du titre de philosophe ! Mais tant de

---

* Les princes voient toujours avec plaisir le goût des arts
agréables et des superfluités dont l'exportation de l'argent ne résulte
pas s'étendre parmi leurs sujets. Car outre qu'ils les nourrissent ainsi
dans cette petitesse d'âme si propre à la servitude, ils savent très
bien que tous les besoins que le peuple se donne sont autant de
chaînes dont il se charge. Alexandre, voulant maintenir les Ichtyo-
phages dans sa dépendance, les contraignit de renoncer à la pêche et
de se nourrir des aliments communs aux autres peuples ; et les
sauvages de l'Amérique, qui vont tout nus et qui ne vivent que du
produit de leur chasse, n'ont jamais pu être domptés. En effet, quel
joug imposerait-on à des hommes qui n'ont besoin de rien ?

qualités vont trop rarement ensemble, et la vertu ne
marche guère en si grande pompe. La richesse de la
parure peut annoncer un homme opulent, et son
élégance un homme de goût ; l'homme sain et robuste
se reconnaît à d'autres marques : c'est sous l'habit
rustique d'un laboureur, et non sous la dorure d'un
courtisan, qu'on trouvera la force et la vigueur du
corps. La parure n'est pas moins étrangère à la vertu
qui est la force et la vigueur de l'âme. L'homme de
bien est un athlète qui se plaît à combattre nu : il
méprise tous ces vils ornements qui gêneraient l'usage
de ses forces, et dont la plupart n'ont été inventés que
pour cacher quelque difformité.

Avant que l'art eût façonné nos manières et appris à
nos passions à parler un langage apprêté, nos mœurs
étaient rustiques, mais naturelles ; et la différence des
procédés annonçait au premier coup d'œil celle des
caractères. La nature humaine, au fond, n'était pas
meilleure [12] ; mais les hommes trouvaient leur sécurité
dans la facilité de se pénétrer réciproquement, et cet
avantage, dont nous ne sentons plus le prix, leur
épargnait bien des vices.

Aujourd'hui que des recherches plus subtiles et un
goût plus fin ont réduit l'art de plaire en principes, il
règne dans nos mœurs une vile et trompeuse uniformité, et tous les esprits semblent avoir été jetés dans un
même moule : sans cesse la politesse exige, la bienséance ordonne : sans cesse on suit des usages, jamais
son propre génie. On n'ose plus paraître ce qu'on est ;
et dans cette contrainte perpétuelle, les hommes qui
forment ce troupeau qu'on appelle société [13], placés
dans les mêmes circonstances, feront tous les mêmes

choses si des motifs plus puissants ne les en détournent. On ne saura donc jamais bien à qui l'on a
affaire : il faudra donc, pour connaître son ami,
attendre les grandes occasions, c'est-à-dire attendre
qu'il n'en soit plus temps, puisque c'est pour ces
occasions mêmes qu'il eût été essentiel de le connaître.

Quel cortège de vices n'accompagnera point cette
incertitude ? Plus d'amitiés sincères ; plus d'estime
réelle ; plus de confiance fondée. Les soupçons, les
ombrages, les craintes, la froideur, la réserve, la haine,
la trahison se cacheront sans cesse sous ce voile
uniforme et perfide de politesse, sous cette urbanité si
vantée que nous devons aux lumières de notre siècle.
On ne profanera plus par des juremens le nom du
maître de l'univers, mais on l'insultera par des blas-
phèmes, sans que nos oreilles scrupuleuses en soient
offensées. On ne vantera pas son propre mérite, mais
on rabaissera celui d'autrui. On n'outragera point
grossièrement son ennemi, mais on le calomniera avec
adresse. Les haines nationales s'éteindront, mais ce
sera avec l'amour de la patrie. A l'ignorance méprisée,
on substituera un dangereux pyrrhonisme [14]. Il y aura
des excès proscrits, des vices déshonorés, mais d'autres
seront décorés du nom de vertus ; il faudra ou les avoir
ou les affecter. Vantera qui voudra la sobriété des
sages du temps, je n'y vois, pour moi, qu'un raffinement d'intempérance autant indigne de mon éloge que
leur artificieuse simplicité * [15].

---

* *J'aime*, dit Montaigne, *à contester et discourir, mais c'est avec peu
d'hommes et pour moi. Car de servir de spectacle aux Grands et faire à l'envi
parade de son esprit et de son caquet, je trouve que c'est un métier très messéant à
un homme d'honneur.* C'est celui de tous nos beaux esprits, hors un.

Telle est la pureté que nos mœurs ont acquise. C'est ainsi que nous sommes devenus gens de bien. C'est aux lettres, aux sciences et aux arts à revendiquer ce qui leur appartient dans un si salutaire ouvrage. J'ajouterai seulement une réflexion ; c'est qu'un habitant de quelque contrée éloignée qui chercherait à se former une idée des mœurs européennes sur l'état des sciences parmi nous, sur la perfection de nos arts, sur la bienséance de nos spectacles, sur la politesse de nos manières, sur l'affabilité de nos discours, sur nos démonstrations perpétuelles de bienveillance, et sur ce concours tumultueux d'hommes de tout âge et de tout état qui semblent empressés depuis le lever de l'aurore jusqu'au coucher du soleil à s'obliger réciproquement ; c'est que cet étranger, dis-je, devinerait exactement de nos mœurs le contraire de ce qu'elles sont.

Où il n'y a nul effet, il n'y a point de cause à chercher : mais ici l'effet est certain, la dépravation réelle, et nos âmes se sont corrompues à mesure que nos sciences et nos arts se sont avancés à la perfection[16]. Dira-t-on que c'est un malheur particulier à notre âge ? Non, Messieurs ; les maux causés par notre vaine curiosité sont aussi vieux que le monde. L'élévation et l'abaissement journalier des eaux de l'océan n'ont pas été plus régulièrement assujettis au cours de l'astre qui nous éclaire durant la nuit que le sort des mœurs et de la probité au progrès des sciences et des arts. On a vu la vertu s'enfuir à mesure que leur lumière s'élevait sur notre horizon, et le même phénomène s'est observé dans tous les temps et dans tous les lieux.

Voyez l'Egypte, cette première école de l'univers, ce

climat si fertile sous un ciel d'airain, cette contrée
célèbre, d'où Sésostris partit autrefois pour conquérir
le monde. Elle devient la mère de la philosophie et des
beaux-arts, et bientôt après, la conquête de Cambyse,
puis celle des Grecs, des Romains, des Arabes, et enfin
des Turcs.

Voyez la Grèce, jadis peuplée de héros qui vainquirent deux fois l'Asie, l'une devant Troie et l'autre dans
leurs propres foyers. Les lettres naissantes n'avaient
point porté encore la corruption dans les cœurs de ses
habitants ; mais le progrès des arts, la dissolution des
mœurs et le joug du Macédonien se suivirent de près ;
et la Grèce, toujours savante, toujours voluptueuse, et
toujours esclave, n'éprouva plus dans ses révolutions
que des changements de maîtres. Toute l'éloquence de
Démosthène ne put jamais ranimer un corps que le
luxe et les arts avaient énervé [17].

C'est au temps des Ennius et des Térence que
Rome, fondée par un pâtre, et illustrée par des
laboureurs, commence à dégénérer. Mais après les
Ovide, les Catulle, les Martial, et cette foule d'auteurs
obscènes, dont les noms seuls alarment la pudeur,
Rome, jadis le temple de la vertu, devient le théâtre du
crime, l'opprobre des nations et le jouet des barbares.
Cette capitale du monde tombe enfin sous le joug
qu'elle avait imposé à tant de peuples, et le jour de sa
chute fut la veille de celui où l'on donna à l'un de ses
citoyens le titre d'arbitre du bon goût [18].

Que dirai-je de cette métropole de l'empire
d'Orient, qui par sa position semblait devoir l'être du
monde entier, de cet asile des sciences et des arts
proscrits du reste de l'Europe, plus peut-être par

sagesse que par barbarie. Tout ce que la débauche et
la corruption ont de plus honteux ; les trahisons, les
assassinats et les poisons de plus noir ; le concours de
tous les crimes de plus atroce ; voilà ce qui forme le
tissu de l'histoire de Constantinople ; voilà la source
pure d'où nous sont émanées les lumières dont notre
siècle se glorifie.

Mais pourquoi chercher dans des temps reculés des
preuves d'une vérité dont nous avons sous nos yeux
des témoignages subsistants. Il est en Asie une contrée
immense où les lettres honorées conduisent aux premières dignités de l'Etat. Si les sciences épuraient les
mœurs, si elles apprenaient aux hommes à verser leur
sang pour la patrie, si elles animaient le courage ; les
peuples de la Chine devraient être sages, libres et
invincibles. Mais s'il n'y a point de vice qui ne les
domine, point de crime qui ne leur soit familier ; si les
lumières des ministres, ni la prétendue sagesse des lois,
ni la multitude des habitants de ce vaste empire n'ont
pu le garantir du joug du Tartare ignorant et grossier,
de quoi lui ont servi tous ses savants ? Quel fruit a-t-il
retiré des honneurs dont ils sont comblés ? serait-ce
d'être peuplé d'esclaves et de méchants ?

Opposons à ces tableaux celui des mœurs du petit
nombre de peuples qui, préservés de cette contagion
des vaines connaissances ont par leurs vertus fait leur
propre bonheur et l'exemple des autres nations. Tels
furent les premiers Perses, nation singulière chez
laquelle on apprenait la vertu comme chez nous on
apprend la science ; qui subjugua l'Asie avec tant de
facilité, et qui seule a eu cette gloire que l'histoire de
ses institutions ait passé pour un roman de philoso-

phie. Tels furent les Scythes, dont on nous a laissé de si
magnifiques éloges. Tels les Germains, dont une
plume, lasse de tracer les crimes et les noirceurs d'un
peuple instruit, opulent et voluptueux, se soulageait à
peindre la simplicité, l'innocence et les vertus [19]. Telle
avait été Rome même dans les temps de sa pauvreté et
de son ignorance. Telle enfin s'est montrée jusqu'à nos
jours cette nation rustique si vantée pour son courage
que l'adversité n'a pu abattre, et pour sa fidélité que
l'exemple n'a pu corrompre * [20].

Ce n'est point par stupidité que ceux-ci ont préféré
d'autres exercices à ceux de l'esprit. Ils n'ignoraient
pas que dans d'autres contrées des hommes oisifs
passaient leur vie à disputer sur le souverain bien, sur
le vice et sur la vertu, et que d'orgueilleux raisonneurs,
se donnant à eux-mêmes les plus grands éloges,
confondaient les autres peuples sous le nom méprisant
de barbares ; mais ils ont considéré leurs mœurs et
appris à dédaigner leur doctrine ** [21].

* Je n'ose parler de ces nations heureuses qui ne connaissent pas
même de nom les vices que nous avons tant de peine à réprimer, de
ces sauvages de l'Amérique dont Montaigne ne balance point à
préférer la simple et naturelle police, non seulement aux lois de
Platon, mais même à tout ce que la philosophie pourra jamais
imaginer de plus parfait pour le gouvernement des peuples. Il en cite
quantité d'exemples frappants pour qui les saurait admirer : Mais
quoi ! dit-il, ils ne portent point de chausses !

** De bonne foi, qu'on me dise quelle opinion les Athéniens
mêmes devaient avoir de l'éloquence, quand ils l'écartèrent avec
tant de soin de ce tribunal intègre des jugements duquel les dieux
mêmes n'appelaient pas ? Que pensaient les Romains de la médecine, quand ils la bannirent de leur République ? Et quand un reste
d'humanité porta les Espagnols à interdire à leurs gens de loi
l'entrée de l'Amérique, quelle idée fallait-il qu'ils eussent de la
jurisprudence ? Ne dirait-on pas qu'ils ont cru réparer par ce seul
acte tous les maux qu'ils avaient faits à ces malheureux Indiens ?

Oublierais-je que ce fut dans le sein même de la Grèce qu'on vit s'élever cette cité aussi célèbre par son heureuse ignorance que par la sagesse de ses lois, cette République de demi-dieux plutôt que d'hommes ? tant leurs vertus semblaient supérieures à l'humanité. O Sparte ! opprobre eternel d'une vaine doctrine [22] ! Tandis que les vices conduits par les beaux-arts s'introduisaient ensemble dans Athènes, tandis qu'un tyran y rassemblait avec tant de soin les ouvrages du prince des poètes, tu chassais de tes murs les arts et les artistes, les sciences et les savants.

L'événement marqua cette différence. Athènes devint le séjour de la politesse et du bon goût, le pays des orateurs et des philosophes. L'élégance des bâtiments y répondait à celle du langage. On y voyait de toutes parts le marbre et la toile animés par les mains des maîtres les plus habiles. C'est d'Athènes que sont sortis ces ouvrages surprenants qui serviront de modèles dans tous les âges corrompus. Le tableau de Lacédémone est moins brillant. *Là*, disaient les autres peuples, *les hommes naissent vertueux, et l'air même du pays semble inspirer la vertu.* Il ne nous reste de ses habitants que la mémoire de leurs actions héroïques. De tels monuments vaudraient-ils moins pour nous que les marbres curieux qu'Athènes nous a laissés ?

Quelques sages, il est vrai, ont résisté au torrent général et se sont garantis du vice dans le séjour des Muses. Mais qu'on écoute le jugement que le premier et le plus malheureux d'entre eux portait des savants et des artistes de son temps [23].

« J'ai examiné, dit-il, les poètes, et je les regarde comme des gens dont le talent en impose à eux-mêmes et aux autres, qui se donnent pour sages, qu'on prend pour tels et qui ne sont rien moins [24].

« Des poètes, continue Socrate, j'ai passé aux artistes. Personne n'ignorait plus les arts que moi ; personne n'était plus convaincu que les artistes possédaient de fort beaux secrets. Cependant, je me suis aperçu que leur condition n'est pas meilleure que celle des poètes et qu'ils sont, les uns et les autres, dans le même préjugé. Parce que les plus habiles d'entre eux excellent dans leur partie, ils se regardent comme les plus sages des hommes. Cette présomption a terni tout à fait leur savoir à mes yeux. De sorte que me mettant à la place de l'oracle [25] et me demandant ce que j'aimerais le mieux être, ce que je suis ou ce qu'ils sont, savoir ce qu'ils ont appris ou savoir que je ne sais rien ; j'ai répondu à moi-même et au dieu : Je veux rester ce que je suis.

« Nous ne savons, ni les sophistes, ni les poètes, ni les orateurs, ni les artistes, ni moi, ce que c'est que le vrai, le bon et le beau. Mais il y a entre nous cette différence, que, quoique ces gens ne sachent rien, tous croient savoir quelque chose. Au lieu que moi, si je ne sais rien, au moins je n'en suis pas en doute. De sorte que toute cette supériorité de sagesse qui m'est accordée par l'oracle, se réduit seulement à être bien convaincu que j'ignore ce que je ne sais pas. »

Voilà donc le plus sage des hommes au jugement des dieux, et le plus savant des Athéniens au sentiment de la Grèce entière, Socrate, faisant l'éloge de l'ignorance ! Croit-on que s'il ressuscitait parmi nous, nos savants et nos artistes lui feraient changer d'avis ? Non, Messieurs, cet homme juste continuerait de mépriser nos vaines sciences; il n'aiderait point à grossir cette foule de livres dont on nous inonde de toutes parts, et ne laisserait, comme il a fait, pour tout précepte à ses disciples et à nos neveux [26], que l'exemple et la mémoire de sa vertu. C'est ainsi qu'il est beau d'instruire les hommes!

Socrate avait commencé dans Athènes; le vieux Caton continua dans Rome de se déchaîner contre ces Grecs artificieux et subtils qui séduisaient la vertu et amollissaient le courage de ses concitoyens [27]. Mais les sciences, les arts et la dialectique [28] prévalurent encore : Rome se remplit de philosophes et d'orateurs; on négligea la discipline militaire, on méprisa l'agriculture, on embrassa des sectes et l'on oublia la patrie. Aux noms sacrés de liberté, de désintéressement, d'obéissance aux lois, succédèrent les noms d'Epicure, de Zénon, d'Arcésilas [29]. *Depuis que les savants ont commencé à paraître parmi nous,* disaient leurs propres philosophes, *les gens de bien se sont éclipsés.* Jusqu'alors les Romains s'étaient contentés de pratiquer la vertu; tout fut perdu quand ils commencèrent à l'étudier.

O Fabricius [30]! qu'eût pensé votre grande âme, si pour votre malheur rappelé à la vie, vous eussiez vu la face pompeuse de cette Rome sauvée par votre bras et que votre nom respectable avait plus illustrée que toutes ses conquêtes? « Dieux! eussiez-vous dit, que sont devenus ces toits de chaume et ces foyers rustiques qu'habitaient jadis la modération et la vertu? Quelle splendeur funeste a succédé à la simplicité romaine? Quel est ce langage étranger? Quelles sont ces mœurs efféminées? Que signifient ces statues, ces tableaux, ces édifices? Insensés, qu'avez-vous fait?

Vous les maîtres des nations, vous vous êtes rendus les
esclaves des hommes frivoles que vous avez vaincus ?
Ce sont des rhéteurs qui vous gouvernent ? C'est pour
enrichir des architectes, des peintres, des statuaires et
des histrions, que vous avez arrosé de votre sang la
Grèce et l'Asie ? Les dépouilles de Carthage sont la
proie d'un joueur de flûte [31] ? Romains, hâtez-vous de
renverser ces amphithéâtres ; brisez ces marbres ;
brûlez ces tableaux ; chassez ces esclaves qui vous
subjuguent, et dont les funestes arts vous corrompent.
Que d'autres mains s'illustrent par de vains talents ; le
seul talent digne de Rome est celui de conquérir le
monde et d'y faire régner la vertu. Quand Cinéas prit
notre Sénat pour une assemblée de rois, il ne fut ébloui
ni par une pompe vaine, ni par une élégance recherchée [32]. Il n'y entendit point cette éloquence frivole,
l'étude et le charme des hommes futiles. Que vit donc
Cinéas de si majestueux ? O citoyens ! Il vit un
spectacle que ne donneront jamais vos richesses ni tous
vos arts ; le plus beau spectacle qui ait jamais paru
sous le ciel, l'assemblée de deux cents hommes vertueux, dignes de commander à Rome et de gouverner
la terre. »

Mais franchissons la distance des lieux et des temps,
et voyons ce qui s'est passé dans nos contrées et sous
nos yeux ; ou plutôt, écartons des peintures odieuses
qui blesseraient notre délicatesse, et épargnons-nous la
peine de répéter les mêmes choses sous d'autres noms.
Ce n'est point en vain que j'évoquais les mânes de
Fabricius ; et qu'ai-je fait dire à ce grand homme, que
je n'eusse pu mettre dans la bouche de Louis XII ou
de Henri IV ? Parmi nous, il est vrai, Socrate n'eût

point bu la ciguë[33] ; mais il eût bu, dans une coupe encore plus amère, la raillerie insultante, et le mépris pire cent fois que la mort.

Voilà comment le luxe, la dissolution et l'esclavage ont été de tout temps le châtiment des efforts orgueilleux que nous avons faits pour sortir de l'heureuse ignorance où la sagesse éternelle nous avait placés. Le voile épais dont elle a couvert toutes ses opérations semblait nous avertir assez qu'elle ne nous a point destinés à de vaines recherches. Mais est-il quelqu'une de ses leçons dont nous ayons su profiter, ou que nous ayons négligée impunément ? Peuples, sachez donc une fois que la nature a voulu vous préserver de la science, comme une mère arrache une arme dangereuse des mains de son enfant ; que tous les secrets qu'elle vous cache sont autant de maux dont elle vous garantit, et que la peine que vous trouvez à vous instruire n'est pas le moindre de ses bienfaits. Les hommes sont pervers ; ils seraient pires encore, s'ils avaient eu le malheur de naître savants.

Que ces réflexions sont humiliantes pour l'humanité ! que notre orgueil en doit être mortifié ! Quoi ! la probité serait fille de l'ignorance ? La science et la vertu seraient incompatibles ? Quelles conséquences ne tirerait-on point de ces préjugés ? Mais pour concilier ces contrariétés[34] apparentes, il ne faut qu'examiner de près la vanité et le néant de ces titres orgueilleux qui nous éblouissent, et que nous donnons si gratuitement aux connaissances humaines. Considérons donc les sciences et les arts en eux-mêmes. Voyons ce qui doit résulter de leur progrès ; et ne balançons plus à convenir de tous les points où nos

raisonnements se trouveront d'accord avec les induc-
tions historiques[35].

SECONDE PARTIE

Leaves history to examine S+A themselves

C'était une ancienne tradition passée de l'Egypte en
Grèce, qu'un dieu ennemi du repos des hommes était
l'inventeur des sciences*[36]. Quelle opinion fallait-il
donc qu'eussent d'elles les Egyptiens mêmes, chez qui
elles étaient nées ? C'est qu'ils voyaient de près les
sources qui les avaient produites. En effet, soit qu'on
feuillette les annales du monde, soit qu'on supplée à
des chroniques incertaines par des recherches philosophiques, on ne trouvera pas aux connaissances
humaines une origine qui réponde à l'idée qu'on aime
à s'en former[37]. L'astronomie est née de la superstition ; l'éloquence, de l'ambition, de la haine, de la
flatterie, du mensonge ; la géométrie, de l'avarice ; la
physique, d'une vaine curiosité ; toutes, et la morale
même, de l'orgueil humain. Les sciences et les arts
doivent donc leur naissance à nos vices : nous serions
moins en doute sur leurs avantages, s'ils la devaient à
nos vertus.

* On voit aisément l'allégorie de la fable de Prométhée ; et il ne
paraît pas que les Grecs qui l'ont cloué sur le Caucase en pensassent
guère plus favorablement que les Egyptiens de leur dieu Teuthus.
« Le satyre, dit une ancienne fable, voulut baiser et embrasser le feu,
la première fois qu'il le vit ; mais Prometheus lui cria : Satyre, tu
pleureras la barbe de ton menton, car il brûle quand on y touche. »
C'est le sujet du frontispice.

Le défaut de leur origine ne nous est que trop retracé dans leurs objets. Que ferions-nous des arts, sans le luxe qui les nourrit ? Sans les injustices des hommes, à quoi servirait la jurisprudence ? Que deviendrait l'histoire, s'il n'y avait ni tyrans, ni guerres, ni conspirateurs [38] ? Qui voudrait en un mot passer sa vie à de stériles contemplations, si chacun ne consultant que les devoirs de l'homme et les besoins de la nature, n'avait de temps que pour la patrie, pour les malheureux et pour ses amis ? Sommes-nous donc faits pour mourir attachés sur les bords du puits où la vérité s'est retirée ? Cette seule réflexion devrait rebuter dès les premiers pas tout homme qui chercherait sérieusement à s'instruire par l'étude de la philosophie.

Que de dangers ! que de fausses routes dans l'investigation des sciences [39] ? Par combien d'erreurs, mille fois plus dangereuses que la vérité n'est utile, ne faut-il point passer pour arriver à elle ? Le désavantage est visible ; car le faux est susceptible d'une infinité de combinaisons ; mais la vérité n'a qu'une manière d'être. Qui est-ce d'ailleurs, qui la cherche bien sincèrement ? même avec la meilleure volonté, à quelles marques est-on sûr de la reconnaître ? Dans cette foule de sentiments différents, quel sera notre *criterium* pour en bien juger *[40] ? Et ce qui est le plus difficile, si par bonheur nous la trouvons à la fin, qui de nous en saura faire un bon usage ?

* Moins on sait, plus on croit savoir. Les péripatéticiens doutaient-ils de rien ? Descartes n'a-t-il pas construit l'univers avec des cubes et des tourbillons ? Et y a-t-il aujourd'hui même en Europe si mince physicien qui n'explique hardiment ce profond mystère de l'électricité, qui sera peut-être à jamais le désespoir des vrais philosophes ?

Si nos sciences sont vaines dans l'objet qu'elles se proposent, elles sont encore plus dangereuses par les effets qu'elles produisent. Nées dans l'oisiveté, elles la nourrissent à leur tour ; et la perte irréparable du temps est le premier préjudice qu'elles causent nécessairement à la société. En politique, comme en morale, c'est un grand mal que de ne point faire de bien ; et tout citoyen inutile peut être regardé comme un homme pernicieux. Répondez-moi donc, philosophes illustres ; vous par qui nous savons en quelles raisons [41] les corps s'attirent dans le vide ; quels sont, dans les révolutions des planètes, les rapports des aires parcourues en temps égaux ; quelles courbes ont des points conjugués, des points d'inflexion et de rebroussement ; comment l'homme voit tout en Dieu ; comment l'âme et le corps se correspondent sans communication, ainsi que feraient deux horloges ; quels astres peuvent être habités ; quels insectes se reproduisent d'une manière extraordinaire ? Répondez-moi, dis-je, vous de qui nous avons reçu tant de sublimes connaissances ; quand vous ne nous auriez jamais rien appris de ces choses, en serions-nous moins nombreux, moins bien gouvernés, moins redoutables, moins florissants ou plus pervers ? Revenez donc sur l'importance de vos productions ; et si les travaux des plus éclairés de nos savants et de nos meilleurs citoyens nous procurent si peu d'utilité, dites-nous ce que nous devons penser de cette foule d'écrivains obscurs et de lettrés oisifs, qui dévorent en pure perte la substance de l'Etat [42].

Que dis-je, oisifs ? et plût à Dieu qu'ils le fussent en effet ! Les mœurs en seraient plus saines et la société plus paisible. Mais ces vains et futiles déclamateurs

vont de tous côtés, armés de leurs funestes paradoxes[43]; sapant les fondements de la foi, et anéantis-
sant la vertu. Ils sourient dédaigneusement à ces vieux
mots de patrie et de religion, et consacrent leurs talents
et leur philosophie à détruire et avilir tout ce qu'il y a
de sacré parmi les hommes. Non qu'au fond ils haïssent
ni la vertu ni nos dogmes; c'est de l'opinion publique
qu'ils sont ennemis; et pour les ramener aux pieds des
autels, il suffirait de les reléguer parmi les athées. O
fureur de se distinguer, que ne pouvez-vous point?

C'est un grand mal que l'abus du temps. D'autres
maux pires encore suivent les lettres et les arts. Tel est
le luxe, né comme eux de l'oisiveté et de la vanité des
hommes. Le luxe va rarement sans les sciences et les
arts, et jamais ils ne vont sans lui. Je sais que notre
philosophie[44], toujours féconde en maximes singulières, prétend, contre l'expérience de tous les siècles,
que le luxe fait la splendeur des Etats; mais après
avoir oublié la nécessité des lois somptuaires[45], osera-
t-elle nier encore que les bonnes mœurs ne soient
essentielles à la durée des empires, et que le luxe ne
soit diamétralement opposé aux bonnes mœurs? Que
le luxe soit un signe certain des richesses; qu'il serve
même si l'on veut à les multiplier: Que faudra-t-il
conclure de ce paradoxe si digne d'être né de nos
jours; et que deviendra la vertu, quand il faudra
s'enrichir à quelque prix que ce soit? Les anciens
politiques parlaient sans cesse de mœurs et de vertu;
les nôtres ne parlent que de commerce et d'argent.
L'un vous dira qu'un homme vaut en telle contrée la
somme qu'on le vendrait à Alger; un autre en suivant
ce calcul trouvera des pays où un homme ne vaut rien,

et d'autres où il vaut moins que rien. Ils évaluent les hommes comme des troupeaux de bétail. Selon eux, un homme ne vaut à l'Etat que la consommation qu'il y fait[46]. Ainsi un Sybarite aurait bien valu trente Lacédémoniens. Qu'on devine donc laquelle de ces deux Républiques, de Sparte ou de Sybaris, fut subjuguée par une poignée de paysans, et laquelle fit trembler l'Asie.

La monarchie de Cyrus a été conquise avec trente mille hommes par un prince plus pauvre que le moindre des satrapes de Perse ; et les Scythes, le plus misérable de tous les peuples, a résisté aux plus puissants monarques de l'univers. Deux fameuses républiques se disputèrent l'empire du monde[47] ; l'une était très riche, l'autre n'avait rien, et ce fut celle-ci qui détruisit l'autre. L'empire romain à son tour, après avoir englouti toutes les richesses de l'univers, fut la proie de gens qui ne savaient pas même ce que c'était que richesse. Les Francs conquirent les Gaules, les Saxons l'Angleterre sans autres trésors que leur bravoure et leur pauvreté. Une troupe de pauvres montagnards dont toute l'avidité se bornait à quelques peaux de moutons, après avoir dompté la fierté autrichienne, écrasa cette opulente et redoutable Maison de Bourgogne qui faisait trembler les potentats de l'Europe. Enfin toute la puissance et toute la sagesse de l'héritier de Charles Quint, soutenues de tous les trésors des Indes, vinrent se briser contre une poignée de pêcheurs de hareng[48]. Que nos politiques daignent suspendre leurs calculs pour réfléchir à ces exemples, et qu'ils apprennent une fois qu'on a de tout avec de l'argent, hormis des mœurs et des citoyens.

De quoi s'agit-il donc précisément dans cette question du luxe ? De savoir lequel importe le plus aux empires d'être brillants et momentanés, ou vertueux et durables. Je dis brillants, mais de quel éclat ? Le goût du faste ne s'associe guère dans les mêmes âmes avec celui de l'honnête. Non, il n'est pas possible que des esprits dégradés par une multitude de soins futiles s'élèvent jamais à rien de grand ; et quand ils en auraient la force, le courage leur manquerait.

Tout artiste [49] veut être applaudi. Les éloges de ses contemporains sont la partie la plus précieuse de sa récompense. Que fera-t-il donc pour les obtenir, s'il a le malheur d'être né chez un peuple et dans des temps où les savants devenus à la mode ont mis une jeunesse frivole en état de donner le ton ; où les hommes ont sacrifié leur goût aux tyrans de leur liberté * [50] ; où l'un des sexes n'osant approuver que ce qui est proportionné à la pusillanimité de l'autre, on laisse tomber des chefs-d'œuvre de poésie dramatique, et des prodiges d'harmonie sont rebutés [51] ? Ce qu'il fera, Messieurs ? Il rabaissera son génie au niveau de son siècle, et aimera mieux composer des ouvrages communs

---

* Je suis bien éloigné de penser que cet ascendant des femmes soit un mal en soi. C'est un présent que leur a fait la nature pour le bonheur du genre humain : mieux dirigé, il pourrait produire autant de bien qu'il fait de mal aujourd'hui. On ne sent point assez quels avantages naîtraient dans la société d'une meilleure éducation donnée à cette moitié du genre humain qui gouverne l'autre. Les hommes feront toujours ce qu'il plaira aux femmes : si vous voulez donc qu'ils deviennent grands et vertueux, apprenez aux femmes ce que c'est que grandeur d'âme et vertu. Les réflexions que ce sujet fournit, et que Platon a faites autrefois, mériteraient fort d'être mieux développées par une plume digne d'écrire d'après un tel maître et de défendre une si grande cause.

qu'on admire pendant sa vie, que des merveilles qu'on n'admirerait que longtemps après sa mort. Dites-nous, célèbre Arouet, combien vous avez sacrifié de beautés mâles et fortes à notre fausse délicatesse, et combien l'esprit de la galanterie si fertile en petites choses vous en a coûté de grandes [52].

C'est ainsi que la dissolution des mœurs, suite nécessaire du luxe, entraîne à son tour la corruption du goût. Que si par hasard entre les hommes extraordinaires par leurs talents, il s'en trouve quelqu'un qui ait de la fermeté dans l'âme et qui refuse de se prêter au génie de son siècle et de s'avilir par des productions puériles, malheur à lui ! Il mourra dans l'indigence et dans l'oubli. Que n'est-ce ici un pronostic que je fais et non une expérience que je rapporte ! Carle, Pierre ; le moment est venu où ce pinceau destiné à augmenter la majesté de nos temples par des images sublimes et saintes, tombera de vos mains, ou sera prostitué à orner de peintures lascives les panneaux d'un vis-à-vis [53]. Et toi, rival des Praxitèle et des Phidias ; toi dont les anciens auraient employé le ciseau à leur faire des dieux capables d'excuser à nos yeux leur idolâtrie ; inimitable Pigalle, ta main se résoudra à ravaler le ventre d'un magot, ou il faudra qu'elle demeure oisive [54].

On ne peut réfléchir sur les mœurs, qu'on ne se plaise à se rappeler l'image de la simplicité des premiers temps. C'est un beau rivage, paré des seules mains de la nature, vers lequel on tourne incessamment les yeux, et dont on se sent éloigner à regret [55]. Quand les hommes innocents et vertueux aimaient à avoir les dieux pour témoins de leurs actions, ils

habitaient ensemble sous les mêmes cabanes; mais
bientôt devenus méchants, ils se lassèrent de ces
incommodes spectateurs et les reléguèrent dans des
temples magnifiques. Ils les en chassèrent enfin pour
s'y établir eux-mêmes, ou du moins les temples des
dieux ne se distinguèrent plus des maisons des citoyens.
Ce fut alors le comble de la dépravation; et les vices ne
furent jamais poussés plus loin que quand on les vit,
pour ainsi dire, soutenus à l'entrée des palais des
Grands sur des colonnes de marbre, et gravés sur des
chapiteaux corinthiens[56].

Tandis que les commodités de la vie se multiplient,
que les arts se perfectionnent et que le luxe s'étend; le
vrai courage s'énerve, les vertus militaires s'évanouis-
sent, et c'est encore l'ouvrage des sciences et de tous
ces arts qui s'exercent dans l'ombre du cabinet[57].
Quand les Gots ravagèrent la Grèce, toutes les bibliothèques ne furent sauvées du feu que par cette opinion
semée par l'un d'entre eux, qu'il fallait laisser aux
ennemis des meubles si propres à les détourner de
l'exercice militaire et à les amuser à des occupations
oisives et sédentaires. Charles VIII se vit maître de la
Toscane et du royaume de Naples sans avoir presque
tiré l'épée; et toute sa cour attribua cette facilité
inespérée à ce que les princes et la noblesse d'Italie
s'amusaient plus à se rendre ingénieux et savants
qu'ils ne s'exerçaient à devenir vigoureux et guerriers.
En effet, dit l'homme de sens qui rapporte ces deux
traits[58], tous les exemples nous apprennent qu'en cette
martiale police et en toutes celles qui lui sont semblables, l'étude des sciences est bien plus propre à amollir
et efféminer les courages qu'à les affermir et les animer.

Les Romains ont avoué que la vertu militaire s'était éteinte parmi eux à mesure qu'ils avaient commencé à se connaître en tableaux, en gravures, en vases d'orfèvrerie, et à cultiver les beaux-arts; et comme si cette contrée fameuse était destinée à servir sans cesse d'exemple aux autres peuples, l'élévation des Médicis et le rétablissement des lettres ont fait tomber derechef et peut-être pour toujours cette réputation guerrière que l'Italie semblait avoir recouvrée il y a quelques siècles.

Les anciennes républiques de la Grèce avec cette sagesse qui brillait dans la plupart de leurs institutions avaient interdit à leurs citoyens tous ces métiers tranquilles et sédentaires qui en affaissant et corrompant le corps, énervent sitôt la vigueur de l'âme. De quel œil, en effet, pense-t-on que puissent envisager la faim, la soif, les fatigues, les dangers et la mort, des hommes que le moindre besoin accable, et que la moindre peine rebute. Avec quel courage les soldats supporteront-ils des travaux excessifs dont ils n'ont aucune habitude? Avec quelle ardeur feront-ils des marches forcées sous des officiers qui n'ont pas même la force de voyager à cheval? Qu'on ne m'objecte point la valeur renommée de tous ces modernes guerriers si savamment disciplinés. On me vante bien leur bravoure en un jour de bataille, mais on ne me dit point comment ils supportent l'excès du travail, comment ils résistent à la rigueur des saisons et aux intempéries de l'air. Il ne faut qu'un peu de soleil ou de neige, il ne faut que la privation de quelques superfluités pour fondre et détruire en peu de jours la meilleure de nos armées. Guerriers intrépides, souffrez une fois la vérité

qu'il vous est si rare d'entendre ; vous êtes braves, je le
sais ; vous eussiez triomphé avec Annibal à Cannes et à
Trasimène ; César avec vous eût passé le Rubicon et
asservi son pays ; mais ce n'est point avec vous que le
premier eût traversé les Alpes, et que l'autre eût
vaincu vos aïeux [39].

Les combats ne font pas toujours le succès de la
guerre, et il est pour les généraux un art supérieur à
celui de gagner des batailles. Tel court au feu avec
intrépidité, qui ne laisse pas d'être un très mauvais
officier : dans le soldat même, un peu plus de force et
de vigueur serait peut-être plus nécessaire que tant de
bravoure qui ne le garantit pas de la mort ; et
qu'importe à l'Etat que ses troupes périssent par la
fièvre et le froid, ou par le fer de l'ennemi ?

Si la culture des sciences est nuisible aux qualités
guerrières, elle l'est encore plus aux qualités morales.
C'est dès nos premières années qu'une éducation
insensée orne notre esprit et corrompt notre jugement.
Je vois de toutes parts des établissements immenses,
où l'on élève à grands frais la jeunesse pour lui
apprendre toutes choses, excepté ses devoirs. Vos
enfants ignoreront leur propre langue, mais ils en
parleront d'autres qui ne sont en usage nulle part [60] :
ils sauront composer des vers qu'à peine ils pourront
comprendre : sans savoir démêler l'erreur de la vérité,
ils posséderont l'art de les rendre méconnaissables aux
autres par des arguments spécieux : mais ces mots de
magnanimité, d'équité, de tempérance, d'humanité,
de courage, ils ne sauront ce que c'est ; ce doux nom de
patrie ne frappera jamais leur oreille ; et s'ils entendent
parler de Dieu, ce sera moins pour le craindre que

pour en avoir peur * [61]. J'aimerais autant, disait un
sage [62], que mon écolier eût passé le temps dans un jeu
de paume, au moins le corps en serait plus dispos. Je
sais qu'il faut occuper les enfants, et que l'oisiveté est
pour eux le danger le plus à craindre. Que faut-il donc
qu'ils apprennent? Voilà certes une belle question!
Qu'ils apprennent ce qu'ils doivent faire étant
hommes ** [63], et non ce qu'ils doivent oublier.

* Pens. philosoph.
** Telle était l'éducation des Spartiates, au rapport du plus
grand de leurs rois. C'est, dit Montaigne, chose digne de très grande
considération, qu'en cette excellente police de Lycurgue, et à la
vérité monstrueuse par sa perfection, si soigneuse pourtant de la
nourriture des enfants, comme de sa principale charge, et au gîte
même des Muses, il s'y fasse si peu mention de la doctrine : comme
si, cette généreuse jeunesse dédaignant tout autre joug, on ait dû lui
fournir, au lieu de nos maîtres de science, seulement des maîtres de
vaillance, prudence et justice.
Voyons maintenant comment le même auteur parle des anciens
Perses. Platon, dit-il, raconte que le fils aîné de leur succession
royale était ainsi nourri. Après sa naissance, on le donnait, non à des
femmes, mais à des eunuques de la première autorité près du roi, à
cause de leur vertu. Ceux-ci prenaient charge de lui rendre le corps
beau et sain, et après sept ans le duisaient à monter à cheval et aller
à la chasse. Quand il était arrivé au quatorzième, ils le déposaient
entre les mains de quatre : le plus sage, le plus juste, le plus
tempérant, le plus vaillant de la nation. Le premier lui apprenait la
religion, le second à être toujours véritable, le tiers à vaincre ses
cupidités, le quart à ne rien craindre. Tous, ajouterai-je, à le rendre
bon, aucun à le rendre savant.
Astyage, en Xénophon, demande à Cyrus compte de sa dernière
leçon : c'est, dit-il, qu'en notre école un grand garçon ayant un petit
saye le donna à l'un de ses compagnons de plus petite taille, et lui ôta
son saye qui était plus grand. Notre précepteur m'ayant fait juge de
ce différend, je jugeai qu'il fallait laisser les choses en cet état, et que
l'un et l'autre semblait être mieux accommodé en ce point. Sur quoi,
il me remontra que j'avais mal fait : car je m'étais arrêté à considérer
la bienséance ; et il fallait premièrement avoir pourvu à la justice,
qui voulait que nul ne fût forcé en ce qui lui appartenait. Et dit qu'il

Nos jardins sont ornés de statues et nos galeries de tableaux. Que penseriez-vous que représentent ces chefs-d'œuvre de l'art exposés à l'admiration publique ? Les défenseurs de la patrie ? ou ces hommes plus grands encore qui l'ont enrichie par leurs vertus ? Non. Ce sont des images de tous les égarements du cœur et de la raison, tirées soigneusement de l'ancienne mythologie, et présentées de bonne heure à la curiosité de nos enfants ; sans doute afin qu'ils aient sous leurs yeux des modèles de mauvaises actions, avant même que de savoir lire.

D'où naissent tous ces abus, si ce n'est de l'inégalité funeste introduite entre les hommes par la distinction des talents et par l'avilissement des vertus ? Voilà l'effet le plus évident de toutes nos études, et la plus dangereuse de toutes leurs conséquences. On ne demande plus d'un homme s'il a de la probité, mais s'il a des talents ; ni d'un livre s'il est utile, mais s'il est bien écrit. Les récompenses sont prodiguées au bel esprit, et la vertu reste sans honneurs. Il y a mille prix pour les beaux discours, aucun pour les belles actions. Qu'on me dise, cependant, si la gloire attachée au meilleur des discours qui seront couronnés dans cette Académie est comparable au mérite d'en avoir fondé le prix ?

Le sage ne court point après la fortune ; mais il n'est pas insensible à la gloire ; et quand il la voit si mal distribuée, sa vertu, qu'un peu d'émulation aurait

---

en fut puni, comme on nous punit en nos villages pour avoir oublié le premier aoriste de τύπτω. Mon régent me ferait une belle harangue, *in genere demonstrativo*, avant qu'il me persuadât que son école vaut celle-là.

animée et rendue avantageuse à la société, tombe en
langueur, et s'éteint dans la misère et dans l'oubli.
Voilà ce qu'à la longue doit produire partout la
préférence des talents agréables sur les talents utiles, et
ce que l'expérience n'a que trop confirmé depuis le
renouvellement des sciences et des arts[64]. Nous avons
des physiciens, des géomètres, des chimistes, des
astronomes, des poètes, des musiciens, des peintres ;
nous n'avons plus de citoyens ; ou s'il nous en reste
encore, dispersés dans nos campagnes abandonnées,
ils y périssent indigents et méprisés. Tel est l'état où
sont réduits, tels sont les sentiments qu'obtiennent de
nous ceux qui nous donnent du pain, et qui donnent
du lait à nos enfants[65].

. Je l'avoue, cependant ; le mal n'est pas aussi grand
qu'il aurait pu le devenir. La prévoyance éternelle, en
plaçant à côté de diverses plantes nuisibles des simples
salutaires, et dans la substance de plusieurs animaux
malfaisants le remède à leurs blessures, a enseigné aux
souverains qui sont ses ministres à imiter sa sagesse.
C'est à son exemple que du sein même des sciences et
des arts, sources de mille dérèglements, ce grand
monarque dont la gloire ne fera qu'acquérir d'âge en
âge un nouvel éclat[66], tira ces sociétés célèbres char-
gées à la fois du dangereux dépôt des connaissances
humaines, et du dépôt sacré des mœurs, par l'attention
qu'elles ont d'en maintenir chez elles toute la pureté, et
de l'exiger dans les membres qu'elles reçoivent[67].

Ces sages institutions affermies par son auguste
successeur, et imitées par tous les rois de l'Europe,
serviront du moins de frein aux gens de lettres, qui
tous aspirant à l'honneur d'être admis dans les Acadé-

mies, veilleront sur eux-mêmes, et tâcheront de s'en
rendre dignes par des ouvrages utiles et des mœurs
irréprochables. Celles de ces compagnies, qui pour les
prix dont elles honorent le mérite littéraire feront un
choix de sujets propres à ranimer l'amour de la vertu
dans les cœurs des citoyens, montreront que cet amour
règne parmi elles, et donneront aux peuples ce plaisir
si rare et si doux de voir des sociétés savantes se
dévouer à verser sur le genre humain, non seulement
des lumières agréables, mais aussi des instructions
salutaires.

Qu'on ne m'oppose donc point une objection qui
n'est pour moi qu'une nouvelle preuve. Tant de soins
ne montrent que trop la nécessité de les prendre, et
l'on ne cherche point des remèdes à des maux qui
n'existent pas. Pourquoi faut-il que ceux-ci portent
encore par leur insuffisance le caractère des remèdes
ordinaires ? Tant d'établissements faits à l'avantage
des savants n'en sont que plus capables d'en imposer
sur les objets des sciences et de tourner les esprits à
leur culture. Il semble, aux précautions qu'on prend,
qu'on ait trop de laboureurs et qu'on craigne de
manquer de philosophes. Je ne veux point hasarder ici
une comparaison de l'agriculture et de la philosophie,
on ne la supporterait pas. Je demanderai seulement,
qu'est-ce que la philosophie ? Que contiennent les
écrits des philosophes les plus connus ? Quelles sont les
leçons de ces amis de la sagesse ? A les entendre, ne les
prendrait-on pas pour une troupe de charlatans criant,
chacun de son côté sur une place publique : Venez à
moi, c'est moi seul qui ne trompe point ? L'un prétend
qu'il n'y a point de corps et que tout est en représenta-

tion. L'autre, qu'il n'y a d'autre substance que la matière ni d'autre dieu que le monde. Celui-ci avance qu'il n'y a ni vertus ni vices, et que le bien et le mal moral sont des chimères. Celui-là, que les hommes sont des loups et peuvent se dévorer en sûreté de conscience [68]. O grands philosophes ! que ne réservez-vous pour vos amis et pour vos enfants ces leçons profitables ; vous en recevriez bientôt le prix, et nous ne craindrions pas de trouver dans les nôtres quelqu'un de vos sectateurs.

Voilà donc les hommes merveilleux à qui l'estime de leurs contemporains a été prodiguée pendant leur vie, et l'immortalité réservée après leur trépas ! Voilà les sages maximes que nous avons reçues d'eux et que nous transmettrons d'âge en âge à nos descendants. Le paganisme, livré à tous les égarements de la raison humaine, a-t-il laissé à la postérité rien qu'on puisse comparer aux monuments honteux que lui a préparés l'imprimerie, sous le règne de l'Evangile ? Les écrits impies des Leucippe et des Diagoras sont péris [69] avec eux. On n'avait point encore inventé l'art d'éterniser les extravagances de l'esprit humain. Mais, grâce aux caractères typographiques * [70] et à l'usage que nous en

* A considérer les désordres affreux que l'imprimerie a déjà causés en Europe, à juger de l'avenir par le progrès que le mal fait d'un jour à l'autre, on peut prévoir aisément que les souverains ne tarderont pas à se donner autant de soins pour bannir cet art terrible de leurs Etats qu'ils en ont pris pour l'y établir. Le sultan Achmet, cédant aux importunités de quelques prétendus gens de goût, avait consenti d'établir une imprimerie à Constantinople. Mais à peine la presse fut-elle en train qu'on fut contraint de la détruire et d'en jeter les instruments dans un puits. On dit que le calife Omar, consulté sur ce qu'il fallait faire de la bibliothèque d'Alexandrie, répondit en

faisons, les dangereuses rêveries des Hobbes et des
Spinoza resteront à jamais. Allez, écrits célèbres dont
l'ignorance et la rusticité de nos pères n'auraient point
été capables ; accompagnez chez nos descendants ces
ouvrages plus dangereux encore d'où s'exhale la
corruption des mœurs de notre siècle, et portez
ensemble aux siècles à venir une histoire fidèle du
progrès et des avantages de nos sciences et de nos arts.
S'ils vous lisent, vous ne leur laisserez aucune per-
plexité sur la question que nous agitons aujourd'hui :
et à moins qu'ils ne soient plus insensés que nous, ils
lèveront leurs mains au ciel, et diront dans l'amertume
de leur cœur : « Dieu tout-puissant, toi qui tiens dans
tes mains les esprits, délivre-nous des lumières et des
funestes arts de nos pères, et rends-nous l'ignorance,
l'innocence et la pauvreté, les seuls biens qui puissent
faire notre bonheur et qui soient précieux devant toi. »

Mais si le progrès des sciences et des arts n'a rien
ajouté à notre véritable félicité ; s'il a corrompu nos
mœurs, et si la corruption des mœurs a porté atteinte à
la pureté du goût, que penserons-nous de cette foule
d'auteurs élémentaires qui ont écarté du temple des
Muses les difficultés qui défendaient son abord, et que
la nature y avait répandues comme une épreuve des
forces de ceux qui seraient tentés de savoir ? Que

---

ces termes. Si les livres de cette bibliothèque contiennent des choses
opposées à l'Alcoran, ils sont mauvais et il faut les brûler. S'ils ne
contiennent que la doctrine de l'Alcoran, brûlez-les encore : ils sont
superflus. Nos savants ont cité ce raisonnement comme le comble de
l'absurdité. Cependant, supposez Grégoire le Grand à la place
d'Omar et l'Evangile à la place de l'Alcoran, la bibliothèque aurait
encore été brûlée, et ce serait peut-être le plus beau trait de la vie de
cet illustre pontife.

penserons-nous de ces compilateurs d'ouvrages qui ont indiscrètement brisé la porte des sciences et introduit dans leur sanctuaire une populace indigne d'en approcher [71] ; tandis qu'il serait à souhaiter que tous ceux qui ne pouvaient avancer loin dans la carrière des lettres, eussent été rebutés dès l'entrée, et se fussent jetés dans les arts utiles à la société. Tel qui sera toute sa vie un mauvais versificateur, un géomètre subalterne, serait peut-être devenu un grand fabricateur d'étoffes. Il n'a point fallu de maîtres à ceux que la nature destinait à faire des disciples. Les Vérulam [72], les Descartes et les Newton, ces précepteurs du genre humain n'en ont point eu eux-mêmes, et quels guides les eussent conduits jusqu'où leur vaste génie les a portés? Des maîtres ordinaires n'auraient pu que rétrécir leur entendement en le resserrant dans l'étroite capacité du leur. C'est par les premiers obstacles qu'ils ont appris à faire des efforts, et qu'ils se sont exercés à franchir l'espace immense qu'ils ont parcouru. S'il faut permettre à quelques hommes de se livrer à l'étude des sciences et des arts, ce n'est qu'à ceux qui se sentiront la force de marcher seuls sur leurs traces, et de les devancer. C'est à ce petit nombre qu'il appartient d'élever des monuments à la gloire de l'esprit humain. Mais si l'on veut que rien ne soit au-dessus de leur génie, il faut que rien ne soit au-dessus de leurs espérances. Voilà l'unique encouragement dont ils ont besoin. L'âme se proportionne insensiblement aux objets qui l'occupent, et ce sont les grandes occasions qui font les grands hommes. Le prince de l'éloquence fut consul de Rome, et le plus grand, peut-être, des philosophes, chancelier d'Angleterre. Croit-on que si

l'un n'eût occupé qu'une chaire dans quelque université, et que l'autre n'eût obtenu qu'une modique
pension d'Académie ; croit-on, dis-je, que leurs
ouvrages ne se sentiraient pas de leur état [73] ? Que les
rois ne dédaignent donc pas d'admettre dans leurs
conseils les gens les plus capables de les bien conseil-
ler : qu'ils renoncent à ce vieux préjugé inventé par
l'orgueil des Grands, que l'art de conduire les peuples
est plus difficile que celui de les éclairer : comme s'il
était plus aisé d'engager les hommes à bien faire de
leur bon gré que de les y contraindre par la force. Que
les savants du premier ordre trouvent dans leurs cours
d'honorables asiles. Qu'ils y obtiennent la seule
récompense digne d'eux ; celle de contribuer par leur
crédit au bonheur des peuples à qui ils auront enseigné
la sagesse. C'est alors seulement qu'on verra ce que
peuvent la vertu, la science et l'autorité animées d'une
noble émulation et travaillant de concert à la félicité
du genre humain. Mais tant que la puissance sera
seule d'un côté ; les lumières et la sagesse seules d'un
autre ; les savants penseront rarement de grandes
choses, les princes en feront plus rarement de belles, et
les peuples continueront d'être vils, corrompus et
malheureux.

Pour nous, hommes vulgaires [74], à qui le Ciel n'a
point départi de si grands talents et qu'il ne destine pas
à tant de gloire, restons dans notre obscurité. Ne
courons point après une réputation qui nous échappe-
rait, et qui, dans l'état présent des choses ne nous
rendrait jamais ce qu'elle nous aurait coûté, quand
nous aurions tous les titres pour l'obtenir. A quoi bon
chercher notre bonheur dans l'opinion d'autrui si nous

pouvons le trouver en nous-mêmes ? Laissons à d'autres le soin d'instruire les peuples de leurs devoirs, et bornons-nous à bien remplir les nôtres, nous n'avons pas besoin d'en savoir davantage.

O vertu ! Science sublime des âmes simples, faut-il donc tant de peines et d'appareil pour te connaître ? Tes principes ne sont-ils pas gravés dans tous les cœurs, et ne suffit-il pas pour apprendre tes lois de rentrer en soi-même et d'écouter la voix de sa conscience dans le silence des passions ? Voilà la véritable philosophie, sachons nous en contenter ; et sans envier la gloire de ces hommes célèbres qui s'immortalisent dans la république des lettres, tâchons de mettre entre eux et nous cette distinction glorieuse qu'on remarquait jadis entre deux grands peuples ; que l'un savait bien dire, et l'autre, bien faire [75].

La Polémique

Nous publions ci-après les principaux éléments de la polémique qu'a provoquée le Discours. *Soit la réponse indirecte qu'y fait d'Alembert dans le* Discours préliminaire de l'Encyclopédie, *les* Observations *adressées au* Mercure de France *par quelques lecteurs et sans doute rassemblées par l'abbé Raynal. La réponse de Rousseau à ces* Observations. *La réponse de Stanislas au* Discours de Rousseau *auquel celui-ci réplique par des* Observations *d'abord publiées en brochure puis dans le* Mercure de France. *Et enfin la préface de* Narcisse *où Rousseau reprend l'ensemble de la question et, en ce qui le concerne, clôt la polémique.*

D'ALEMBERT

DISCOURS PRÉLIMINAIRE
DE L'*ENCYCLOPÉDIE*

(extraits)

JUIN 1751

Voilà les biens que nous possédons[1]. Quelle idée ne se formera-t-on pas de nos trésors littéraires, si l'on joint aux

ouvrages de tant de grands hommes les travaux de toutes les
compagnies savantes, destinées à maintenir le goût des
sciences et des lettres, et à qui nous devons tant d'excellents
livres ! De pareilles sociétés ne peuvent manquer de produire
dans un Etat de grands avantages, pourvu qu'en les multi-
pliant à l'excès, on n'en facilite point l'entrée à un trop grand
nombre de gens médiocres ; qu'on en bannisse toute inégalité
propre à éloigner ou à rebuter des hommes faits pour éclairer
les autres ; qu'on n'y connaisse d'autre supériorité que celle
du génie ; que la considération y soit le prix du travail ; enfin
que les récompenses y viennent chercher les talents, et ne
leur soient point enlevées par l'intrigue. Car il ne faut pas s'y
tromper : on nuit plus aux progrès de l'esprit, en plaçant mal
les récompenses qu'en les supprimant. Avouons même à
l'honneur des lettres, que les savants n'ont pas toujours
besoin d'être récompensés pour se multiplier. Témoin
l'Angleterre, à qui les sciences doivent tant, sans que le
gouvernement fasse rien pour elles. Il est vrai que la nation
les considère, qu'elle les respecte même ; et cette espèce de
récompense, supérieure à toutes les autres, est sans doute le
moyen le plus sûr de faire fleurir les sciences et les arts ; parce
que c'est le gouvernement qui donne les places, et le public
qui distribue l'estime. L'amour des lettres, qui est un mérite
chez nos voisins, n'est encore à la vérité qu'une mode parmi
nous, et ne sera peut-être jamais autre chose ; mais quelque
dangereuse que soit cette mode, qui pour un Mécène éclairé
produit cent amateurs ignorants et orgueilleux, peut-être lui
sommes-nous redevables de n'être pas encore tombés dans la
barbarie où une foule de circonstances tendent à nous
précipiter.

On peut regarder comme une des principales, cet amour
du faux bel esprit[2], qui protège l'ignorance, qui s'en fait
honneur, et qui la répandra universellement tôt ou tard. Elle
sera le fruit et le terme du mauvais goût ; j'ajoute qu'elle en
sera le remède. Car tout a des révolutions réglées, et
l'obscurité se terminera par un nouveau siècle de lumière.
Nous serons plus frappés du grand jour, après avoir été
quelque temps dans les ténèbres. Elles seront comme une
espèce d'anarchie très funeste par elle-même, mais quelque-

fois utile par ses suites. Gardons-nous pourtant de souhaiter une révolution si redoutable ; la barbarie dure des siècles, il semble que ce soit notre élément ; la raison et le bon goût ne font que passer.

Ce serait peut-être ici le lieu de repousser les traits qu'un écrivain éloquent et philosophe * a lancés depuis peu contre les sciences et les arts, en les accusant de corrompre les mœurs. Il nous siérait mal d'être de son sentiment à la tête d'un ouvrage tel que celui-ci ; et l'homme de mérite dont nous parlons semble avoir donné son suffrage à notre travail par le zèle et le succès avec lequel il y a concouru [3]. Nous ne lui reprocherons point d'avoir confondu la culture de l'esprit avec l'abus qu'on en peut faire ; il nous répondrait sans doute que cet abus en est inséparable : mais nous le prierons d'examiner si la plupart des maux qu'il attribue aux sciences et aux arts ne sont point dus à des causes toutes différentes, dont l'énumération serait ici aussi longue que délicate. Les lettres contribuent certainement à rendre la société plus aimable ; il serait difficile de prouver que les hommes en sont meilleurs, et la vertu plus commune ; mais c'est un privilège qu'on peut disputer à la morale même ; et pour dire encore plus, faudra-t-il proscrire les lois, parce que leur nom sert d'abri à quelques crimes, dont les auteurs seraient punis dans une république de sauvages ? Enfin, quand nous ferions ici au désavantage des connaissances humaines un aveu dont nous sommes bien éloignés, nous le sommes encore plus de croire qu'on gagnât à les détruire : les vices nous resteraient, et nous aurions l'ignorance de plus.

Finissons cette histoire des sciences, en remarquant que les différentes formes de gouvernement, qui influent tant sur les

---

* M. Rousseau de Genève, auteur de la partie de l'*Encyclopédie* qui concerne la musique, et dont nous espérons que le public sera très satisfait, a composé un Discours fort éloquent, pour prouver que le rétablissement des sciences et des arts a corrompu les mœurs. Ce Discours a été couronné en 1750 par l'Académie de Dijon, avec les plus grands éloges ; il a été imprimé à Paris au commencement de l'année 1751, et a fait beaucoup d'honneur à son auteur. (Note de d'Alembert.)

esprits et sur la culture des lettres, déterminent aussi les espèces de connaissances qui doivent principalement y fleurir, et dont chacune a son mérite particulier. Il doit y avoir en général dans une république plus d'orateurs, d'historiens, et de philosophes ; et dans une monarchie, plus de poètes, de théologiens, et de géomètres. Cette règle n'est pourtant pas si absolue, qu'elle ne puisse être altérée et modifiée par une infinité de causes.

OBSERVATIONS SUR LE DISCOURS

QUI A ÉTÉ COURONNÉ À DIJON [1]

L'auteur du Discours académique qui a remporté le prix de l'Académie de Dijon, est invité par des personnes qui prennent intérêt au bon et au vrai qui y règnent, à publier ce traité plus ample qu'il avait projeté et depuis supprimé [2].

On pense que le lecteur y trouverait des éclaircissements et des modifications à plusieurs propositions générales, susceptibles d'exceptions et de restrictions. Tout cela ne pouvait entrer dans un discours académique, limité à un court espace. Cette sorte de style non plus n'admet peut-être pas de pareils détails, et ce serait d'ailleurs paraître se défier trop des lumières et de l'équité de ses juges.

C'est ce que des personnes bien intentionnées ont voulu faire entendre à certains lecteurs hérissés de difficultés et peut-être de mauvaise humeur, de voir le luxe trop vivement attaqué. Ils se sont récriés sur ce que l'auteur semble, disent-ils, préférer la situation où était l'Europe avant le renouvellement des sciences, état pire que l'ignorance par le faux savoir ou le jargon scolastique qui était en règne.

Ils ajoutent que l'auteur préfère la rusticité à la politesse, et qu'il fait main basse [3] sur tous les savants et les artistes. Il aurait dû, disent-ils, encore marquer le point d'où il part pour désigner l'époque de la décadence, et en remontant à cette première époque faire comparaison des mœurs de ce temps-là avec les nôtres. Sans cela nous ne voyons point jusqu'où il faudrait remonter, à moins que ce ne soit au temps des apôtres.

Ils disent de plus, par rapport au luxe, qu'en bonne politique on sait qu'il doit être interdit dans les petits États, mais que le cas d'un royaume tel que la France, par exemple, est tout différent. Les raisons en sont connues.

Enfin voici ce qu'on objecte. Quelle conclusion pratique peut-on tirer de la thèse que l'auteur soutient ? Quand on lui accorderait tout ce qu'il avance sur le préjudice du trop grand nombre de savants, et principalement de poètes, peintres, et musiciens, comme au contraire sur le trop petit nombre de laboureurs. C'est, dis-je, ce qu'on lui accordera sans peine : mais quel usage en tirera-t-on ? Comment remédier à ce désordre, tant du côté des princes que de celui des particuliers ? Ceux-là peuvent-ils gêner la liberté de leurs sujets par rapport aux professions auxquelles ils se destinent ? Et quant au luxe, les lois somptuaires qu'ils peuvent faire n'y remédient jamais à fond ; l'auteur n'ignore pas tout ce qu'il y aurait à dire là-dessus.

Mais ce qui touche de plus près la généralité des lecteurs, c'est de savoir quel parti ils en peuvent tirer eux-mêmes en qualité de simples particuliers, et c'est en effet le point important, puisque si l'on pouvait venir à bout de faire concourir volontairement chaque individu particulier à ce qu'exige le bien public, ce concours unanime ferait un total plus complet, et sans comparaison plus solide que tous les règlements imaginables que pourraient faire les puissances.

Voilà une vaste carrière ouverte au talent de l'auteur, et puisque la presse[4] roule et roulera vraisemblablement (quoi qu'il en puisse dire) et toujours au service du frivole et de pis encore qu'à celui de la vérité, n'est-il pas juste que chacun qui a de meilleures vues et le talent requis concoure de sa part à y mettre tout le contrepoids dont il est capable ?

Il est d'ailleurs des cas où l'on est plus comptable au public d'un second écrit qu'on ne l'était du premier. Il n'y a pas beaucoup de lecteurs à qui l'on puisse appliquer ce proverbe. *A bon entendeur demi-mot.* On ne saurait mettre dans un trop grand jour des vérités qui heurtent autant de front le goût général, et il importe d'ôter toute prise à la chicane.

Il est aussi bien des lecteurs qui les goûteront mieux dans un style tout uni, que sous cet habit de cérémonie qu'exigent des discours académiques, et l'auteur, qui paraît dédaigner toute vaine parure, le préférera sans doute, libéré qu'il sera par là d'une forme toujours gênante.

P.S. On apprend qu'un académicien d'une des bonnes villes de France, prépare un discours en réfutation de celui de l'auteur [5]. Il y fera sans doute entrer un article contre la suppression totale de l'imprimerie, que bien des gens ont trouvé extrêmement outré.

RÉPONSE [1]

Je dois, Monsieur, des remerciements à ceux qui vous ont fait passer les observations que vous avez la bonté de me communiquer, et je tâcherai d'en faire mon profit ; je vous avouerai pourtant que je trouve mes censeurs un peu sévères sur ma logique, et je soupçonne qu'ils se seraient montrés moins scrupuleux, si j'avais été de leur avis. Il me semble au moins que s'ils avaient eux-mêmes un peu de cette exactitude rigoureuse qu'ils exigent de moi, je n'aurais aucun besoin des éclaircissements que je leur vais demander.

L'auteur semble, disent-ils, *préférer la situation où était l'Europe avant le renouvellement des sciences ; état pire que l'ignorance par le faux savoir ou le jargon qui était en règne.* L'auteur de cette observation semble me faire dire que le faux savoir, ou le jargon scolastique soit préférable à la science, et c'est moi-même qui ait dit qu'il était pire que l'ignorance ; mais qu'entend-il par ce mot *situation ?* L'applique-t-il aux lumières ou aux mœurs, ou s'il confond ces choses que j'ai tant pris de peine à distinguer ? Au reste, comme c'est ici le fond de la question, j'avoue qu'il est très maladroit à moi de n'avoir fait que sembler prendre parti là-dessus.

Ils ajoutent que *l'auteur préfère la rusticité à la politesse.*

Il est vrai que l'auteur préfère la rusticité à l'orgueilleuse et fausse politesse de notre siècle, et il en a dit la raison. *Et qu'il fait main basse sur tous les savants et les artistes* Soit, puisqu'on le veut ainsi, je consens de supprimer toutes les distinctions que j'y avais mises [2].

Il aurait dû, disent-ils encore, *marquer le point d'où il part, pour désigner l'époque de la décadence.* J'ai fait plus ; j'ai rendu ma proposition générale ; j'ai assigné ce premier degré de la décadence des mœurs au premier moment de la culture des lettres dans tous les pays du monde, et j'ai trouvé le progrès de ces deux choses toujours en proportion. *Et en remontant à cette première époque, faire comparaison des mœurs de ce temps-là avec les nôtres.* C'est ce que j'aurais fait encore plus au long dans un volume in-quarto.

Sans cela nous ne voyons point jusqu'où il faudrait remonter, à moins que ce ne soit au temps des Apôtres. Je ne vois pas, moi, l'inconvénient qu'il y aurait à cela, si le fait était vrai. Mais je demande justice au censeur : Voudrait-il que j'eusse dit que le temps de la plus profonde ignorance était celui des Apôtres [3] ?

Ils disent de plus, par rapport au luxe, qu'en bonne politique on sait qu'il doit être interdit dans les petits Etats, mais que le cas d'un royaume tel que la France par exemple, est tout différent. Les raisons en sont connues. N'ai-je pas ici encore quelque sujet de me plaindre ? Ces raisons sont celles auxquelles j'ai tâché de répondre. Bien ou mal, j'ai répondu. Or on ne saurait guère donner à un auteur une plus grande marque de mépris qu'en ne lui répliquant que par les mêmes arguments qu'il a réfutés. Mais faut-il leur indiquer la difficulté qu'ils ont à résoudre ? La voici : *Que deviendra la vertu quand il faudra s'enrichir à quelque prix que ce soit* [*4] *?* Voilà ce que je leur ai demandé, et ce que je leur demande encore.

Quant aux deux observations suivantes, dont la première commence par ces mots : *Enfin voici ce qu'on objecte,* et l'autre

* Disc., p. 38.

par ceux-ci : *mais ce qui touche de plus près ;* je supplie le lecteur de m'épargner la peine de les transcrire. L'Académie m'avait demandé si le rétablissement des sciences et des arts avait contribué à épurer les mœurs [5]. Telle était la question que j'avais à résoudre : cependant voici qu'on me fait un crime de n'en avoir pas résolu une autre. Certainement cette critique est tout au moins fort singulière. Cependant j'ai presque à demander pardon au lecteur de l'avoir prévue, car c'est ce qu'il pourrait croire en lisant les cinq ou six dernières pages de mon discours.

Au reste, si mes censeurs s'obstinent à désirer encore des conclusions pratiques, je leur en promets de très clairement énoncées dans ma première réponse [6].

Sur l'inutilité des lois somptuaires pour déraciner le luxe une fois établi, on dit que *l'auteur n'ignore pas ce qu'il y a à dire là-dessus.* Vraiment non. Je n'ignore pas que quand un homme est mort il ne faut point appeler de médecins.

On ne saurait mettre dans un trop grand jour des vérités qui *heurtent* autant de *front le goût général, et il importe d'ôter toute prise à la chicane.* Je ne suis pas tout à fait de cet avis, et je crois qu'il faut laisser des osselets aux enfants.

Il est aussi bien des lecteurs qui les goûteront mieux dans un style tout uni, que sous cet habit de cérémonie qu'exigent les discours académiques. Je suis fort du goût de ces lecteurs-là. Voici donc un point dans lequel je puis me conformer au sentiment de mes censeurs, comme je fais dès aujourd'hui.

J'ignore quel est l'adversaire dont on me menace dans le *Post-Scriptum.* Tel [7] qu'il puisse être, je ne saurais me résoudre à répondre à un ouvrage, avant que de l'avoir lu, ni à me tenir pour battu, avant que d'avoir été attaqué.

Au surplus, soit que je réponde aux critiques qui me sont annoncées, soit que je me contente de publier l'ouvrage augmenté qu'on me demande, j'avertis mes censeurs qu'ils pourraient bien n'y pas trouver les modifications qu'ils espèrent. Je prévois que quand il sera question de me défendre, je suivrai sans scrupule toutes les conséquences de mes principes.

Je sais d'avance avec quels grands mots on m'attaquera. Lumières, connaissances, lois, morale, raison, bienséance, égards, douceur, aménité, politesse, éducation, etc. A tout cela je ne répondrai que par deux autres mots, qui sonnent encore plus fort à mon oreille. Vertu, vérité ! m'écrierai-je sans cesse ; vérité, vertu ! Si quelqu'un n'aperçoit là que des mots, je n'ai plus rien à lui dire.

RÉPONSE
AU DISCOURS
QUI A REMPORTÉ LE PRIX DE L'ACADÉMIE DE DIJON [1]

Le Discours du citoyen de Genève a de quoi surprendre, et l'on sera peut-être également surpris de le voir couronné par une académie célèbre.

Est-ce son sentiment particulier que l'auteur a voulu établir ? N'est-ce qu'un paradoxe dont il a voulu amuser le public ? Quoi qu'il en soit, pour réfuter son opinion, il ne faut qu'en examiner les preuves, remettre l'anonyme vis-à-vis des vérités qu'il a adoptées, et l'opposer lui-même à lui-même. Puissé-je, en le combattant par ses principes, le vaincre par ses armes et le faire triompher par sa propre défaite [2] ?

Sa façon de penser annonce un cœur vertueux. Sa manière d'écrire décèle un esprit cultivé : mais s'il réunit effectivement la science à la vertu, et que l'une (comme il s'efforce de le prouver) soit incompatible avec l'autre, comment sa doctrine n'a-t-elle pas corrompu sa sagesse, ou comment sa sagesse ne l'a-t-elle pas déterminé à rester dans l'ignorance ? A-t-il donné à la vertu la préférence sur la science ? Pourquoi donc nous étaler avec tant d'affectation une érudition si vaste et si recherchée ? A-t-il préféré, au contraire, la science à la vertu ? Pourquoi donc nous prêcher avec tant d'éloquence celle-ci au préjudice de celle-là ? Qu'il commence par concilier des contradictions si singulières, avant que de combattre les notions communes, et avant que d'attaquer les autres, qu'il s'accorde avec lui-même.

N'aurait-il prétendu qu'exercer son esprit et faire briller son imagination ? Ne lui envions pas le frivole avantage d'y avoir réussi ; mais que conclure en ce cas de son discours ? Ce qu'on conclut après la lecture d'un roman ingénieux ; en vain un auteur prête à des fables les couleurs de la vérité, on voit fort bien qu'il ne croit pas ce qu'il feint de vouloir persuader.

Pour moi, qui ne me flatte, ni d'avoir assez de capacité pour en appréhender quelque chose au préjudice de mes mœurs, ni d'avoir assez de vertu pour pouvoir en faire beaucoup d'honneur à mon ignorance, en m'élevant contre une opinion si peu soutenable, je n'ai d'autre intérêt que de soutenir celui de la vérité. L'auteur trouvera en moi un adversaire impartial ; je cherche même à me faire un mérite auprès de lui en l'attaquant, tous mes efforts, dans ce combat, n'ayant d'autre but que de réconcilier son esprit avec son cœur, et de procurer la satisfaction de voir réunies, dans son âme, les sciences que j'admire avec les vertus qu'il aime[3].

Première Partie[4]

Les sciences servent à faire connaître le vrai, le bon, l'utile en tout genre. Connaissance précieuse, qui en éclairant les esprits, doit naturellement contribuer à épurer les mœurs.

La vérité de cette proposition n'a besoin que d'être présentée pour être crue. Aussi ne m'arrêterai-je pas à la prouver ; je m'attache seulement à réfuter les sophismes ingénieux de celui qui ose la combattre.

Dès l'entrée de son discours, l'auteur offre à nos yeux le plus beau spectacle ; il nous représente l'homme aux prises, pour ainsi dire, avec lui-même, sortant en quelque manière du néant de son ignorance, dissipant par les efforts de sa raison les ténèbres dans lesquelles la nature l'avait enveloppé, s'élevant par l'esprit jusque dans les plus hautes sphères des régions célestes ; asservissant à son calcul les mouvements des astres, et mesurant de son compas la vaste étendue de l'univers, rentrant ensuite dans le fond de son cœur et se rendant compte à lui-même de la nature de son âme, de son excellence, de sa haute destination.

Qu'un pareil aveu, arraché à la vérité, est honorable aux sciences ! Qu'il en montre bien la nécessité et les avantages ! Qu'il en a dû coûter à l'auteur d'être forcé à le faire, et encore plus à le rétracter !

La nature, dit-il, est assez belle par elle-même, elle ne peut que perdre à être ornée. Heureux les hommes, ajoute-t-il, qui savent profiter de ses dons sans les connaître ! C'est à la simplicité de leur esprit qu'ils doivent l'innocence de leurs mœurs. La belle morale que nous débite ici le censeur des sciences et l'apologiste des mœurs ! Qui se serait attendu que de pareilles réflexions dussent être la suite des principes qu'il vient d'établir ?

La nature d'elle-même est belle, sans doute ; mais n'est-ce pas à en découvrir les beautés, à en pénétrer les secrets, à en dévoiler les opérations, que les savants emploient leurs recherches ? Pourquoi un si vaste champ est-il offert à nos regards ? L'esprit, fait pour le parcourir, et qui acquiert dans cet exercice, si digne de son activité, plus de force et d'étendue, doit-il se réduire à quelques perceptions passagères, ou à une stupide admiration ? Les mœurs seront-elles moins pures, parce que la raison sera plus éclairée, et à mesure que le flambeau qui nous est donné pour nous conduire, augmentera de lumières, notre route deviendra-t-elle moins aisée à trouver, et plus difficile à tenir ? A quoi aboutiraient tous les dons que le Créateur a faits à l'homme si, borné aux fonctions organiques de ses sens, il ne pouvait seulement qu'examiner ce qu'il voit, réfléchir sur ce qu'il entend, discerner par l'odorat les rapports qu'ont avec lui les objets, suppléer par le tact au défaut de la vue, et juger par le goût de ce qui lui est avantageux ou nuisible ? Sans la raison qui nous éclaire et nous dirige, confondus avec les bêtes, gouvernés par l'instinct, ne deviendrions-nous pas bientôt aussi semblables à elles par nos actions, que nous le sommes déjà par nos besoins ? Ce n'est que par le secours de la réflexion et de l'étude, que nous pouvons parvenir à régler l'usage des choses sensibles qui sont à notre portée, à corriger les erreurs de nos sens, à soumettre le corps à l'empire de l'esprit, à conduire l'âme, cette substance spirituelle et immortelle, à la connaissance de ses devoirs et de sa fin.

Comme c'est principalement par leurs effets sur les mœurs, que l'auteur s'attache à décrier les sciences, pour les venger d'une si fausse imputation, je n'aurais qu'à rapporter ici les avantages que leur doit la société ; mais qui pourrait détailler les biens sans nombre qu'elles y apportent, et les agréments infinis qu'elles y répandent ? Plus elles sont cultivées dans un Etat, plus l'Etat est florissant ; tout y languirait sans elles.

Que ne leur doit pas l'artisan, pour tout ce qui contribue à la beauté, à la solidité, à la proportion, à la perfection de ses ouvrages ? Le laboureur, pour les différentes façons de forcer la terre à payer à ses travaux les tributs qu'il en attend. Le médecin, pour découvrir la nature des maladies, et la propriété des remèdes. Le jurisconsulte pour discerner l'esprit des lois et la diversité des devoirs. Le juge, pour démêler les artifices de la cupidité d'avec la simplicité de l'innocence, et décider avec équité des biens et de la vie des hommes. Tout citoyen, de quelque profession, de quelque condition qu'il soit, a des devoirs à remplir ; et comment les remplir sans les connaître ? Sans la connaissance de l'histoire, de la politique, de la religion, comment ceux qui sont préposés au gouvernement des Etats, sauraient-ils y maintenir l'ordre, la subordination, la sûreté, l'abondance ?

La curiosité, naturelle à l'homme, lui inspire l'envie d'apprendre ; ses besoins lui en font sentir la nécessité, ses emplois lui en imposent l'obligation, ses progrès lui en font goûter le plaisir. Ses premières découvertes augmentent l'avidité qu'il a de savoir ; plus il connaît, plus il sent qu'il a de connaissances à acquérir : et plus il a de connaissances acquises, plus il a de facilité à bien faire.

Le citoyen de Genève ne l'aurait-il pas éprouvé[5] ? Gardons-nous d'en croire sa modestie ; il prétend qu'on serait plus vertueux si l'on était moins savant : Ce sont les sciences, dit-il, qui nous font connaître le mal. Que de crimes, s'écriet-il, nous ignorerions sans elles ! Mais l'ignorance du vice est-elle donc une vertu ? Est-ce faire le bien que d'ignorer le mal ? Et si s'en abstenir, parce qu'on ne le connaît pas, c'est là ce qu'il appelle être vertueux, qu'il convienne du moins que ce n'est pas l'être avec beaucoup de mérite : c'est s'exposer à ne pas l'être longtemps ; c'est ne l'être que jusqu'à ce que quelque objet vienne solliciter les penchants naturels, ou que quelque occasion vienne réveiller des passions endormies. Il me semble voir un faux brave, qui ne fait montre de sa valeur, que quand il ne se présente point d'ennemis ; un ennemi vient-il à paraître ? Faut-il se mettre en défense ? Le courage manque, et la vertu s'évanouit[6]. Si les sciences nous font connaître le mal, elles nous en font connaître aussi le remède. Un botaniste habile sait démêler les plantes salutaires d'avec les herbes venimeuses, tandis que le vulgaire, qui ignore également la vertu des unes et le poison des autres, les foule aux pieds sans distinction, ou les cueille sans choix. Un homme éclairé par les sciences, distingue dans le grand nombre d'objets qui s'offrent à ses connaissances, ceux qui méritent son aversion, ou ses recherches : il trouve dans la difformité du vice, et dans le trouble qui le suit, dans les charmes de la vertu, et dans la paix qui l'accompagne, de quoi fixer son estime et son goût pour l'une, son horreur et ses mépris pour l'autre ; il est sage par choix, il est solidement vertueux.

Mais, dit-on, il y a des pays, où sans science, sans étude, sans connaître en détail les principes de la morale, on la pratique mieux que dans d'autres où elle est plus connue, plus louée, plus hautement enseignée. Sans examiner ici, à la rigueur, ces parallèles qu'on fait si souvent de nos mœurs avec celles des Anciens ou des étrangers, parallèles odieux, où il entre moins de zèle et d'équité que d'envie contre ses compatriotes, et d'humeur contre ses contemporains : N'est-ce point au climat, au tempérament, au manque d'occasion, au défaut d'objet, à l'économie du gouvernement, aux coutumes, aux lois, à toute autre cause qu'aux sciences, qu'on doit attribuer cette différence qu'on remarque quelquefois dans les mœurs, en différents pays et en différents temps ? Rappeler sans cesse cette simplicité primitive dont on fait tant d'éloges, se la représenter toujours comme la compagne inséparable de l'innocence, n'est-ce point tracer un portrait en idée pour se faire illusion ? Où vit-on jamais des hommes sans défauts, sans désirs, sans passions ? Ne portons-nous pas en nous-mêmes le germe de tous les vices ? Et s'il fut des temps, s'il est encore des climats où certains crimes soient ignorés, n'y voit-on pas d'autres désordres ? n'en voit-on pas encore de plus monstrueux chez ces peuples dont on vante la stupidité ? Parce que l'or ne tente pas leur cupidité, parce que les honneurs n'excitent pas leur ambition, en connaissent-ils moins l'orgueil et l'injustice ? Y sont-ils moins livrés aux bassesses de l'envie, moins emportés par la fureur de la vengeance ? Leurs sens grossiers sont-ils inaccessibles à l'attrait des plaisirs ? Et à quels excès ne se porte pas une volupté qui n'a point de règles, et qui ne connaît point de frein ? Mais quand même, dans ces contrées sauvages il y aurait moins de crimes que dans certaines nations policées, y a-t-il autant de vertus ? y voit-on, surtout, ces vertus sublimes, cette pureté de mœurs, ce désintéressement magnanime, ces actions surnaturelles qu'enfante la religion [7] ?

Tant de grands hommes qui l'ont défendue par leurs ouvrages, qui l'ont fait admirer par leurs mœurs, n'avaient-ils pas puisé dans l'étude ces lumières supérieures qui ont triomphé des erreurs et des vices ? C'est le faux bel-esprit, c'est l'ignorance présomptueuse, qui font éclore les doutes et les préjugés ; c'est l'orgueil, c'est l'obstination, qui produisent les schismes et les hérésies ; c'est le pyrrhonisme, c'est l'incrédulité, qui favorisent l'indépendance, la révolte, les passions, tous les forfaits. De tels adversaires font honneur à la religion. Pour les vaincre, elle n'a qu'à paraître ; seule, a de quoi les confondre tous ; elle ne craint que de n'être pas assez connue, elle n'a besoin que d'être approfondie pour se faire respecter ; on l'aime dès qu'on la connaît ; à mesure qu'on l'approfondit davantage, on trouve de nouveaux motifs pour la croire, et de nouveaux moyens pour la pratiquer. Plus le chrétien examine l'authenticité de ses titres, plus il se rassure dans la possession de sa croyance ; plus il étudie la révélation, plus il se fortifie dans la foi. C'est dans les divines Ecritures qu'il en découvre l'origine et l'excellence ; c'est dans les doctes écrits des Pères de l'Eglise qu'il en suit de siècle en siècle le développement : c'est dans les livres de morale et les annales saintes qu'il en voit les exemples, et qu'il s'en fait l'application.

Quoi ! l'ignorance enlèvera à la religion et à la vertu des lumières si pures, des appuis si puissants, et ce sera à cette même religion qu'un docteur de Genève enseignera hautement qu'on doit l'irrégularité des mœurs ! On s'étonnerait davantage d'entendre un si étrange paradoxe, si on ne savait que la singularité d'un système, quelque dangereux qu'il soit, n'est qu'une raison de plus pour qui n'a pour règle que l'esprit particulier. La religion étudiée est pour tous les hommes la règle infaillible des bonnes mœurs. Je dis plus, l'étude même de la nature contribue à élever les sentiments, à régler la conduite, elle ramène naturellement à l'admiration, à l'amour, à la reconnaissance, à la soumission, que toute âme raisonnable sent être dus au Tout-Puissant. Dans le cours régulier de ces globes immenses qui roulent sur nos têtes, l'astronome découvre une Puissance infinie. Dans la proportion exacte de toutes les parties qui composent l'univers, le géomètre aperçoit l'effet d'une intelligence sans bornes. Dans la succession des temps, l'enchaînement des causes aux effets, la végétation des plantes, l'organisation des animaux, la constante uniformité et la variété étonnante des différents phénomènes de la nature, le physicien n'en peut méconnaître l'auteur, le conservateur, l'arbitre et le maître.

De ces réflexions le vrai philosophe descendant à des conséquences pratiques, et rentrant en lui-même, après avoir vainement cherché dans tous les objets qui l'environnent, ce bonheur parfait après lequel il soupire sans cesse, et ne trouvant rien ici-bas qui réponde à l'immensité de ses désirs, sent qu'il est fait pour quelque chose de plus grand que tout ce qui est créé ; il se retourne naturellement vers son premier principe et sa dernière fin : heureux, si docile à la Grâce, il apprend à ne chercher la félicité de son cœur que dans la possession de son Dieu !

SECONDE PARTIE

Ici l'auteur anonyme donne lui-même l'exemple de l'abus
qu'on peut faire de l'érudition, et de l'ascendant qu'ont sur
l'esprit les préjugés. Il va fouiller dans les siècles les plus
reculés. Il remonte à la plus haute antiquité. Il s'épuise en
raisonnements et en recherches pour trouver des suffrages
qui accréditent son opinion. Il cite des témoins qui attribuent
à la culture des sciences et des arts, la décadence des
royaumes et des empires. Il impute aux savants et aux
artistes le luxe et la mollesse, sources ordinaires des plus
étranges révolutions.

Mais l'Egypte, la Grèce, la république de Rome, l'empire
de la Chine, qu'il ose appeler en témoignage en faveur de
l'ignorance, au mépris des sciences et au préjudice des
mœurs, auraient dû rappeler à son souvenir ces législateurs
fameux, qui ont éclairé par l'étendue de leurs lumières, et
réglé par la sagesse de leurs lois, ces grands Etats dont ils
avaient posé les premiers fondements : Ces orateurs célèbres
qui les ont soutenus sur le penchant de leur ruine, par la
force victorieuse de leur sublime éloquence : Ces philosophes, ces sages, qui par leurs doctes écrits, et leurs vertus
morales, ont illustré leur patrie, et immortalisé leur nom.

Quelle foule d'exemples éclatants ne pourrais-je pas
opposer au petit nombre d'auteurs hardis qu'il a cités ? Je
n'aurais qu'à ouvrir les annales du monde. Par combien de
témoignages incontestables, d'augustes monuments, d'ouvrages immortels, l'histoire n'atteste-t-elle pas que les
sciences ont contribué partout au bonheur des hommes, à la
gloire des empires, au triomphe de la vertu ?

Non, ce n'est pas du fond des sciences, c'est du sein des
richesses que sont nés de tout temps la mollesse et le luxe ; et
dans aucun temps les richesses n'ont été l'apanage ordinaire
des savants. Pour un Platon dans l'opulence, un Aristippe
accrédité à la cour, combien de philosophes réduits au
manteau et à la besace, enveloppés dans leur propre vertu et

ignorés dans leur solitude! Combien d'Homères et de
Diogènes, d'Epictètes et d'Esopes, dans l'indigence! Les
savants n'ont ni le goût ni le loisir d'amasser de grands biens.
Ils aiment l'étude; ils vivent dans la médiocrité, et une vie
laborieuse et modérée, passée dans le silence de la retraite,
occupés de la lecture et du travail, n'est pas assurément une
vie voluptueuse et criminelle. Les commodités de la vie, pour
être souvent le fruit des arts, n'en sont pas davantage le
partage des artistes; ils ne travaillent que pour les riches, et
ce sont les riches oisifs qui profitent et abusent des fruits de
leur industrie[8].

   L'effet le plus vanté des sciences et des arts, c'est, continue
l'auteur, cette politesse introduite parmi les hommes, qu'il
lui plaît de confondre avec l'artifice et l'hypocrisie : politesse,
selon lui, qui ne sert qu'à cacher les défauts et à masquer les
vices. Voudrait-il donc que le vice parût à découvert; que
l'indécence fût jointe au désordre et le scandale au crime?
Quand, effectivement, cette politesse dans les manières ne
serait qu'un raffinement de l'amour-propre pour voiler les
faiblesses, ne serait-ce pas encore un avantage pour la
société, que le vicieux n'osât s'y montrer tel qu'il est, et qu'il
fût forcé d'emprunter les livrées de la bienséance et de la
modestie? On l'a dit, et il est vrai, l'hypocrisie, tout odieuse
qu'elle est en elle-même, est pourtant un hommage que le
vice rend à la vertu; elle garantit du moins les âmes faibles
de la contagion du mauvais exemple.

   Mais c'est mal connaître les savants, que de s'en prendre à
eux du crédit qu'a dans le monde cette prétendue politesse
qu'on taxe de dissimulation; on peut être poli sans être
dissimulé. On peut assurément être l'un et l'autre sans être
bien savant, et plus communément encore on peut être bien
savant sans être fort poli.

   L'amour de la solitude, le goût des livres; le peu d'envie de
paraître dans ce qu'on appelle le beau monde, le peu de
disposition à s'y présenter avec grâce, le peu d'espoir d'y
plaire, d'y briller, l'ennui inséparable des conversations
frivoles et presque insupportables pour des esprits accou-
tumés à penser; tout concourt à rendre les belles compagnies
aussi étrangères pour le savant, qu'il est lui-même étranger

pour elles. Quelle figure ferait-il dans les cercles ? Voyez-le
avec son air rêveur, ses fréquentes distractions, son esprit
occupé, ses expressions étudiées, ses discours sentencieux,
son ignorance profonde des modes les plus reçues et des
usages les plus communs ; bientôt par le ridicule qu'il y porte
et qu'il y trouve, par la contrainte qu'il y éprouve et qu'il y
cause, il ennuie, il est ennuyé. Il sort peu satisfait, on est fort
content de le voir sortir. Il censure intérieurement tous ceux
qu'il quitte. On raille hautement celui qui part ; et tandis que
celui-ci gémit sur leurs vices, ceux-là rient de ses défauts [9] :
Mais tous ces défauts, après tout, sont assez indifférents pour
les mœurs, et c'est à ces défauts que plus d'un savant, peut-
être, a l'obligation de n'être pas aussi vicieux que ceux qui le
critiquent.

Mais avant le règne des sciences et des arts, on voyait,
ajoute l'auteur, des empires plus étendus, des conquêtes plus
rapides, des guerriers plus fameux. S'il avait parlé moins en
orateur et plus en philosophe, il aurait dit qu'on voyait plus
alors de ces hommes audacieux, qui, transportés par des
passions violentes et traînant à leur suite une troupe
d'esclaves, allaient attaquer des nations tranquilles, subju-
guaient des peuples qui ignoraient le métier de la guerre,
assujettissaient des pays où les arts n'avaient élevé aucune
barrière à leurs subites excursions ; leur valeur n'était que
férocité, leur courage que cruauté, leurs conquêtes qu'inhumanité ; c'étaient des torrents impétueux qui faisaient d'autant plus de ravages, qu'ils rencontraient moins d'obstacles :
Aussi à peine étaient-ils passés, qu'il ne restait sur leurs
traces que celles de leur fureur ; nulle forme de gouvernement, nulle loi, nulle police, nul lien ne retenait et n'unissait
à eux les peuples vaincus.

Que l'on compare à ces temps d'ignorance et de barbarie,
ces siècles heureux, où les sciences ont répandu partout
l'esprit d'ordre et de justice. On voit de nos jours des guerres
moins fréquentes, mais plus justes ; des actions moins
étonnantes, mais plus héroïques ; des victoires moins sanglantes, mais plus glorieuses ; des conquêtes moins rapides,
mais plus assurées ; des guerriers moins violents, mais plus
redoutés, sachant vaincre avec modération, traitant les

vaincus avec humanité; l'honneur est leur guide, la gloire leur récompense. Cependant, dit l'auteur, on remarque dans les combats une grande différence entre les nations pauvres, et qu'on appelle barbares, et les peuples riches, qu'on appelle policés. Il paraît bien que le citoyen de Genève ne s'est jamais trouvé à portée de remarquer de près ce qui se passe ordinairement dans les combats [10]. Est-il surprenant que des barbares se ménagent moins et s'exposent davantage? Qu'ils vainquent ou qu'ils soient vaincus, ils ne peuvent que gagner s'ils survivent à leurs défaites. Mais ce que l'espérance d'un vil intérêt, ou plutôt ce qu'un désespoir brutal inspire à ces hommes sanguinaires, les sentiments, le devoir l'excitent dans ces âmes généreuses qui se dévouent à la patrie, avec cette différence que n'a pu observer l'auteur, que la valeur de ceux-ci, plus froide, plus réfléchie, plus modérée, plus savamment conduite, est par là même toujours plus sûre du succès.

Mais enfin Socrate, le fameux Socrate s'est lui-même récrié contre les sciences de son temps; faut-il s'en étonner? L'orgueil indomptable des stoïciens, la mollesse efféminée des épicuriens, les raisonnements absurdes des pyrrhoniens, le goût de la dispute, de vaines subtilités, des erreurs sans nombre, des vices monstrueux, infectaient pour lors la philosophie et déshonoraient les philosophes. C'était l'abus des sciences, non les sciences elles-mêmes que condamnait ce grand homme, et nous le condamnons après lui; mais l'abus qu'on fait d'une chose suppose le bon usage qu'on en peut faire. De quoi n'abuse-t-on pas? Et parce qu'un auteur anonyme, par exemple, pour défendre une mauvaise cause, aura abusé une fois de la fécondité de son esprit et de la légèreté de sa plume, faudra-t-il lui en interdire l'usage en d'autres occasions, et pour d'autres sujets plus dignes de son génie? Pour corriger quelques excès d'intempérance, faut-il arracher toutes les vignes? L'ivresse de l'esprit a précipité quelques savants dans d'étranges égarements : j'en conviens, j'en gémis. Par les discours de quelques-uns, dans les écrits de quelques autres, la religion a dégénéré en hypocrisie, la piété en superstition, la théologie en erreur, la jurisprudence en chicane, l'astronomie en astrologie, la physique en athéisme : jouet des préjugés les plus bizarres, attaché aux opinions les plus absurdes, entêté des systèmes les plus insensés, dans quels écarts ne donne pas l'esprit humain, quand livré à une curiosité présomptueuse, il veut franchir les limites que lui a marquées la même main qui a donné des bornes à la mer? Mais en vain les flots mugissent, se soulèvent, s'élancent avec fureur sur les côtes opposées; contraints de se replier bientôt sur eux-mêmes, ils rentrent dans le sein de l'océan, et ne laissent sur ses bords qu'une écume légère qui s'évapore à l'instant, ou qu'un sable mouvant qui fuit sous nos pas.

Image naturelle des vains efforts de l'esprit, quand échauffé par les saillies d'une imagination dominante, se laissant emporter à tout vent de doctrine, d'un vol audacieux il veut s'élever au-delà de sa sphère, et s'efforce de pénétrer ce qu'il ne lui est pas donné de comprendre.

Mais les sciences, bien loin d'autoriser de pareils excès, sont pleines de maximes qui les réprouvent, et le vrai savant, qui ne perd jamais de vue le flambeau de la révélation [11], qui suit toujours le guide infaillible de l'autorité légitime, procède avec sûreté, marche avec confiance, avance à grands pas dans la carrière des sciences, se rend utile à la société, honore sa patrie, fournit sa course dans l'innocence, et la termine avec gloire.

OBSERVATIONS

DE

JEAN-JACQUES ROUSSEAU,

DE GENÈVE

sur la réponse qui a été faite à son Discours [1].

Je devrais plutôt un remerciement qu'une réplique à l'auteur anonyme*, qui vient d'honorer mon Discours d'une

---

* L'ouvrage du roi de Pologne étant d'abord anonyme et non avoué par l'auteur m'obligeait à lui laisser l'incognito qu'il avait

Réponse. Mais ce que je dois à la reconnaissance ne me fera point oublier ce que je dois à la vérité ; et je n'oublierai pas, non plus, que toutes les fois qu'il est question de raison, les hommes rentrent dans le droit de la nature, et reprennent leur première égalité.

Le Discours auquel j'ai à répliquer est plein de choses très vraies et très bien prouvées, auxquelles je ne vois aucune réponse : car quoique j'y sois qualifié de docteur, je serais bien fâché d'être au nombre de ceux qui savent répondre à tout.

Ma défense n'en sera pas moins facile. Elle se bornera à comparer avec mon sentiment les vérités qu'on m'objecte ; car si je prouve qu'elles ne l'attaquent point, ce sera, je crois, l'avoir assez bien défendu.

Je puis réduire à deux points principaux toutes les propositions établies par mon adversaire ; l'un renferme l'éloge des sciences ; l'autre traite de leur abus. Je les examinerai séparément[2].

Il semble au ton de la Réponse qu'on serait bien aise que j'eusse dit des sciences beaucoup plus de mal que je n'en ai dit en effet. On y suppose que leur éloge, qui se trouve à la tête de mon Discours, a dû me coûter beaucoup ; c'est, selon l'auteur, un aveu arraché à la vérité et que je n'ai pas tardé à rétracter.

Si cet aveu est un éloge arraché par la vérité, il faut donc croire que je pensais des sciences le bien que j'en ai dit ; le bien que l'auteur en dit lui-même n'est donc point contraire à mon sentiment. Cet aveu, dit-on, est arraché par force : tant mieux pour ma cause ; car cela montre que la vérité est chez moi plus forte que le penchant. Mais sur quoi peut-on juger que cet éloge est forcé ? Serait-ce pour être mal fait ? ce serait intenter un procès bien terrible à la sincérité des auteurs, que d'en juger sur ce nouveau principe. Serait-ce

---

pris ; mais ce prince ayant depuis reconnu publiquement ce même ouvrage m'a dispensé de taire plus longtemps l'honneur qu'il m'a fait.

L'ouvrage du roi de Pologne sera imprimé dans le premier recueil du Supplément au recueil des écrits de M. Rousseau.

pour être trop court ? Il me semble que j'aurais pu facilement
dire moins de choses en plus de pages. C'est, dit-on, que je
me suis rétracté ; j'ignore en quel endroit j'ai fait cette faute ;
et tout ce que je puis répondre, c'est que ce n'a pas été mon
intention.

La science est très bonne en soi, cela est évident ; et il
faudrait avoir renoncé au bon sens pour dire le contraire.
L'auteur de toutes choses est la source de la vérité ; tout
connaître est un de ses divins attributs. C'est donc participer
en quelque sorte à la suprême intelligence, que d'acquérir
des connaissances et d'étendre ses lumières. En ce sens j'ai
loué le savoir, et c'est en ce sens que je loue mon adversaire.
Il s'étend encore sur les divers genres d'utilité que l'homme
peut retirer des arts et des sciences ; et j'en aurais volontiers
dit autant, si cela eût été de mon sujet. Ainsi nous sommes
parfaitement d'accord en ce point.

Mais comment se peut-il faire, que les sciences dont la
source est si pure et la fin si louable, engendrent tant
d'impiétés, tant d'hérésies, tant d'erreurs, tant de systèmes
absurdes, tant de contrariétés, tant d'inepties, tant de satires
amères, tant de misérables romans, tant de vers licencieux,
tant de livres obscènes ; et dans ceux qui les cultivent, tant
d'orgueil, tant d'avarice, tant de malignité, tant de cabales,
tant de jalousies, tant de mensonges, tant de noirceurs, tant
de calomnies, tant de lâches et honteuses flatteries ? Je disais
que c'est parce que la science toute belle, toute sublime
qu'elle est, n'est point faite pour l'homme ; qu'il a l'esprit
trop borné pour y faire de grands progrès, et trop de passions
dans le cœur pour n'en pas faire un mauvais usage ; que c'est
assez pour lui de bien étudier ses devoirs, et que chacun a
reçu toutes les lumières dont il a besoin pour cette étude.
Mon adversaire avoue de son côté que les sciences deviennent nuisibles quand on en abuse, et que plusieurs en
abusent en effet. En cela, nous ne disons pas, je crois, des
choses fort différentes ; j'ajoute, il est vrai, qu'on en abuse
beaucoup, et qu'on en abuse toujours, et il ne me semble pas
que dans la Réponse on ait soutenu le contraire.

Je peux donc assurer que nos principes, et par conséquent
toutes les propositions qu'on en peut déduire n'ont rien

d'opposé, et c'est ce que j'avais à prouver. Cependant, quand nous venons à conclure, nos deux conclusions se trouvent contraires. La mienne était que, puisque les sciences font plus de mal aux mœurs que de bien à la société, il eût été à désirer que les hommes s'y fussent livrés avec moins d'ardeur. Celle de mon adversaire est que, quoique les sciences fassent beaucoup de mal, il ne faut pas laisser de les cultiver à cause du bien qu'elles font. Je m'en rapporte, non au public, mais au petit nombre des vrais philosophes, sur celle qu'il faut préférer de ces deux conclusions.

Il me reste de légères observations à faire, sur quelques endroits de cette réponse, qui m'ont paru manquer un peu de la justesse que j'admire volontiers dans les autres, et qui ont pu contribuer par là à l'erreur de la conséquence que l'auteur en tire.

L'ouvrage commence par quelques personnalités que je ne relèverai qu'autant qu'elles feront à la question[3]. L'auteur m'honore de plusieurs éloges, et c'est assurément m'ouvrir une belle carrière. Mais il y a trop peu de proportion entre ces choses : un silence respectueux sur les objets de notre admiration est souvent plus convenable que des louanges indiscrètes *[4].

Mon Discours, dit-on, a de quoi surprendre **[5] ; il me

---

* Tous les princes, bons et mauvais, seront toujours bassement et indifféremment loués, tant qu'il y aura des courtisans et des gens de lettres. Quant aux princes qui sont de grands hommes, il leur faut des éloges plus modérés et mieux choisis. La flatterie offense leur vertu, et la louange même peut faire tort à leur gloire. Je sais bien, du moins, que Trajan serait beaucoup plus grand à mes yeux si Pline n'eût jamais écrit. Si Alexandre eût été en effet ce qu'il affectait de paraître, il n'eût point songé à son portrait ni à sa statue ; mais, pour son panégyrique, il n'eût permis qu'à un Lacédémonien de le faire, au risque de n'en point avoir. Le seul éloge digne d'un roi est celui qui se fait entendre, non par la bouche mercenaire d'un orateur, mais par la voix d'un peuple libre.

** C'est de la question même qu'on pourrait être surpris : grande et belle question s'il en fut jamais, et qui pourra bien n'être pas sitôt renouvelée. L'Académie française vient de proposer pour le prix d'éloquence de l'année 1752 un sujet fort semblable à celui-là. Il semble que ceci demanderait quelque éclaircissement. On est encore surpris de le voir couronné ; ce n'est pourtant pas un prodige de voir couronner de médiocres écrits. Dans tout autre sens cette surprise serait aussi honorable à l'Académie de Dijon qu'injurieuse à l'intégrité des Académies en général ; et il est aisé de sentir combien j'en ferais le profit de ma cause.

On me taxe par des phrases fort agréablement arrangées de contradiction entre ma conduite et ma doctrine[6] ; on me reproche d'avoir cultivé moi-même les études que je condamne *[7] ; puisque la science et la vertu sont incompatibles, comme on prétend que je m'efforce de le prouver, on me demande d'un ton assez pressant comment j'ose employer l'une en me déclarant pour l'autre.

Il y a beaucoup d'adresse à m'impliquer ainsi moi-même dans la question ; cette personnalité ne peut manquer de jeter de l'embarras dans ma réponse, ou plutôt dans mes réponses ; car malheureusement j'en ai plus d'une à faire[8]. Tâchons du moins que la justesse y supplée à l'agrément.

1. Que la culture des sciences corrompe les mœurs d'une nation, c'est ce que j'ai osé soutenir, c'est ce que j'ose croire avoir prouvé. Mais comment aurais-je pu dire que dans chaque homme en particulier la science et la vertu sont incompatibles, moi qui ai exhorté les princes à appeler les vrais savants à leur cour, et à leur donner leur confiance, afin qu'on voie une fois ce que peuvent la science et la vertu

---

s'agit de soutenir que l'*amour des lettres inspire l'amour de la vertu*. L'Académie n'a pas jugé à propos de laisser un tel sujet en problème ; et cette sage Compagnie a doublé dans cette occasion le temps qu'elle accordait ci-devant aux auteurs, même pour les sujets les plus difficiles.

* Je ne saurais me justifier, comme bien d'autres, sur ce que notre éducation ne dépend point de nous, et qu'on ne nous consulte pas pour nous empoisonner : c'est de très bon gré que je me suis jeté dans l'étude ; et c'est de meilleur cœur encore que je l'ai abandonnée, en m'apercevant du trouble qu'elle jetait dans mon âme sans aucun profit pour ma raison. Je ne veux plus d'un métier trompeur, où l'on croit beaucoup faire pour la sagesse, en faisant tout pour la vanité.

réunies pour le bonheur du genre humain ? Ces vrais savants sont en petit nombre, je l'avoue ; car pour bien user de la science, il faut réunir de grands talents et de grandes vertus ; or c'est ce qu'on peut espérer à peine de quelques âmes privilégiées, mais qu'on ne doit point attendre de tout un peuple. On ne saurait donc conclure de mes principes qu'un homme ne puisse être savant et vertueux tout à la fois.

2. On pourrait encore moins me presser personnellement par cette prétendue contradiction, quand même elle existerait réellement. J'adore la vertu, mon cœur me rend ce témoignage ; il me dit trop aussi, combien il y a loin de cet amour à la pratique qui fait l'homme vertueux ; d'ailleurs, je suis fort éloigné d'avoir de la science, et plus encore d'en affecter. J'aurais cru que l'aveu ingénu que j'ai fait au commencement de mon Discours me garantirait de cette imputation, je craignais bien plutôt qu'on ne m'accusât de juger des choses que je ne connaissais pas. On sent assez combien il m'était impossible d'éviter à la fois ces deux reproches. Que sais-je même, si l'on n'en viendrait point à les réunir, si je ne me hâtais de passer condamnation sur celui-ci, quelque peu mérité qu'il puisse être ?

3. Je pourrais rapporter à ce sujet, ce que disaient les Pères de l'Eglise des sciences mondaines qu'ils méprisaient, et dont pourtant ils se servaient pour combattre les philosophes païens. Je pourrais citer la comparaison qu'ils en faisaient avec les vases des Egyptiens volés par les Israélites [9] : mais je me contenterai pour dernière réponse de proposer cette question : Si quelqu'un venait pour me tuer et que j'eusse le bonheur de me saisir de son arme, me serait-il défendu, avant que de la jeter, de m'en servir pour le chasser de chez moi ?

Si la contradiction qu'on me reproche n'existe pas, il n'est donc pas nécessaire de supposer que je n'ai voulu que m'égayer sur un frivole paradoxe ; et cela me paraît d'autant moins nécessaire, que le ton que j'ai pris, quelque mauvais qu'il puisse être, n'est pas du moins celui qu'on emploie dans les jeux d'esprit.

Il est temps de finir sur ce qui me regarde : on ne gagne jamais rien à parler de soi ; et c'est une indiscrétion que le public pardonne difficilement, même quand on y est forcé. La vérité est si indépendante de ceux qui l'attaquent et de ceux qui la défendent, que les auteurs qui en disputent devraient bien s'oublier réciproquement; cela épargnerait beaucoup de papier et d'encre. Mais cette règle si aisée à pratiquer avec moi, ne l'est point du tout vis-à-vis de mon adversaire; et c'est une différence qui n'est pas à l'avantage de ma réplique [10].

L'auteur, observant que j'attaque les sciences et les arts par leurs effets sur les mœurs, emploie pour me répondre le dénombrement des utilités qu'on en retire dans tous les états; c'est comme si, pour justifier un accusé, on se contentait de prouver qu'il se porte fort bien, qu'il a beaucoup d'habileté, ou qu'il est fort riche. Pourvu qu'on m'accorde que les arts et les sciences nous rendent malhonnêtes gens, je ne disconviendrai pas qu'ils ne nous soient d'ailleurs très commodes; c'est une conformité de plus qu'ils auront avec la plupart des vices.

L'auteur va plus loin, et prétend encore que l'étude nous est nécessaire pour admirer les beautés de l'univers, et que le spectacle de la nature [11], exposé, ce semble, aux yeux de tous pour l'instruction des simples, exige lui-même beaucoup d'instruction dans les observateurs pour en être aperçu. J'avoue que cette proposition me surprend : serait-ce qu'il est ordonné à tous les hommes d'être philosophes, ou qu'il n'est ordonné qu'aux seuls philosophes de croire en Dieu? L'Ecriture nous exhorte en mille endroits d'adorer la grandeur et la bonté de Dieu dans les merveilles de ses œuvres; je ne pense pas qu'elle nous ait prescrit nulle part d'étudier la physique, ni que l'auteur de la nature soit moins bien adoré par moi qui ne sais rien que par celui qui connaît et le cèdre, et l'hysope, et la trompe de la mouche, et celle de l'éléphant.

On croit toujours avoir dit ce que font les sciences quand on a dit ce qu'elles devraient faire. Cela me paraît pourtant fort différent : l'étude de l'univers devrait élever l'homme à son Créateur, je le sais; mais elle n'élève que la vanité humaine. Le philosophe, qui se flatte de pénétrer dans les secrets de Dieu, ose associer sa prétendue sagesse à la sagesse éternelle : il approuve, il blâme, il corrige, il prescrit des lois à la nature, et des bornes à la Divinité; et tandis qu'occupé de ses vains systèmes, il se donne mille peines pour arranger la machine du monde, le laboureur qui voit la pluie et le soleil tour à tour fertiliser son champ, admire, loue et bénit la main dont il reçoit ses grâces, sans se mêler de la manière dont elles lui parviennent. Il ne cherche point à justifier non ignorance ou ses vices par son incrédulité. Il ne censure point les œuvres de Dieu, et ne s'attaque point à son maître pour faire briller sa suffisance. Jamais le mot impie d'Alphonse X ne tombera dans l'esprit d'un homme vulgaire : c'est à une bouche savante que ce blasphème était réservé [12].

La curiosité naturelle à l'homme, continue-t-on, *lui inspire l'envie d'apprendre.* Il devrait donc travailler à la contenir, comme tous ses penchants naturels. *Ses besoins lui en font sentir la nécessité.* A bien des égards les connaissances sont utiles; cependant les sauvages sont des hommes, et ne sentent point cette nécessité-là. *Ses emplois lui en imposent l'obligation.* Ils lui imposent bien plus souvent celle de renoncer à l'étude pour vaquer à ses devoirs *. *Ses progrès lui en font goûter le plaisir.* C'est pour cela même qu'il devrait s'en défier. *Ses premières découvertes augmentent l'avidité qu'il a de savoir.* Cela arrive en effet à ceux qui ont du talent. *Plus il connaît, plus il sent qu'il a de connaissances à acquérir;* c'est-à-dire que l'usage de tout le temps qu'il perd, est de l'exciter à en perdre encore davantage : mais il n'y a guère qu'un petit nombre d'hommes de génie en qui la vue de leur ignorance se développe en apprenant, et c'est pour eux seulement que l'étude peut être bonne : à peine les petits esprits ont-ils appris quelque chose qu'ils croient tout savoir, et il n'y a sorte de sottise que cette persuasion ne leur fasse dire et faire. *Plus il a de connaissances acquises, plus il a de facilité à bien faire.* On voit qu'en parlant ainsi, l'auteur a bien plus consulté son cœur qu'il n'a observé les hommes.

Il avance encore, qu'il est bon de connaître le mal pour

---

* C'est une mauvaise marque pour une société, qu'il faille tant de science dans ceux qui la conduisent, si les hommes étaient ce qu'ils doivent être, ils n'auraient guère besoin d'étudier pour apprendre les choses qu'ils ont à faire.

apprendre à le fuir ; et il fait entendre qu'on ne peut s'assurer de sa vertu qu'après l'avoir mise à l'épreuve. Ces maximes sont au moins douteuses et sujettes à bien des discussions. Il n'est pas certain que pour apprendre à bien faire, on soit obligé de savoir en combien de manières on peut faire le mal. Nous avons un guide intérieur, bien plus infaillible que tous les livres, et qui ne nous abandonne jamais dans le besoin [13]. C'en serait assez pour nous conduire innocemment, si nous voulions l'écouter toujours ; et comment serait-on obligé d'éprouver ses forces pour s'assurer de sa vertu, si c'est un des excercices de la vertu de fuir les occasions du vice ?

L'homme sage est continuellement sur ses gardes, et se défie toujours de ses propres forces ; il réserve tout son courage pour le besoin, et ne s'expose jamais mal à propos. Le fanfaron est celui qui se vante sans cesse de plus qu'il ne peut faire, et qui, après avoir bravé et insulté tout le monde, se laisse battre à la première rencontre. Je demande lequel de ces deux portraits ressemble le mieux à un philosophe aux prises avec ses passions.

On me reproche d'avoir affecté de prendre chez les Anciens mes exemples de vertu. Il y a bien de l'apparence que j'en aurais trouvé encore davantage si j'avais pu remonter plus haut : j'ai cité aussi un peuple moderne [14], et ce n'est pas ma faute, si je n'en ai trouvé qu'un. On me reproche encore dans une maxime générale des parallèles odieux, où il entre, dit-on, moins de zèle et d'équité que d'envie contre mes compatriotes et d'humeur contre mes contemporains. Cependant, personne, peut-être, n'aime autant que moi son pays et ses compatriotes. Au surplus, je n'ai qu'un mot à répondre. J'ai dit mes raisons et ce sont elles qu'il faut peser. Quant à mes intentions, il en faut laisser le jugement à celui-là seul auquel il appartient.

Je ne dois point passer ici sous silence une objection considérable qui m'a déjà été faite par un philosophe *[15] : *N'est-ce point*, me dit-on ici, *au climat, au tempérament, au manque d'occasion, au défaut d'objet, à l'économie du gouvernement, aux coutumes, aux lois, à toute autre cause qu'aux sciences qu'on doit*

---

* Préf. de l'Encycl.

*attribuer cette différence qu'on remarque quelquefois dans les mœurs en
différents pays et en différents temps ?*

Cette question renferme de grandes vues et demanderait
des éclaircissements trop étendus pour convenir à cet écrit.
D'ailleurs, il s'agirait d'examiner les relations très cachées,
mais très réelles qui se trouvent entre la nature du gouvernement, et le génie, les mœurs et les connaissances des
citoyens ; et ceci me jetterait dans des discussions délicates,
qui me pourraient mener trop loin. De plus, il me serait bien
difficile de parler de gouvernement, sans donner trop beau
jeu à mon adversaire ; et tout bien pesé, ce sont des
recherches bonnes à faire à Genève, et dans d'autres
circonstances.

Je passe à une accusation bien plus grave que l'objection
précédente [16]. Je la transcrirai dans ses propres termes ; car il
est important de la mettre fidèlement sous les yeux du
lecteur.

*Plus le chrétien examine l'authenticité de ses titres, plus il se rassure
dans la possession de sa croyance ; plus il étudie la révélation, plus il se
fortifie dans la foi : C'est dans les divines Ecritures qu'il en découvre
l'origine et l'excellence ; c'est dans les doctes écrits des Pères de
l'Eglise, qu'il en suit de siècle en siècle le développement ; c'est dans les
livres de morale et les annales saintes, qu'il en voit les exemples et qu'il
s'en fait l'application.*

*Quoi ! l'ignorance enlèvera à la religion et à la vertu des appuis si
puissants ! et ce sera à elle qu'un docteur de Genève enseignera
hautement qu'on doit l'irrégularité des mœurs ! On s'étonnerait
davantage d'entendre un si étrange paradoxe, si on ne savait que la
singularité d'un système, quelque dangereux qu'il soit, n'est qu'une
raison de plus pour qui n'a pour règle que l'esprit particulier.*

J'ose le demander à l'auteur ; comment a-t-il pu jamais
donner une pareille interprétation aux principes que j'ai
établis ? Comment a-t-il pu m'accuser de blâmer l'étude de la
religion, moi qui blâme surtout l'étude de nos vaines
sciences, parce qu'elle nous détourne de celle de nos devoirs ?
et qu'est-ce que l'étude des devoirs du chrétien sinon celle de
sa religion même ?

Sans doute, j'aurais dû blâmer expressément toutes ces
puériles subtilités de la scolastique, avec lesquelles, sous

prétexte d'éclaircir les principes de la religion, on en anéantit l'esprit en substituant l'orgueil scientifique à l'humilité chrétienne. J'aurais dû m'élever avec plus de force contre ces ministres indiscrets qui les premiers ont osé porter les mains à l'Arche, pour étayer avec leur faible savoir un édifice soutenu par la main de Dieu. J'aurais dû m'indigner contre ces hommes frivoles, qui par leurs misérables pointilleries, ont avili la sublime simplicité de l'Evangile, et réduit en syllogismes la doctrine de Jésus-Christ. Mais il s'agit aujourd'hui de me défendre, et non d'attaquer.

Je vois que c'est par l'histoire et les faits qu'il faudrait terminer cette dispute. Si je savais exposer en peu de mots ce que les sciences et la religion ont eu de commun dès le commencement, peut-être cela servirait-il à décider la question sur ce point.

Le peuple que Dieu s'était choisi, n'a jamais cultivé les sciences, et on ne lui en a jamais conseillé l'étude ; cependant, si cette étude était bonne à quelque chose, il en aurait eu plus besoin qu'un autre. Au contraire, ses chefs firent toujours leurs efforts pour le tenir séparé autant qu'il était possible des nations idolâtres et savantes qui l'environnaient. Précaution moins nécessaire pour lui d'un côté que de l'autre ; car ce peuple faible et grossier, était bien plus aisé à séduire par les fourberies des prêtres de Baal, que par les sophismes des philosophes.

Après les dispersions fréquentes parmi les Egyptiens et les Grecs, la science eut encore mille peines à germer dans les têtes des Hébreux. Joseph et Philon, qui partout ailleurs n'auraient été que deux hommes médiocres, furent des prodiges parmi eux. Les Saducéens, reconnaissables à leur irréligion, furent les philosophes de Jérusalem ; les Pharisiens, grands hypocrites, en furent les docteurs*. Ceux-ci,

---

* On voyait régner entre ces deux partis cette haine et ce mépris réciproque qui régnèrent de tous temps entre les docteurs et les philosophes ; c'est-à-dire, entre ceux qui font de leur tête un répertoire de la science d'autrui, et ceux qui se piquent d'en avoir une à eux. Mettez aux prises le maître de musique et le maître à danser du *Bourgeois gentilhomme,* vous aurez l'antiquaire et le bel

quoiqu'ils bornassent à peu près leur science à l'étude de la Loi, faisaient cette étude avec tout le faste et toute la suffisance dogmatique ; ils observaient aussi avec un très grand soin toutes les pratiques de la religion ; mais l'Evangile nous apprend l'esprit de cette exactitude, et le cas qu'il en fallait faire ; au surplus, ils avaient tous très peu de science et beaucoup d'orgueil ; et ce n'est pas en cela qu'ils différaient le plus de nos docteurs d'aujourd'hui.

Dans l'établissement de la nouvelle loi, ce ne fut point à des savants que Jésus-Christ voulu confier sa doctrine et son ministère. Il suivit dans son choix la prédilection qu'il a montrée en toute occasion pour les petits et les simples. Et dans les instructions qu'il donnait à ses disciples, on ne voit pas un mot d'étude ni de science, si ce n'est pour marquer le mépris qu'il faisait de tout cela.

Après la mort de Jésus-Christ, douze pauvres pêcheurs et artisans entreprirent d'instruire et de convertir le monde. Leur méthode était simple ; ils prêchaient sans art, mais avec un cœur pénétré, et de tous les miracles dont Dieu honorait leur foi, le plus frappant était la sainteté de leur vie ; leurs disciples suivirent cet exemple, et le succès fut prodigieux. Les prêtres païens alarmés firent entendre aux princes que l'Etat était perdu parce que les offrandes diminuaient. Les persécutions s'élevèrent, et les persécuteurs ne firent qu'accélérer les progrès de cette religion qu'ils voulaient étouffer. Tous les chrétiens couraient au martyre, tous les peuples couraient au baptême : l'histoire de ces premiers temps est un prodige continuel.

Cependant les prêtres des idoles, non contents de persécuter les chrétiens, se mirent à les calomnier ; les philosophes, qui ne trouvaient pas leur compte dans une religion qui prêche l'humilité, se joignirent à leurs prêtres [17]. Les railleries et les injures pleuvaient de toutes parts sur la nouvelle

---

esprit ; le chimiste et l'homme de lettres ; le jurisconsulte et le médecin ; le géomètre et le versificateur ; le théologien et le philosophe ; pour bien juger de tous ces gens-là, il suffit de s'en rapporter à eux-mêmes, et d'écouter ce que chacun vous dit, non de soi, mais des autres.

secte. Il fallut prendre la plume pour se défendre. Saint
Justin Martyr * [18] écrivit le premier l'Apologie de sa foi. On

* Ces premiers écrivains qui scellaient de leur sang le témoignage
de leur plume seraient aujourd'hui des auteurs bien scandaleux ; car
ils soutenaient précisément le même sentiment que moi. Saint
Justin, dans son entretien avec Triphon, passe en revue les diverses
sectes de philosophie dont il avait autrefois essayé, et les rend si
ridicules qu'on croirait lire un Dialogue de Lucien : aussi voit-on
dans l'Apologie de Tertullien combien les premiers chrétiens se
tenaient offensés d'être pris pour des philosophes.

Ce serait, en effet, un détail bien flétrissant pour la philosophie
que l'exposition des maximes pernicieuses, et des dogmes impies de
ces diverses sectes. Les épicuriens niaient toute providence, les
académiciens doutaient de l'existence de la Divinité, et les stoïciens
de l'immortalité de l'âme. Les sectes moins célèbres n'avaient pas de
meilleurs sentiments ; en voici un échantillon dans ceux de Théo-
dore, chef d'une des deux branches des cyrénaïques, rapporté par
Diogène Laërce. *Sustulit amicitiam quod ea neque insipientibus neque
sapientibus adsit... Probabile dicebat prudentem virum non seipsum pro patria
periculis exponere, neque enim pro insipientium commodis amittendam esse
prudentiam. Furto quoque et adulterio et sacrilegio cum tempestivum erit
daturum operam sapientem. Nihil quippe horum turpe natura esse. Sed
auferatur de hisce vulgaris opinio, quæ e stultorum imperitorumque plebecula
conflata est... sapientem publice absque ullo pudore ac suspicione scortis
congressurum.*

Ces opinions sont particulières, je le sais ; mais y a-t-il une seule de
toutes les sectes qui ne soit tombée dans quelque erreur dangereuse ;
et que dirons-nous de la distinction des deux doctrines si avidement
reçue de tous les philosophes, et par laquelle ils professaient en
secret des sentiments contraires à ceux qu'ils enseignaient publiquement ? Pythagore fut le premier qui fit usage de la doctrine
intérieure ; il ne la découvrait à ses disciples qu'après de longues
épreuves et avec le plus grand mystère ; il leur donnait en secret des
leçons d'athéisme, et offrait solennellement des hécatombes à
Jupiter. Les philosophes se trouvèrent si bien de cette méthode,
qu'elle se répandit rapidement dans la Grèce, et de là dans Rome ;
comme on le voit par les ouvrages de Cicéron, qui se moquait avec
ses amis des dieux immortels, qu'il attestait avec tant d'emphase sur
la tribune aux harangues. La doctrine intérieure n'a point été portée
d'Europe à la Chine ; mais elle y est née aussi avec la philosophie ; et
c'est à elle que les Chinois sont redevables de cette foule d'athées ou
de philosophes qu'ils ont parmi eux. L'histoire de cette fatale

attaqua les païens à leur tour ; les attaquer c'était les
vaincre ; les premiers succès encouragèrent d'autres écrivains : sous prétexte d'exposer la turpitude du paganisme, on
se jeta dans la mythologie et dans l'érudition * ; on voulut
montrer de la science et du bel esprit, les livres parurent en
foule, et les mœurs commencèrent à se relâcher.

Bientôt on ne se contenta plus de la simplicité de
l'Evangile et de la foi des apôtres, il fallut toujours avoir plus
d'esprit que ses prédécesseurs. On subtilisa sur tous les
dogmes ; chacun voulut soutenir son opinion, personne ne
voulut céder. L'ambition d'être chef de secte se fit entendre,
les hérésies pullulèrent de toutes parts.

L'emportement et la violence ne tardèrent pas à se joindre
à la dispute. Ces chrétiens si doux, qui ne savaient que
tendre la gorge aux couteaux, devinrent entre eux des
persécuteurs furieux pires que les idolâtres : tous trempèrent
dans les mêmes excès, et le parti de la vérité ne fut pas
soutenu avec plus de modération que celui de l'erreur.

Un autre mal encore plus dangereux naquit de la même
source. C'est l'introduction de l'ancienne philosophie dans la
doctrine chrétienne. A force d'étudier les philosophes grecs,
on crut y voir des rapports avec le christianisme. On osa
croire que la religion en deviendrait plus respectable, revêtue
de l'autorité de la philosophie ; il fut un temps où il fallait
être platonicien pour être orthodoxe ; et peu s'en fallut que
Platon d'abord, et ensuite Aristote ne fût placé sur l'autel à
côté de Jésus-Christ.

---

doctrine, faite par un homme instruit et sincère, serait un terrible
coup porté à la philosophie ancienne et moderne. Mais la philosophie bravera toujours la raison, la vérité, et le temps même ; parce
qu'elle a sa source dans l'orgueil humain, plus fort que toutes ces
choses.

* On a fait de justes reproches à Clément d'Alexandrie, d'avoir
affecté dans ses écrits une érudition profane, peu convenable à un
chrétien. Cependant, il semble qu'on était excusable alors de
s'instruire de la doctrine contre laquelle on avait à se défendre. Mais
qui pourrait voir sans rire toutes les peines que se donnent
aujourd'hui nos savants pour éclaircir les rêveries de la mythologie ?

L'Eglise s'éleva plus d'une fois contre ces abus. Ses plus illustres défenseurs les déplorèrent souvent en termes pleins de force et d'énergie : souvent ils tentèrent d'en bannir toute cette science mondaine, qui en souillait la pureté. Un des plus illustres papes en vint même jusqu'à cet excès de zèle de soutenir que c'était une chose honteuse d'asservir la parole de Dieu aux règles de la grammaire[19].

Mais ils eurent beau crier ; entraînés par le torrent, ils furent contraints de se conformer eux-mêmes à l'usage qu'ils condamnaient ; et ce fut d'une manière très savante, que la plupart d'entre eux déclamèrent contre le progrès des sciences.

Après de longues agitations, les choses prirent enfin une assiette plus fixe. Vers le dixième siècle, le flambeau des sciences cessa d'éclairer la terre ; le clergé demeura plongé dans une ignorancce que je ne veux pas justifier, puisqu'elle ne tombait pas moins sur les choses qu'il doit savoir que sur celles qui lui sont inutiles, mais à laquelle l'Eglise gagna du moins un peu plus de repos qu'elle n'en avait éprouvé jusque-là.

Après la naissance des lettres, les divisions ne tardèrent pas à recommencer plus terribles que jamais. De savants hommes émurent la querelle, de savants hommes la soutinrent, et les plus capables se montrèrent toujours les plus obtinés. C'est en vain qu'on établit des conférences entre les docteurs des différents partis : aucune n'y portait l'amour de la réconciliation, ni peut-être celui de la vérité ; tous n'y portaient que le désir de briller aux dépens de leur adversaire ; chacun voulait vaincre, nul ne voulait s'instruire ; le plus fort imposait silence au plus faible ; la dispute se terminait toujours par des injures, et la persécution en a toujours été le fruit. Dieu seul sait quand tous ces maux finiront.

Les sciences sont florissantes aujourd'hui, la littérature et les arts brillent parmi nous ; quel profit en a tiré la religion ? Demandons-le à cette multitude de philosophes qui se piquent de n'en point avoir. Nos bibliothèques regorgent de livres de théologie ; et les casuistes fourmillent parmi nous. Autrefois nous avions des saints et point de casuistes. La science s'étend et la foi s'anéantit. Tout le monde veut enseigner à bien faire, et personne ne veut l'apprendre ; nous sommes tous devenus docteurs, et nous avons cessé d'être chrétiens.

Non, ce n'est point avec tant d'art et d'appareil que l'Evangile s'est étendu par tout l'univers, et que sa beauté ravissante a pénétré les cœurs. Ce divin livre, le seul nécessaire à un chrétien, et le plus utile de tous à quiconque même ne le serait pas, n'a besoin que d'être médité pour porter dans l'âme l'amour de son auteur, et la volonté d'accomplir ses préceptes. Jamais la vertu n'a parlé un si doux langage ; jamais la plus profonde sagesse ne s'est exprimée avec tant d'énergie et de simplicité. On n'en quitte point la lecture sans se sentir meilleur qu'auparavant. O vous, ministres de la Loi qui m'y est annoncée, donnez-vous moins de peine pour m'instruire de tant de choses inutiles. Laissez là tous ces livres savants, qui ne savent ni me convaincre ni me toucher. Prosternez-vous au pied de ce Dieu de miséricorde que vous vous chargez de me faire connaître et aimer ; demandez-lui pour vous cette humilité profonde que vous devez me prêcher. N'étalez point à mes yeux cette science orgueilleuse, ni ce faste indécent qui vous déshonorent et qui me révoltent ; soyez touchés vous-mêmes, si vous voulez que je le sois ; et surtout, montrez-moi dans votre conduite la pratique de cette loi dont vous prétendez m'instruire. Vous n'avez pas besoin d'en savoir, ni de m'en enseigner davantage, et votre ministère est accompli. Il n'est point en tout cela question de belles lettres, ni de philosophie. C'est ainsi qu'il convient de suivre et de prêcher l'Evangile, et c'est ainsi que ses premiers défenseurs l'ont fait triompher de toutes les nations, *non Aristotelico more,* disaient les Pères de l'Eglise, *sed Piscatorio* [20].

Je sens que je deviens long, mais j'ai cru ne pouvoir me dispenser de m'étendre un peu sur un point de l'importance de celui-ci. De plus, les lecteurs impatients doivent faire réflexion que c'est une chose bien commode que la critique ; car où l'on attaque avec un mot, il faut des pages pour se défendre.

Je passe à la deuxième partie de la réponse, sur laquelle je

tâcherai d'être plus court, quoique je n'y trouve guère moins
d'observations à faire [21].

Ce n'est pas des sciences, me dit-on , *c'est du sein des richesses que
sont nés de tout temps la mollesse et le luxe*. Je n'avais pas dit non
plus, que le luxe fût né des sciences ; mais qu'ils étaient nés
ensemble et que l'un n'allait guère sans l'autre. Voici
comment j'arrangerais cette généalogie. La première source
du mal est l'inégalité ; de l'inégalité sont venues les richesses ;
car ces mots de pauvre et de riche sont relatifs, et partout où
les hommes seront égaux, il n'y aura ni riches ni pauvres [22].
Des richesses sont nés le luxe et l'oisiveté ; du luxe sont venus
les beaux-arts, et de l'oisiveté les sciences. *Dans aucun temps les
richesses n'ont été l'apanage des savants*. C'est en cela même que le
mal est plus grand, les riches et les savants ne servent qu'à se
corrompre mutuellement. Si les riches étaient plus savants,
ou que les savants fussent plus riches ; les uns seraient de
moins lâches flatteurs ; les autres aimeraient moins la basse
flatterie, et tous en vaudraient mieux. C'est ce qui peut se
voir par le petit nombre de ceux qui ont le bonheur d'être
savants et riches tout à la fois. *Pour un Platon dans l'opulence,
pour un Aristippe accrédité à la cour, combien de philosophes réduits au
manteau et à la besace, enveloppés dans leur propre vertu et ignorés dans
leur solitude ?* Je ne disconviens pas qu'il n'y ait un grand
nombre de philosophes très pauvres, et sûrement très fâchés
de l'être : je ne doute pas non plus que ce ne soit à leur seule
pauvreté, que la plupart d'entre eux doivent leur philosophie : mais quand je voudrais bien les supposer vertueux,
serait-ce sur leurs mœurs que le peuple ne voit point, qu'il
apprendrait à réformer les siennes ? *Les savants n'ont ni le goût
ni le loisir d'amasser de grands biens*. Je consens à croire qu'ils
n'en ont pas le loisir. *Ils aiment l'étude*. Celui qui n'aimerait
pas son métier, serait un homme bien fou, ou bien misérable.
Ils vivent dans la médiocrité ; il faut être extrêmement disposé en
leur faveur pour leur en faire un mérite. *Une vie laborieuse et
modérée, passée dans le silence de la retraite, occupée de la lecture et du
travail, n'est pas assurément une vie voluptueuse et criminelle*. Non
pas du moins aux yeux des hommes : tout dépend de
l'intérieur. Un homme peut être contraint à mener une telle
vie, et avoir pourtant l'âme très corrompue ; d'ailleurs

qu'importe qu'il soit lui-même vertueux et modeste, si les travaux dont il s'occupe, nourrissent l'oisiveté et gâtent l'esprit de ses concitoyens ? *Les commodités de la vie, pour être souvent le fruit des arts, n'en sont pas davantage le partage des artistes.* Il ne me paraît guère qu'ils soient gens à se les refuser ; surtout ceux qui, s'occupant d'arts tout à fait inutiles et par conséquent très lucratifs, sont plus en état de se procurer tout ce qu'ils désirent. *Ils ne travaillent que pour les riches.* Au train que prennent les choses, je ne serais pas étonné de voir quelque jour les riches travailler pour eux. *Et ce sont les riches oisifs qui profitent et abusent des fruits de leur industrie.* Encore une fois, je ne vois point que nos artistes soient des gens si simples et si modestes ; le luxe ne saurait régner dans un ordre de citoyens [23], qu'il ne se glisse bientôt parmi tous les autres sous différentes modifications, et partout il fait le même ravage.

Le luxe corrompt tout ; et le riche qui en jouit, et le misérable qui le convoite. On ne saurait dire que ce soit un mal en soi de porter des manchettes de point [24], un habit brodé, et une boîte émaillée. Mais c'en est un très grand de faire quelque cas de ces colifichets, d'estimer heureux le peuple qui les porte, et de consacrer à se mettre en état d'en acquérir de semblables un temps et des soins que tout homme doit à de plus nobles objets. Je n'ai pas besoin d'apprendre quel est le métier de celui qui s'occupe de telles vues, pour savoir le jugement que je dois porter de lui.

J'ai passé le beau portrait qu'on nous fait ici des savants, et je crois pouvoir me faire un mérite de cette complaisance. Mon adversaire est moins indulgent : non seulement il ne m'accorde rien qu'il puisse me refuser ; mais plutôt que de passer condamnation sur le mal que je pense de notre vaine et fausse politesse, il aime mieux excuser l'hypocrisie. Il me demande si je voudrais que le vice se montrât à découvert ? Assurément je le voudrais. La confiance et l'estime renaîtraient entre les bons, on apprendrait à se défier des méchants, et la société en serait plus sûre. J'aime mieux que mon ennemi m'attaque à force ouverte [25], que de venir en trahison me frapper par-derrière. Quoi donc ! faudra-t-il joindre le scandale au crime ? Je ne sais ; mais je voudrais

bien qu'on n'y joignît pas la fourberie. C'est une chose très
commode pour les vicieux que toutes les maximes qu'on nous
débite depuis longtemps sur le scandale : si on les voulait
suivre à la rigueur, il faudrait se laisser piller, trahir, tuer
impunément et ne jamais punir personne ; car c'est un objet
très scandaleux qu'un scélérat sur la roue[26]. Mais l'hypocrisie est un hommage que le vice rend à la vertu[27] ? Oui,
comme celui des assassins de César, qui se prosternait à ses
pieds pour l'égorger plus sûrement. Cette pensée a beau être
brillante, elle a beau être autorisée du nom célèbre de son
auteur, elle n'en est pas plus juste. Dira-t-on jamais d'un
filou, qui prend la livrée d'une maison pour faire son coup
plus commodément, qu'il rend hommage au maître de la
maison qu'il vole ? Non, couvrir sa méchanceté du dangereux
manteau de l'hypocrisie, ce n'est point honorer la vertu ; c'est
l'outrager en profanant ses enseignes ; c'est ajouter la lâcheté
et la fourberie à tous les autres vices ; c'est se fermer pour
jamais tout retour vers la probité. Il y a des caractères élevés
qui portent jusque dans le crime je ne sais quoi de fier et de
généreux, qui laisse voir au-dedans encore quelque étincelle
de ce feu céleste fait pour animer les belles âmes. Mais l'âme
vile et rampante de l'hypocrite est semblable à un cadavre,
où l'on ne trouve plus ni feu, ni chaleur, ni ressource à la vie.
J'en appelle à l'expérience. On a vu de grands scélérats
rentrer en eux-mêmes, achever sainement leur carrière et
mourir en prédestinés[28]. Mais ce que personne n'a jamais
vu, c'est un hypocrite devenir homme de bien ; on aurait pu
raisonnablement tenter la conversion de Cartouche, jamais
un homme sage n'eût entrepris celle de Cromwell.

J'ai attribué au rétablissement des lettres et des arts,
l'élégance et la politesse qui règnent dans nos manières.
L'auteur de la réponse me le dispute, et j'en suis étonné : car
puisqu'il fait tant de cas de la politesse, et qu'il fait tant de
cas des sciences, je n'aperçois pas l'avantage qui lui reviendra d'ôter à l'une de ces choses l'honneur d'avoir produit
l'autre. Mais examinons ses preuves : elles se réduisent en
ceci. *On ne voit point que les savants soient plus polis que les autres
hommes ; au contraire, ils le sont souvent beaucoup moins ; donc notre
politesse n'est pas l'ouvrage des sciences.*

Je remarquerai d'abord qu'il s'agit moins ici de sciences que de littérature, de beaux-arts et d'ouvrages de goût ; et nos beaux esprits, aussi peu savants qu'on voudra, mais si polis, si répandus, si brillants, si petits-maîtres [29], se reconnaîtront difficilement à l'air maussade et pédantesque que l'auteur de la réponse leur veut donner. Mais passons-lui cet antécédent [30] ; accordons, s'il le faut, que les savants, les poètes et les beaux esprits sont tous également ridicules ; que Messieurs de l'Académie des belles-lettres, Messieurs de l'Académie des sciences, Messieurs de l'Académie française, sont des gens grossiers, qui ne connaissent ni le ton ni les usages du monde, et exclus par état de la bonne compagnie ; l'auteur gagnera peu de chose à cela, et n'en sera pas plus en droit de nier que la politesse et l'urbanité qui régnent parmi nous soient l'effet du bon goût, puisé d'abord chez les Anciens et répandu parmi les peuples de l'Europe par les livres agréables qu'on y publie de toutes parts *. Comme les meilleurs maîtres à danser ne sont pas toujours les gens qui se présentent le mieux, on peut donner de très bonnes leçons de politesse sans vouloir ou pouvoir être fort poli soi-même. Ces pesants commentateurs qu'on nous dit qui connaissaient tout dans les Anciens, hors la grâce et la finesse, n'ont pas laissé, par leurs ouvrages utiles, quoique méprisés, de nous apprendre à sentir ces beautés qu'ils ne sentaient point. Il en

---

* Quand il est question d'objets aussi généraux que les mœurs et les manières d'un peuple, il faut prendre garde de ne pas toujours rétrécir ses vues sur des exemples particuliers. Ce serait le moyen de ne jamais apercevoir les sources des choses. Pour savoir si j'ai raison d'attribuer la politesse à la culture des lettres, il ne faut pas chercher si un savant ou un autre sont des gens polis ; mais il faut examiner les rapports qui peuvent être entre la littérature et la politesse, et voir ensuite quels sont les peuples chez lesquels ces choses se sont trouvées réunies ou séparées. J'en dis autant du luxe, de la liberté, et de toutes les autres [31] choses qui influent sur les mœurs d'une nation, et sur lesquelles j'entends faire chaque jour tant de pitoyables raisonnements : examiner tout cela en petit et sur quelques individus, ce n'est pas philosopher, c'est perdre son temps et ses réflexions ; car on peut connaître à fond Pierre ou Jacques, et avoir fait très peu de progrès dans la connaissance des hommes.

est de même de cet agrément du commerce, et de cette élégance de mœurs qu'on substitue à leur pureté, et qui s'est fait remarquer chez tous les peuples où les lettres ont été en honneur, à Athènes, à Rome, à la Chine, partout on a vu la politesse et du langage et des manières accompagner toujours, non les savants et les artistes, mais les sciences et les beaux-arts.

L'auteur attaque ensuite les louanges que j'ai données à l'ignorance : et me taxant d'avoir parlé plus en orateur qu'en philosophe, il peint l'ignorance à son tour ; et l'on peut bien se douter qu'il ne lui prête pas de belles couleurs.

Je ne nie point qu'il ait raison, mais je ne crois pas avoir tort. Il ne faut qu'une distinction très juste et très vraie pour nous concilier.

Il y a une ignorance féroce *[32] et brutale qui naît d'un mauvais cœur et d'un esprit faux ; une ignorance criminelle qui s'étend jusqu'aux devoirs de l'humanité ; qui multiplie les vices ; qui dégrade la raison, avilit l'âme et rend les hommes semblables aux bêtes : cette ignorance est celle que l'auteur attaque, et dont il fait un portrait fort odieux et fort ressemblant. Il y a une autre sorte d'ignorance raisonnable, qui consiste à borner sa curiosité à l'étendue des facultés qu'on a reçues ; une ignorance modeste, qui naît d'un vif amour pour la vertu, et n'inspire qu'indifférence sur toutes les choses qui ne sont point dignes de remplir le cœur de l'homme, et qui ne contribuent point à le rendre meilleur ; une douce et précieuse ignorance, trésor d'une âme pure et contente de soi, qui met toute sa félicité à se replier sur elle-même, à se rendre témoignage de son innocence, et n'a pas

---

* Je serai fort étonné, si quelqu'un de mes critiques ne part de l'éloge que j'ai fait de plusieurs peuples ignorants et vertueux pour m'opposer la liste de toutes les troupes de brigands qui ont infecté la terre, et qui pour l'ordinaire n'étaient pas de fort savants hommes. Je les exhorte d'avance, à ne pas se fatiguer à cette recherche, à moins qu'ils ne l'estiment nécessaire pour montrer de l'érudition. Si j'avais dit qu'il suffit d'être ignorant pour être vertueux ; ce ne serait pas la peine de me répondre ; et par la même raison, je me croirai très dispensé de répondre moi-même à ceux qui perdront leur temps à me soutenir le contraire.

besoin de chercher un faux et vain bonheur dans l'opinion que les autres pourraient avoir de ses lumières : voilà l'ignorance que j'ai louée, et celle que je demande au Ciel en punition du scandale que j'ai causé aux doctes, par mon mépris déclaré pour les sciences humaines.

Que l'on compare, dit l'auteur, *à ces temps d'ignorance et de barbarie, ces siècles heureux où les sciences ont répandu partout l'esprit d'ordre et de justice.* Ces siècles heureux seront difficiles à trouver ; mais on en trouvera plus aisément où, grâce aux sciences, *ordre et justice* ne seront plus que de vains noms faits pour en imposer au peuple, et où l'apparence en aura été conservée avec soin, pour les détruire en effet plus impunément. *On voit de nos jours des guerres moins fréquentes, mais plus justes ;* en quelque temps que ce soit, comment la guerre pourra-t-elle être plus juste dans l'un des partis, sans être plus injuste dans l'autre ? Je ne saurais concevoir cela ! *Des actions moins étonnantes, mais plus héroïques.* Personne assurément ne disputera à mon adversaire le droit de juger de l'héroïsme ; mais pense-t-il que ce qui n'est point étonnant pour lui ne le soit pas pour nous ? *Des victoires moins sanglantes, mais plus glorieuses ; des conquêtes moins rapides, mais plus assurées ; des guerriers moins violents, mais plus redoutés ; sachant vaincre avec modération, traitant les vaincus avec humanité ; l'honneur est leur guide, la gloire leur récompense.* Je ne nie pas à l'auteur qu'il y ait de grands hommes parmi nous, il lui serait trop aisé d'en fournir la preuve ; ce qui n'empêche point que les peuples ne soient très corrompus. Au reste, ces choses sont si vagues qu'on pourrait presque les dire de tous les âges ; et il est impossible d'y répondre, parce qu'il faudrait feuilleter des bibliothèques et faire des in-folio pour établir des preuves pour ou contre.

Quand Socrate a maltraité les sciences, il n'a pu, ce me semble, avoir en vue, ni l'orgueil des stoïciens, ni la mollesse des épicuriens, ni l'absurde jargon des pyrrhoniens, parce qu'aucun de tous ces gens-là n'existait de son temps. Mais ce léger anachronisme n'est point messéant à mon adversaire : il a mieux employé sa vie qu'à vérifier des dates, et n'est pas plus obligé de savoir par cœur son Diogène Laërce que moi d'avoir vu de près ce qui se passe dans les combats.

Je conviens donc que Socrate n'a songé qu'à relever les vices des philosophes de son temps : mais je ne sais qu'en conclure, sinon que dès ce temps-là les vices pullulaient avec les philosophes. A cela on me répond que c'est l'abus de la philosophie, et je ne pense pas avoir dit le contraire. Quoi ! faut-il donc supprimer toutes les choses dont on abuse ? Oui sans doute, répondrai-je sans balancer : toutes celles qui sont inutiles ; toutes celles dont l'abus fait plus de mal que leur usage ne fait de bien.

Arrêtons-nous un instant sur cette dernière conséquence, et gardons-nous d'en conclure qu'il faille aujourd'hui brûler toutes les bibliothèques et détruire les universités et les académies. Nous ne ferions que replonger l'Europe dans la barbarie, et les mœurs n'y gagneraient rien * [33]. C'est avec douleur que je vais prononcer une grande et fatale vérité. Il n'y a qu'un pas du savoir à l'ignorance ; et l'alternative [34] de l'un à l'autre est fréquente chez les nations ; mais on n'a jamais vu de peuple une fois corrompu, revenir à la vertu. En vain vous prétendriez détruire les sources du mal ; en vain vous ôteriez les aliments de la vanité, de l'oisiveté et du luxe ; en vain même vous ramèneriez les hommes à cette première égalité, conservatrice de l'innocence et source de toute vertu : leurs cœurs une fois gâtés le seront toujours ; il n'y a plus de remède, à moins de quelque grande révolution presque aussi à craindre que le mal qu'elle pourrait guérir, et qu'il est blâmable de désirer et impossible de prévoir.

Laissons donc les sciences et les arts adoucir en quelque sorte la férocité des hommes qu'ils ont corrompus ; cherchons à faire une diversion sage, et tâchons de donner le change à leurs passions. Offrons quelques aliments à ces tigres, afin qu'ils ne dévorent pas nos enfants. Les lumières du méchant [35] sont encore moins à craindre que sa brutale stupidité ; elles le rendent au moins plus circonspect sur le

---

* *Les vices nous resteraient,* dit le philosophe que j'ai déjà cité, et *nous aurions l'ignorance de plus.* Dans le peu de lignes que cet auteur a écrites sur ce grand sujet, on voit qu'il a tourné les yeux de ce côté, et qu'il a vu loin.

mal qu'il pourrait faire, par la connaissance de celui qu'il en recevrait lui-même.

J'ai loué les académies et leurs illustres fondateurs, et j'en répéterai volontiers l'éloge. Quand le mal est incurable, le médecin applique des palliatifs, et proportionne les remèdes, moins aux besoins qu'au tempérament du malade. C'est aux sages législateurs d'limiter sa prudence, et, ne pouvant plus approprier aux peuples malades la plus excellente police, de leur donner du moins, comme Solon, la meilleure qu'ils puissent comporter.

Il y a en Europe un grand prince [36], et ce qui est bien plus, un vertueux citoyen qui, dans la patrie qu'il a adoptée et qu'il rend heureuse, vient de former plusieurs institutions en faveur des lettres. Il a fait en cela une chose très digne de sa sagesse et de sa vertu. Quand il est question d'établissements politiques, c'est le temps et le lieu qui décident de tout. Il faut pour leurs propres intérêts que les princes favorisent toujours les sciences et les arts ; j'en ai dit la raison : et dans l'état présent des choses, il faut encore qu'ils les favorisent aujourd'hui pour l'intérêt même des peuples. S'il y avait actuellement parmi nous quelque monarque assez borné pour penser et agir différemment, ses sujets resteraient pauvres et ignorants, et n'en seraient pas moins vicieux. Mon adversaire a négligé de tirer avantage d'un exemple si frappant et si favorable en apparence à sa cause ; peut-être est-il le seul qui l'ignore, ou qui n'y ait pas songé. Qu'il souffre donc qu'on le lui rappelle ; qu'il ne refuse point à de grandes choses les éloges qui leur sont dus ; qu'il les admire ainsi que nous, et ne s'en tienne pas plus fort contre les vérités qu'il attaque.

PRÉFACE DE *NARCISSE*

J'ai écrit cette comédie à l'âge de dix-huit ans, et je me suis gardé de la montrer, aussi longtemps que j'ai tenu quelque

compte de la réputation d'auteur. Je me suis enfin senti le
courage de la publier, mais je n'aurai jamais celui d'en rien
dire. Ce n'est donc pas de ma pièce, mais de moi-même qu'il
s'agit ici [1].

Il faut, malgré ma répugnance, que je parle de moi ; il faut
que je convienne des torts que l'on m'attribue, ou que je
m'en justifie. Les armes ne seront pas égales, je le sens bien ;
car on m'attaquera avec des plaisanteries, et je ne me
défendrai qu'avec des raisons : mais pourvu que je convain-
que mes adversaires, je me soucie très peu de les persuader ;
en travaillant à mériter ma propre estime, j'ai appris à me
passer de celle des autres, qui, pour la plupart, se passent
bien de la mienne. Mais s'il ne m'importe guère qu'on pense
bien ou mal de moi, il m'importe que personne n'ait droit
d'en mal penser, et il importe à la vérité que j'ai soutenue,
que son défenseur ne soit point accusé justement de ne lui
avoir prêté son secours que par caprice ou par vanité, sans
l'aimer et sans la connaître.

Le parti que j'ai pris dans la question que j'examinais il y a
quelques années, n'a pas manqué de me susciter une
multitude d'adversaires * [2] plus attentifs peut-être à l'intérêt

---

* On m'assure que plusieurs trouvent mauvais que j'appelle mes
adversaires mes adversaires et cela me paraît assez croyable dans un
siècle où l'on n'ose plus rien appeler par son nom. J'apprends aussi
que chacun de mes adversaires se plaint, quand je réponds à
d'autres objections que les siennes, que je perds mon temps à me
battre contre des chimères ; ce qui me prouve une chose dont je me
doutais déjà bien, savoir qu'ils ne perdent point le leur à se lire ou à
s'écouter les uns les autres. Quant à moi, c'est une peine que j'ai cru
devoir prendre, et j'ai lu les nombreux écrits qu'ils ont publiés contre
moi, depuis la première réponse dont je fus honoré, jusqu'aux quatre
sermons allemands dont l'un commence à peu près de cette
manière : *Mes frères, si Socrate revenait parmi nous et qu'il vît l'état
florissant où les sciences sont en Europe ; que dis-je, en Europe ? en Allemagne ;
que dis-je, en Allemagne ? en Saxe ; que dis-je, en Saxe ? à Leipsic ; que dis-je,
à Leipsic ? dans cette Université. Alors saisi d'étonnement, et pénétré de respect,
Socrate s'assiérait modestement parmi nos écoliers ; et recevant nos leçons avec
humilité, il perdrait bientôt avec nous cette ignorance dont il se plaignait si
justement.* J'ai lu tout cela, et n'y ai fait que peu de réponses ; peut-

des gens de lettres qu'à l'honneur de la littérature. Je l'avais prévu, et je m'étais bien douté que leur conduite en cette occasion prouverait en ma faveur plus que tous mes discours. En effet, ils n'ont déguisé ni leur surprise ni leur chagrin de ce qu'une Académie s'était montrée intègre si mal à propos. Ils n'ont épargné contre elle ni les invectives indiscrètes, ni même les faussetés * pour tâcher d'affaiblir le poids de son jugement. Je n'ai pas non plus été oublié dans leurs déclamations. Plusieurs ont entrepris de me réfuter hautement : les sages ont pu voir avec quelle force, et le public avec quel succès ils l'ont fait. D'autres plus adroits, connaissant le danger de combattre directement des vérités démontrées, ont habilement détourné sur ma personne une attention qu'il ne fallait donner qu'à mes raisons, et l'examen des accusations qu'ils m'ont intentées a fait oublier les accusations plus graves que je leur intentais moi-même. C'est donc à ceux-ci qu'il faut répondre une fois.

Ils prétendent que je ne pense pas un mot des vérités que j'ai soutenues, et qu'en démontrant une proposition je ne laissais pas de croire le contraire. C'est-à-dire que j'ai prouvé des choses si extravagantes, qu'on peut affirmer que je n'ai

---

être en ai-je encore trop fait, mais je suis fort aise que ces Messieurs les aient trouvées assez agréables pour être jaloux de la préférence. Pour les gens qui sont choqués du mot d'*adversaires*, je consens de bon cœur à le leur abandonner, pourvu qu'ils veuillent bien m'en indiquer un autre par lequel je puisse désigner, non seulement tous ceux qui ont combattu mon sentiment, soit par écrit, soit, plus prudemment et plus à leur aise dans les cercles de femmes et de beaux-esprits, où ils étaient bien sûrs que je n'irais pas me défendre, mais encore ceux qui feignant aujourd'hui de croire que je n'ai point d'adversaires, trouvaient d'abord sans réplique les réponses de mes adversaires, puis quand j'ai répliqué, m'ont blâmé de l'avoir fait, parce que, selon eux, on ne m'avait point attaqué. En attendant, ils permettront que je continue d'appeler mes adversaires mes adversaires ; car, malgré la politesse de mon siècle, je suis grossier comme les Macédoniens de Philippe.

* On peut voir, dans le *Mercure* d'août 1752, le désaveu de l'Académie de Dijon au sujet de je ne sais quel écrit attribué faussement par l'auteur à l'un des membres de cette Académie.

pu les soutenir que par jeu. Voilà un bel honneur qu'ils font
en cela à la science qui sert de fondement à toutes les autres ;
et l'on doit croire que l'art de raisonner sert de beaucoup à la
découverte de la vérité, quand on le voit employer avec
succès à démontrer des folies !

Ils prétendent que je ne pense pas un mot des vérités que
j'ai soutenues ; c'est sans doute de leur part une manière
nouvelle et commode de répondre à des arguments sans
réponse, de réfuter les démonstrations même d'Euclide, et
tout ce qu'il y a de démontré dans l'univers. Il me semble, à
moi, que ceux qui m'accusent si témérairement de parler
contre ma pensée, ne se font pas eux-mêmes un grand
scrupule de parler contre la leur : car ils n'ont assurément
rien trouvé dans mes écrits ni dans ma conduite qui ait dû
leur inspirer cette idée, comme je le prouverai bientôt ; et il
ne leur est pas permis d'ignorer que dès qu'un homme parle
sérieusement, on doit penser qu'il croit ce qu'il dit, à moins
que ses actions ou ses discours ne le démentent ; encore cela
même ne suffit-il pas toujours pour s'assurer qu'il n'en croit
rien.

Ils peuvent donc crier autant qu'il leur plaira qu'en me
déclarant contre les sciences j'ai parlé contre mon sentiment ;
à une assertion aussi téméraire, dénuée également de preuve
et de vraisemblance, je ne sais qu'une réponse ; elle est courte
et énergique, et je les prie de se la tenir pour faite.

Ils prétendent encore que ma conduite est en contradiction
avec mes principes, et il ne faut pas douter qu'ils n'emploient
cette seconde instance à établir la première ; car il y a
beaucoup de gens qui savent trouver des preuves à ce qui
n'est pas. Ils diront donc qu'en faisant de la musique et des
vers, on a mauvaise grâce à déprimer [3] les beaux-arts, et qu'il
y a dans les belles-lettres que j'affecte de mépriser mille
occupations plus louables que d'écrire des comédies. Il faut
répondre aussi à cette accusation.

Premièrement ; quand même on l'admettrait dans toute sa
rigueur, je dis qu'elle prouverait que je me conduis mal, mais
non que je ne parle pas de bonne foi. S'il était permis de tirer
des actions des hommes la preuve de leurs sentiments, il
faudrait dire que l'amour de la justice est banni de tous les

cœurs et qu'il n'y a pas un seul chrétien sur la terre. Qu'on me montre des hommes qui agissent toujours conséquemment à leurs maximes, et je passe condamnation sur les miennes. Tel est le sort de l'humanité, la raison nous montre le but et les passions nous en écartent. Quand il serait vrai que je n'agis pas selon mes principes, on n'aurait donc pas raison de m'accuser pour cela seul de parler contre mon sentiment, ni d'accuser mes principes de fausseté.

Mais si je voulais passer condamnation sur ce point, il me suffirait de comparer les temps pour concilier les choses. Je n'ai pas toujours eu le bonheur de penser comme je fais. Longtemps séduit par les préjugés de mon siècle, je prenais l'étude pour la seule occupation digne d'un sage, je ne regardais les sciences qu'avec respect et les savants qu'avec admiration *. Je ne comprenais pas qu'on pût s'égarer en démontrant toujours, ni mal faire en parlant toujours de sagesse. Ce n'est qu'après avoir vu les choses de près que j'ai appris à les estimer ce qu'elles valent ; et quoique dans mes recherches j'aie toujours trouvé, *satis eloquentiae, sapientiae parum*, il m'a fallu bien des réflexions, bien des observations et bien du temps pour détruire en moi l'illusion de toute cette vaine pompe scientifique. Il n'est pas étonnant que durant ces temps de préjugés et d'erreurs où j'estimais tant la qualité d'auteur j'aie quelquefois aspiré à l'obtenir moi-même. C'est alors que furent composés les vers et la plupart des autres écrits qui sont sortis de ma plume et entre autres cette petite comédie. Il y aurait peut-être de la dureté à me reprocher aujourd'hui ces amusements de ma jeunesse, et on aurait tort au moins de m'accuser d'avoir contredit en cela des principes qui n'étaient pas encore les miens. Il y a

---

* Toutes les fois que je songe à mon ancienne simplicité, je ne puis m'empêcher d'en rire. Je ne lisais pas un livre de morale ou de philosophie, que je ne crusse y voir l'âme et les principes de l'auteur. Je regardais tous ces graves écrivains comme des hommes modestes, sages, vertueux, irréprochables. Je me formais de leur commerce des idées angéliques, et je n'aurais approché de la maison de l'un d'eux que comme d'un sanctuaire. Enfin je les ai vus ; ce préjugé puéril s'est dissipé, et c'est la seule erreur dont ils m'aient guéri.

longtemps que je ne mets plus à toutes ces choses aucune espèce de prétention ; et hasarder de les donner au public dans ces circonstances, après avoir eu la prudence de les garder si longtemps, c'est dire assez que je dédaigne également la louange et le blâme qui peuvent leur être dus ; car je ne pense plus comme l'auteur dont ils sont l'ouvrage. Ce sont des enfants illégitimes que l'on caresse encore avec plaisir en rougissant d'en être le père, à qui l'on fait ses derniers adieux, et qu'on envoie chercher fortune, sans beaucoup s'embarrasser de ce qu'ils deviendront.

Mais c'est trop raisonner d'après des suppositions chimériques. Si l'on m'accuse sans raison de cultiver les lettres que je méprise, je m'en défends sans nécessité ; car, quand le fait serait vrai, il n'y aurait en cela aucune inconséquence : c'est ce qui me reste à prouver.

Je suivrai pour cela, selon ma coutume, la méthode simple et facile qui convient à la vérité. J'établirai de nouveau l'état de la question, j'exposerai de nouveau mon sentiment, et j'attendrai que sur cet exposé on veuille me montrer en quoi mes actions démentent mes discours. Mes adversaires de leur côté n'auront garde de demeurer sans réponse, eux qui possèdent l'art merveilleux de disputer pour et contre sur toutes sortes de sujets. Ils commenceront, selon leur coutume, par établir une autre question à leur fantaisie ; ils me feront résoudre comme il leur conviendra : pour m'attaquer plus commodément, ils me feront raisonner, non à ma manière mais à le leur : ils détourneront habilement les yeux du lecteur de l'objet essentiel pour les fixer à droite et à gauche ; ils combattront un fantôme et prétendront m'avoir vaincu : mais j'aurai fait ce que je dois faire, et je commence.

« La science n'est bonne à rien, et ne fait jamais que du mal, car elle est mauvaise par sa nature. Elle n'est pas moins inséparable du vice que l'ignorance de la vertu. Tous les peuples lettrés ont toujours été corrompus ; tous les peuples ignorants ont été vertueux : en un mot, il n'y a de vices que parmi les savants, ni d'homme vertueux que celui qui ne sait rien. Il y a donc un moyen pour nous de redevenir honnêtes gens ; c'est de nous hâter de proscrire la science et les savants, de brûler nos bibliothèques, fermer nos Académies, nos Collèges, nos Universités, et de nous replonger dans toute la barbarie des premiers siècles. »

Voilà ce que mes adversaires ont très bien réfuté : aussi jamais n'ai-je dit ni pensé un seul mot de tout cela, et l'on ne saurait rien imaginer de plus opposé à mon système que cette absurde doctrine qu'ils ont la bonté de m'attribuer. Mais voici ce que j'ai dit et qu'on n'a point réfuté.

Il s'agissait de savoir si le rétablissement des sciences et des arts a contribué à épurer nos mœurs.

En montrant, comme je l'ai fait, que nos mœurs ne se sont point épurées *, la question était à peu près résolue.

Mais elle en renfermait implicitement une autre plus générale et plus importante sur l'influence que la culture des sciences doit avoir en toute occasion sur les mœurs des

---

* Quand j'ai dit que nos mœurs s'étaient corrompues, je n'ai pas prétendu dire pour cela que celles de nos aïeux fussent bonnes, mais seulement que les nôtres étaient encore pires. Il y a parmi les hommes mille sources de corruption ; et quoique les sciences soient peut-être la plus abondante et la plus rapide, il s'en faut bien que ce soit la seule. La ruine de l'empire Romain, les invasions d'une multitude de barbares, ont fait un mélange de tous les peuples, qui a dû nécessairement détruire les mœurs et les coutumes de chacun d'eux. Les croisades, le commerce, la découverte des Indes, la navigation, les voyages de long cours, et d'autres causes encore que je ne veux pas dire, ont entretenu et augmenté le désordre. Tout ce qui facilite la communication entre les diverses nations porte aux unes, non les vertus des autres, mais leurs crimes, et altère chez toutes, les mœurs qui sont propres à leur climat et à la constitution de leur gouvernement. Les sciences n'ont donc pas fait tout le mal, elles y ont seulement leur bonne part ; et celui surtout qui leur appartient en propre, c'est d'avoir donné à nos vices une couleur agréable, un certain air honnête qui nous empêche d'en avoir horreur. Quand on joua pour la première fois la comédie du Méchant [4], je me souviens qu'on ne trouvait pas que le rôle principal répondît au titre. Cléon ne parut qu'un homme ordinaire ; il était disait-on, comme tout le monde. Ce scélérat abominable, dont le caractère si bien exposé aurait dû faire frémir sur eux-mêmes tous ceux qui ont le malheur de lui ressembler, parut un caractère tout à fait manqué, et ses noirceurs passèrent pour des gentillesses, parce que tel qui se croyait un fort honnête homme s'y reconnaissait trait pour trait.

peuples. C'est celle-ci, dont la première n'est qu'une conséquence, que je me proposai d'examiner avec soin.

Je commençai par les faits, et je montrai que les mœurs ont dégénéré chez tous les peuples du monde, à mesure que le goût de l'étude et des lettres s'est étendu parmi eux.

Ce n'était pas assez ; car sans pouvoir nier que ces choses eussent toujours marché ensemble, on pouvait nier que l'une eût amené l'autre : je m'appliquai donc à montrer cette liaison nécessaire. Je fis voir que la source de nos erreurs sur ce point vient de ce que nous confondons nos vaines et trompeuses connaissances avec la souveraine intelligence qui voit d'un coup d'œil la vérité de toutes choses. La science prise d'une manière abstraite mérite toute notre admiration. La folle science des hommes n'est digne que de risée et de mépris.

Le goût des lettres annonce toujours chez un peuple un commencement de corruption qu'il accélère très promptement. Car ce goût ne peut naître ainsi dans toute une nation que de deux mauvaises sources que l'étude entretient et grossit à son tour, savoir l'oisiveté et le désir de se distinguer. Dans un Etat bien constitué, chaque citoyen a ses devoirs à remplir ; et ces soins importants lui sont trop chers pour lui laisser le loisir de vaquer à de frivoles spéculations. Dans un Etat bien constitué tous les citoyens sont si bien égaux, que nul ne peut être préféré aux autres comme le plus savant ni même comme le plus habile, mais tout au plus comme le meilleur : encore cette dernière distinction est-elle souvent dangereuse ; car elle fait des fourbes et des hypocrites.

Le goût des lettres qui naît du désir de se distinguer, produit nécessairement des maux infiniment plus dangereux que tout le bien qu'elles font n'est utile ; c'est de rendre à la fin ceux qui s'y livrent très peu scrupuleux sur les moyens de réussir. Les premiers philosophes se firent une grande réputation en enseignant aux hommes la pratique de leurs devoirs et les principes de la vertu. Mais bientôt ces préceptes étant devenus communs, il fallut se distinguer en frayant des routes contraires. Telle est l'origine des systèmes absurdes des Leucippe, des Diogènes, des Pyrrhon, des Protagore, des Lucrèce. Les Hobbes, les Mandeville [5] et mille autres ont affecté de se distinguer de même parmi nous ; et leur dangereuse doctrine a tellement fructifié, que, quoiqu'il nous reste de vrais philosophes ardents à rappeler dans nos cœurs les lois de l'humanité et de la vertu, on est épouvanté de voir jusqu'à quel point notre siècle raisonneur a poussé dans ses maximes le mépris des devoirs de l'homme et du citoyen.

Le goût des lettres, de la philosophie et des beaux-arts, anéantit l'amour de nos premiers devoirs et de la véritable gloire. Quand une fois les talents ont envahi les honneurs dus à la vertu, chacun veut être un homme agréable et nul ne se soucie d'être homme de bien. De là naît encore cette autre inconséquence qu'on ne récompense dans les hommes que les qualités qui ne dépendent pas d'eux : car nos talents naissent avec nous, nos vertus seules nous appartiennent.

Les premiers et presque les uniques soins qu'on donne à notre éducation sont les fruits et les semences de ces ridicules préjugés. C'est pour nous enseigner les lettres qu'on tourmente notre misérable jeunesse : nous savons toutes les règles de la grammaire avant que d'avoir ouï parler des devoirs de l'homme : nous savons tout ce qui s'est fait jusqu'à présent avant qu'on nous ait dit un mot de ce que nous devons faire ; et pourvu qu'on exerce notre babil personne ne se soucie que nous sachions agir ni penser. En un mot, il n'est prescrit d'être savant que dans les choses qui ne peuvent nous servir de rien ; et nos enfants sont précisément élevés comme les anciens athlètes des jeux publics, qui, destinant leurs membres robustes à un exercice inutile et superflu, se gardaient de les employer jamais à aucun travail profitable.

Le goût des lettres, de la philosophie et des beaux-arts amollit les corps et les âmes. Le travail du cabinet rend les hommes délicats, affaiblit leur tempérament, et l'âme garde difficilement sa vigueur quand le corps a perdu la sienne. L'étude use la machine, épuise les esprits, détruit la force, énerve le courage, et cela seul montre assez qu'elle n'est pas faite pour nous : c'est ainsi qu'on devient lâche et pusillanime, incapable de résister également à la peine et aux passions. Chacun sait combien les habitants des villes sont peu propres à soutenir les travaux de la guerre, et l'on n'ignore pas quelle est la réputation des gens de lettres en fait de bravoure*. Or rien n'est plus justement suspect que l'honneur d'un poltron.

Tant de réflexions sur la faiblesse de notre nature ne servent souvent qu'à nous détourner des entreprises généreuses. A force de méditer sur les misères de l'humanité, notre imagination nous accable de leur poids, et trop de prévoyance nous ôte le courage en nous ôtant la sécurité. C'est bien en vain que nous prétendons nous munir contre les accidents imprévus, « si la science essayant de nous armer de nouvelles défenses contre les inconvénients naturels, nous a plus imprimé en la fantaisie leur grandeur et poids qu'elle n'a ses raisons et vaines subtilités à nous en couvrir [6]. »

Le goût de la philosophie relâche tous les liens d'estime et de bienveillance qui attachent les hommes à la société, et c'est peut-être le plus dangereux des maux qu'elle engendre. Le charme de l'étude rend bientôt insipide tout autre attachement. De plus, à force de réfléchir sur l'humanité, à force d'observer les hommes, le philosophe apprend à les apprécier selon leur valeur, et il est difficile d'avoir bien de l'affection pour ce qu'on méprise. Bientôt il réunit en sa personne tout l'intérêt que les hommes vertueux partagent avec leurs semblables : son mépris pour les autres tourne au profit de son orgueil : son amour-propre augmente en même proportion que son indifférence pour le reste de l'univers. La famille, la patrie deviennent pour lui des mots vides de sens : il n'est ni parent, ni citoyen, ni homme ; il est philosophe.

En même temps que la culture des sciences retire en quelque sorte de la presse [7] le cœur du philosophe, elle y engage en un autre sens celui de l'homme de lettres et toujours avec un égal préjudice pour la vertu. Tout homme

---

* Voici un exemple moderne pour ceux qui me reprochent de n'en citer que d'anciens. La République de Gênes, cherchant à subjuguer plus aisément les Corses, n'a pas trouvé de moyen plus sûr que d'établir chez eux une Académie. Il ne me serait pas difficile d'allonger cette note, mais ce serait faire tort à l'intelligence des seuls lecteurs dont je me soucie.

qui s'occupe des talents agréables veut plaire, être admiré, et il veut être admiré plus qu'un autre. Les applaudissements publics appartiennent à lui seul : je dirais qu'il fait tout pour les obtenir, s'il ne faisait encore plus pour en priver ses concurrents. De là naissent d'un côté les raffinements du goût et de la politesse ; vile et basse flatterie, soins séducteurs, insidieux, puérils, qui, à la longue, rapetissent l'âme et corrompent le cœur ; et, de l'autre, les jalousies, les rivalités, les haines d'artistes si renommées, la perfide calomnie, la fourberie, la trahison, et tout ce que le vice a de plus lâche et de plus odieux. Si le philosophe méprise les hommes, l'artiste s'en fait bientôt mépriser, et tous deux concourent enfin à les rendre méprisables.

Il y a plus ; et de toutes les vérités que j'ai proposées à la considération des sages, voici la plus étonnante et la plus cruelle. Nos écrivains regardent tous comme le chef-d'œuvre de la politique de notre siècle les sciences, les arts, le luxe, le commerce, les lois, et les autres liens qui resserrant entre les hommes les nœuds de la société * par l'intérêt personnel, les mettent tous dans une dépendance mutuelle, leur donnent des besoins réciproques, et des intérêts communs, et obligent chacun d'eux de concourir au bonheur des autres pour pouvoir faire le sien. Ces idées sont belles, sans doute, et présentées sous un jour favorable. Mais en les examinant avec attention et sans partialité, on trouve beaucoup à rabattre des avantages qu'elles semblent présenter d'abord.

C'est donc une chose bien merveilleuse que d'avoir mis les hommes dans l'impossibilité de vivre entre eux sans se prévenir, se supplanter, se tromper, se trahir, se détruire mutuellement ! Il faut désormais se garder de nous laisser jamais voir tels que nous sommes : car pour deux hommes dont les intérêts s'accordent, cent mille peut-être leur sont

---

* Je me plains de ce que la philosophie relâche les liens de la société qui sont formés par l'estime et la bienveillance mutuelle, et je me plains de ce que les sciences, les arts et tous les autres objets de commerce resserrent les liens de la société par l'intérêt personnel C'est qu'en effet on ne peut resserrer un de ces liens que l'autre ne se relâche d'autant. Il n'y a donc point en ceci de contradiction

opposés, et il n'y a d'autre moyen pour réussir que de tromper ou perdre tous ces gens-là. Voilà la source funeste des violences, des trahisons, des perfidies, et de toutes les horreurs qu'exige nécessairement un état de choses où chacun feignant de travailler à la fortune ou à la réputation des autres, ne cherche qu'à élever la sienne au-dessus d'eux et à leurs dépens.

Qu'avons-nous gagné à cela ? Beaucoup de babil, des riches et des raisonneurs, c'est-à-dire, des ennemis de la vertu et du sens commun. En revanche, nous avons perdu l'innocence et les mœurs. La foule rampe dans la misère ; tous sont les esclaves du vice. Les crimes non commis sont déjà dans le fond des cœurs, et il ne manque à leur exécution que l'assurance de l'impunité.

Etrange et funeste constitution où les richesses accumulées facilitent toujours les moyens d'en accumuler de plus grandes, et où il est impossible à celui qui n'a rien d'acquérir quelque chose ; où l'homme de bien n'a nul moyen de sortir de la misère ; où les plus fripons sont les plus honorés, et où il faut nécessairement renoncer à la vertu pour devenir un honnête homme[8] ! Je sais que les déclamateurs ont dit cent fois tout cela ; mais ils le disaient en déclamant, et moi je le dis sur des raisons ; ils ont aperçu le mal, et moi j'en découvre les causes, et je fais voir surtout une chose très consolante et très utile en montrant que tous ces vices n'appartiennent pas tant à l'homme, qu'à l'homme mal gouverné *.

---

* Je remarque qu'il règne actuellement dans le monde une multitude de petites maximes qui séduisent les simples par un faux air de philosophie, et qui, outre cela, sont très commodes pour terminer les disputes d'un ton important et décisif, sans avoir besoin d'examiner la question. Telle est celle-ci : « Les hommes ont partout les mêmes passions ; partout l'amour-propre et l'intérêt les conduisent ; donc ils sont partout les mêmes. » Quand les géomètres ont fait une supposition qui de raisonnement en raisonnement les conduit à une absurdité, ils reviennent sur leurs pas et démontrent ainsi la supposition fausse. La même méthode, appliquée à la maxime en question en montrerait aisément l'absurdité : mais raisonnons autrement. Un Sauvage est un homme, et un Européen est un homme. Le demi-philosophe conclut aussitôt que l'un ne vaut pas

Telles sont les vérités que j'ai développées et que j'ai tâché de prouver dans les divers Ecrits que j'ai publiés sur cette matière. Voici maintenant les conclusions que j'en ai tirées.

La science n'est point faite pour l'homme en général. Il s'égare sans cesse dans sa recherche; et s'il l'obtient quelquefois, ce n'est presque jamais qu'à son préjudice. Il est né pour agir et penser, et non pour réfléchir[9]. La réflexion ne sert qu'à le rendre malheureux sans le rendre meilleur ni plus sage : elle lui fait regretter les biens passés et l'empêche de jouir du présent : elle lui présente l'avenir heureux pour le séduire par l'imagination et le tourmenter par les désirs, et l'avenir malheureux pour le lui faire sentir d'avance. L'étude corrompt ses mœurs, altère sa santé, détruit son tempérament, et gâte souvent sa raison : si elle lui apprenait quelque chose, je le trouverais encore fort mal dédommagé.

––––––––––

mieux que l'autre ; mais le philosophe dit : En Europe, le gouvernement, les lois, les coutumes, l'intérêt, tout met les particuliers dans la nécessité de se tromper mutuellement et sans cesse ; tout leur fait un devoir du vice ; il faut qu'ils soient méchants pour être sages, car il n'y a point de plus grande folie que de faire le bonheur des fripons aux dépens du sien. Parmi les Sauvages, l'intérêt personnel parle aussi fortement que parmi nous, mais il ne dit pas les mêmes choses : l'amour de la société et le soin de leur commune défense sont les seuls liens qui les unissent : ce mot de *propriété*, qui coûte tant de crimes à nos honnêtes gens, n'a presque aucun sens parmi eux : ils n'ont entre eux nulle discussion d'intérêt qui les divise ; rien ne les porte à se tromper l'un l'autre ; l'estime publique est le seul bien auquel chacun aspire, et qu'ils méritent tous. Il est très possible qu'un Sauvage fasse une mauvaise action, mais il n'est pas possible qu'il prenne l'habitude de mal faire, car cela ne lui serait bon à rien. Je crois qu'on peut faire une très juste estimation des mœurs des hommes sur la multitude des affaires qu'ils ont entre eux : plus ils commercent ensemble, plus ils admirent leurs talents et leur industrie, plus ils se friponnent décemment et adroitement, et plus ils sont dignes de mépris. Je le dis à regret ; l'homme de bien est celui qui n'a besoin de tromper personne, et le Sauvage est cet homme-là.

Illum non populi fasces, non purpura Regum
Flexit, et infidos agitans discordia fratres ;
Non res Romanae, perituraque regna. Neque ille
Aut doluit miserans inopem, aut invidit habenti[10].

J'avoue qu'il y a quelques génies sublimes qui savent pénétrer à travers les voiles dont la vérité s'enveloppe, quelques âmes privilégiées, capables de résister à la bêtise de la vanité, à la basse jalousie, et aux autres passions qu'engendre le goût des lettres. Le petit nombre de ceux qui ont le bonheur de réunir ces qualités, est la lumière et l'honneur du genre humain ; c'est à eux seuls qu'il convient pour le bien de tous de s'exercer à l'étude, et cette exception même confirme la règle ; car si tous les hommes étaient des Socrates, la science alors ne leur serait pas nuisible, mais ils n'auraient aucun besoin d'elle.

Tout peuple qui a des mœurs, et qui par conséquent respecte ses lois et ne veut point raffiner sur ses anciens usages, doit se garantir avec soin des sciences, et surtout des savants, dont les maximes sentencieuses et dogmatiques lui apprendraient bientôt à mépriser ses usages et ses lois ; ce qu'une nation ne peut jamais faire sans se corrompre. Le moindre changement dans les coutumes, fût-il même avantageux à certains égards, tourne toujours au préjudice des mœurs. Car les coutumes sont la morale du peuple ; et dès qu'il cesse de les respecter, il n'a plus de règle que ses passions ni de frein que les lois, qui peuvent quelquefois contenir les méchants, mais jamais les rendre bons. D'ailleurs quand la philosophie a une fois appris au peuple à mépriser ses coutumes, il trouve bientôt le secret d'éluder ses lois. Je dis donc qu'il en est des mœurs d'un peuple comme de l'honneur d'un homme ; c'est un trésor qu'il faut conserver, mais qu'on ne recouvre plus quand on l'a perdu *.

---

* Je trouve dans l'histoire un exemple unique mais frappant, qui semble contredire cette maxime : c'est celui de la fondation de Rome faite par une troupe de bandits, dont les descendants devinrent en peu de générations le plus vertueux peuple qui ait jamais existé. Je ne serais pas en peine d'expliquer ce fait si c'en était ici le lieu ; mais je me contenterai de remarquer que les fondateurs de Rome étaient moins des hommes dont les mœurs fussent corrompues, que des hommes dont les mœurs n'étaient point formées : ils ne méprisaient pas la vertu, mais ils ne la connaissaient pas encore ; car ces mots *vertus* et *vices* sont des notions collectives qui ne naissent que de la fréquentation des hommes. Au surplus, on tirerait un mauvais parti

Mais quand un peuple est une fois corrompu à un certain point, soit que les sciences y aient contribué ou non, faut-il les bannir ou l'en préserver pour le rendre meilleur ou pour l'empêcher de devenir pire ? C'est une autre question dans laquelle je me suis positivement déclaré pour la négative. Car premièrement, puisqu'un peuple vicieux ne revient jamais à la vertu, il ne s'agit pas de rendre bons ceux qui ne le sont plus, mais de conserver tels ceux qui ont le bonheur de l'être. En second lieu, les mêmes causes qui ont corrompu les peuples servent quelquefois à prévenir une plus grande corruption ; c'est ainsi que celui qui s'est gâté le tempérament par un usage indiscret de la médecine, est forcé de recourir encore aux médecins pour se conserver en vie ; et c'est ainsi que les arts et les sciences après avoir fait éclore les vices, sont nécessaires pour les empêcher de se tourner en crimes ; elles les couvrent au moins d'un vernis qui ne permet pas au poison de s'exhaler aussi librement. Elles détruisent la vertu, mais elles en laissent le simulacre public* qui est toujours une belle chose. Elles introduisent à sa place la politesse et les bienséances, et à la crainte de paraître méchant elles substituent celle de paraître ridicule.

Mon avis est donc, et je l'ai déjà dit plus d'une fois, de laisser subsister et même d'entretenir avec soin les académies, les collèges, les universités, les bibliothèques, les spectacles, et tous les autres amusements qui peuvent faire quelque diversion à la méchanceté des hommes, et les

de cette objection en faveur des sciences ; car des deux premiers rois de Rome qui donnèrent une forme à la république et instituèrent ses coutumes et ses mœurs, l'un ne s'occupait que de guerres, l'autre que de rites sacrés ; les deux choses du monde les plus éloignées de la philosophie.

* Ce simulacre est une certaine douceur de mœurs qui supplée quelquefois à leur pureté, une certaine apparence d'ordre qui prévient l'horrible confusion, une certaine admiration des belles choses qui empêche les bonnes de tomber tout à fait dans l'oubli. C'est le vice qui prend le masque de la vertu, non comme l'hypocrisie pour tromper et trahir, mais pour s'ôter sous cette aimable et sacrée effigie l'horreur qu'il a de lui-même quand il se voit à découvert.

empêcher d'occuper leur oisiveté à des choses plus dangereuses. Car dans une contrée où il ne serait plus question
d'honnêtes gens ni de bonnes mœurs, il vaudrait encore
mieux vivre avec des fripons qu'avec des brigands.

Je demande maintenant où est la contradiction de cultiver
moi-même des goûts dont j'approuve le progrès ? Il ne s'agit
plus de porter les peuples à bien faire, il faut seulement les
distraire de faire le mal ; il faut les occuper à des niaiseries
pour les détourner des mauvaises actions ; il faut les amuser
au lieu de les prêcher. Si mes écrits ont édifié le petit nombre
des bons, je leur ai fait tout le bien qui dépendait de moi, et
c'est peut-être les servir utilement encore que d'offrir aux
autres des objets de distraction qui les empêchent de songer à
eux. Je m'estimerais trop heureux d'avoir tous les jours une
pièce à faire siffler [11], si je pouvais à ce prix contenir pendant
deux heures les mauvais desseins d'un seul des spectateurs,
et sauver l'honneur de la fille ou de la femme de son ami, le
secret de son confident, ou la fortune de son créancier.
Lorsqu'il n'y a plus de mœurs, il ne faut songer qu'à la
police ; et l'on sait assez que la musique et les spectacles en
sont un des plus importants objets.

S'il reste quelque difficulté à ma justification, j'ose le dire
hardiment, ce n'est vis-à-vis ni du public ni de mes
adversaires ; c'est vis-à-vis de moi seul : car ce n'est qu'en
m'observant moi-même que je puis juger si je dois me
compter dans le petit nombre, et si mon âme est en état de
soutenir le faix des exercices littéraires. J'en ai senti plus
d'une fois le danger ; plus d'une fois je les ai abandonnés
dans le dessein de ne les plus reprendre, et renonçant à leur
charme séducteur, j'ai sacrifié à la paix de mon cœur les seuls
plaisirs qui pouvaient encore le flatter. Si dans les langueurs
qui m'accablent [12], si sur la fin d'une carrière pénible et
douloureuse, j'ai osé les reprendre encore quelques moments
pour charmer mes maux, je crois au moins n'y avoir mis ni
assez d'intérêt ni assez de prétention, pour mériter à cet
égard les justes reproches que j'ai faits aux gens de lettres.

Il me fallait une épreuve pour achever la connaissance de
moi-même, et je l'ai faite sans balancer. Après avoir reconnu
la situation de mon âme dans les succès littéraires, il me

restait à l'examiner dans les revers. Je sais maintenant qu'en
penser, et je puis mettre le public au pire. Ma pièce a eu le
sort qu'elle méritait et que j'avais prévu ; mais, à l'ennui près
qu'elle m'a causé, je suis sorti de la représentation bien plus
content de moi et à plus juste titre que si elle eût réussi [13].

Je conseille donc à ceux qui sont si ardents à chercher des
reproches à me faire, de vouloir mieux étudier mes principes
et mieux observer ma conduite, avant que de m'y taxer de
contradiction et d'inconséquence. S'ils s'aperçoivent jamais
que je commence à briguer les suffrages du public, ou que je
tire vanité d'avoir fait de jolies chansons, ou que je rougisse
d'avoir écrit de mauvaises comédies, ou que je cherche à
nuire à la gloire de mes concurrents, ou que j'affecte de mal
parler des grands hommes de mon siècle pour tâcher de
m'élever à leur niveau en les rabaissant au mien, ou que
j'aspire à des places d'académie, ou que j'aille faire ma cour
aux femmes qui donnent le ton, ou que j'encense la sottise
des Grands, ou que cessant de vouloir vivre du travail de mes
mains, je tienne à ignominie le métier que je me suis choisi et
fasse des pas vers la fortune, s'ils remarquent en un mot que
l'amour de la réputation me fasse oublier celui de la vertu, je
les prie de m'en avertir, et même publiquement, et je leur
promets de jeter à l'instant au feu mes écrits et mes livres, et
de convenir de toutes les erreurs qu'il leur plaira de me
reprocher.

En attendant, j'écrirai des livres, je ferai des vers et de la
musique, si j'en ai le talent, le temps, la force et la volonté : je
continuerai à dire très franchement tout le mal que je pense
des lettres et de ceux qui les cultivent *, et croirai n'en valoir

* J'admire combien la plupart des gens de lettres ont pris le
change dans cette affaire-ci. Quand ils ont vu les sciences et les arts
attaqués, ils ont cru qu'on en voulait personnellement à eux, tandis
que sans se contredire eux-mêmes, ils pourraient tous penser comme
moi, que, quoique ces choses aient fait beaucoup de mal à la société,
il est très essentiel de s'en servir aujourd'hui comme d'une médecine
au mal qu'elles ont causé, ou comme de ces animaux malfaisants
qu'il faut écraser sur la morsure. En un mot, il n'y a pas un homme
de lettres qui, s'il peut soutenir dans sa conduite l'examen de

pas moins pour cela. Il est vrai qu'on pourra dire quelque jour : Cet ennemi si déclaré des sciences et des arts, fit pourtant et publia des pièces de théâtre ; et ce discours sera, je l'avoue, une satire très amère, non de moi, mais de mon siècle.

---

l'article précédent, ne puisse dire en sa faveur ce que je dis en la mienne ; et cette manière de raisonner me paraît leur convenir d'autant mieux, qu'entre nous, ils se soucient fort peu des sciences, pourvu qu'elles continuent de mettre les savants en honneur. C'est comme les prêtres du paganisme, qui ne tenaient à la religion qu'autant qu'elle les faisait respecter.

J.-J. ROUSSEAU

CITOYEN DE GENÈVE,

A M. D'ALEMBERT,

De l'Académie française, de l'Académie Royale des
Sciences de Paris, de celle de Prusse, de la Société
Royale de Londres, de l'Académie Royale des Belles-
Lettres de Suède, et de l'Institut de Bologne :

Sur son Article GENÈVE

Dans le VIIe. Volume de l'ENCYCLOPÉDIE,

ET PARTICULIÈREMENT,

sur le projet d'établir un

THÉÂTRE DE COMÉDIE *en cette Ville.*

Dii meliora piis, erroremque hostibus illum[1].

A AMSTERDAM,

chez MARC MICHEL REY.

M. DCC. LVIII.

PRÉFACE

J'ai tort, si j'ai pris en cette occasion la plume sans
nécessité. Il ne peut m'être ni avantageux ni agréable
de m'attaquer à M. d'Alembert. Je considère sa
personne : j'admire ses talents : j'aime ses ouvrages : je
suis sensible au bien qu'il a dit de mon pays : honoré
moi-même de ses éloges, un juste retour d'honnêteté
m'oblige à toutes sortes d'égards envers lui ; mais les
égards ne l'emportent sur les devoirs que pour ceux
dont toute la morale consiste en apparences. Justice et
vérité, voilà les premiers devoirs de l'homme. Humanité, patrie, voilà ses premières affections. Toutes les
fois que des ménagements particuliers lui font changer
cet ordre, il est coupable. Puis-je l'être en faisant ce
que j'ai dû ? Pour me répondre, il faut avoir une patrie
à servir, et plus d'amour pour ses devoirs que de
crainte de déplaire aux hommes.

Comme tout le monde n'a pas sous les yeux
l'*Encyclopédie*, je vais transcrire ici de l'article *Genève* le
passage qui m'a mis la plume à la main. Il aurait dû
l'en faire tomber, si j'aspirais à l'honneur de bien

écrire ; mais j'ose en rechercher un autre, dans lequel
je ne crains la concurrence de personne. En lisant ce
passage isolé, plus d'un lecteur sera surpris du zèle qui
l'a pu dicter : en le lisant dans son article, on trouvera
que la comédie qui n'est pas à Genève, et qui pourrait
y être, tient la huitième partie de la place qu'occupent
les choses qui y sont [2].

« On ne souffre point de comédie à Genève : ce n'est
pas qu'on y désapprouve les spectacles en eux-mêmes ;
mais on craint, dit-on, le goût de parure, de dissipation
et de libertinage que les troupes de comédiens répandent parmi la jeunesse. Cependant ne serait-il pas
possible de remédier à cet inconvénient par des lois
sévères et bien exécutées sur la conduite des comédiens ? Par ce moyen Genève aurait des spectacles et
des mœurs, et jouirait de l'avantage des uns et des
autres ; les représentations théâtrales formeraient le
goût des citoyens, et leur donneraient une finesse de
tact, une délicatesse de sentiment qu'il est très difficile
d'acquérir sans ce secours ; la littérature en profiterait
sans que le libertinage fît des progrès, et Genève
réunirait la sagesse de Lacédémone à la politesse
d'Athènes. Une autre considération, digne d'une
République si sage et si éclairée, devrait peut-être
l'engager à permettre les spectacles. Le préjugé barbare contre la profession de comédien, l'espèce d'avilissement où nous avons mis ces hommes si nécessaires
au progrès et au soutien des arts, est certainement une
des principales causes qui contribuent au dérèglement
que nous leur reprochons : ils cherchent à se dédom-
mager par les plaisirs, de l'estime que leur état ne peut
obtenir. Parmi nous, un comédien qui a des mœurs est

doublement respectable; mais à peine lui en sait-on
gré. Le traitant[3] qui insulte à l'indigence publique et
qui s'en nourrit, le courtisan qui rampe et qui ne paie
point ses dettes : voilà l'espèce d'hommes que nous
honorons le plus. Si les comédiens étaient non seulement soufferts à Genève, mais contenus d'abord par
des règlements sages, protégés ensuite et même considérés dès qu'ils en seraient dignes, enfin absolument
placés sur la même ligne que les autres citoyens, cette
ville aurait bientôt l'avantage de posséder ce qu'on
croit si rare et qui ne l'est que par notre faute : une
troupe de comédiens estimables. Ajoutons que cette
troupe deviendrait bientôt la meilleure de l'Europe;
plusieurs personnes pleines de goût et de dispositions
pour le théâtre, et qui craignent de se déshonorer
parmi nous en s'y livrant, accourraient à Genève, pour
cultiver non seulement sans honte, mais même avec
estime un talent si agréable et si peu commun. Le
séjour de cette ville, que bien des Français regardent
comme triste par la privation des spectacles, deviendrait alors le séjour des plaisirs honnêtes, comme il est
celui de la philosophie et de la liberté; et les étrangers
ne seraient plus surpris de voir que dans une ville où
les spectacles décents et réguliers sont défendus, on
permette des farces grossières et sans esprit, aussi
contraires au bon goût qu'aux bonnes mœurs[4]. Ce
n'est pas tout : peu à peu l'exemple des comédiens de
Genève, la régularité de leur conduite, et la considération dont elle les ferait jouir, serviraient de modèle aux
comédiens des autres nations et de leçon à ceux qui les
ont traités jusqu'ici avec tant de rigueur et même
d'inconséquence. On ne les verrait pas d'un côté

pensionnés par le gouvernement et de l'autre un objet d'anathème ; nos prêtres perdraient l'habitude de les excommunier et nos bourgeois de les regarder avec mépris ; et une petite République aurait la gloire d'avoir réformé l'Europe sur ce point, plus important, peut-être, qu'on ne pense. »

Voilà certainement le tableau le plus agréable et le plus séduisant qu'on pût nous offrir ; mais voilà en même temps le plus dangereux conseil qu'on pût nous donner. Du moins, tel est mon sentiment, et mes raisons sont dans cet écrit. Avec quelle avidité la jeunesse de Genève, entraînée par une autorité d'un si grand poids, ne se livrera-t-elle point à des idées auxquelles elle n'a déjà que trop de penchant ? Combien, depuis la publication de ce volume, de jeunes Genevois, d'ailleurs bons citoyens, n'attendent-ils que le moment de favoriser l'établissement d'un théâtre, croyant rendre un service à la patrie et presque au genre humain ? Voilà le sujet de mes alarmes, voilà le mal que je voudrais prévenir. Je rends justice aux intentions de M. d'Alembert, j'espère qu'il voudra bien la rendre aux miennes [5] : je n'ai pas plus d'envie de lui déplaire que lui de nous nuire. Mais enfin, quand je me tromperais, ne dois-je pas agir, parler, selon ma conscience et mes lumières ? Ai-je dû me taire ? L'ai-je pu, sans trahir mon devoir et ma patrie ?

Pour avoir droit de garder le silence en cette occasion, il faudrait que je n'eusse jamais pris la plume sur des sujets moins nécessaires. Douce obscurité qui fis trente ans mon bonheur [6], il faudrait avoir toujours su t'aimer ; il faudrait qu'on ignorât que j'ai eu quelques liaisons avec les éditeurs de l'Encyclopédie, que j'ai fourni quelques articles à l'ouvrage, que mon nom se trouve avec ceux des auteurs[7] ; il faudrait que mon zèle pour mon pays fût moins connu, qu'on supposât que l'article *Genève* m'eût échappé, ou qu'on ne pût inférer de mon silence que j'adhère à ce qu'il contient. Rien de tout cela ne pouvant être, il faut donc parler, il faut que je désavoue ce que je n'approuve point, afin qu'on ne m'impute pas d'autres sentiments que les miens. Mes compatriotes n'ont pas besoin de mes conseils ; je le sais bien ; mais moi, j'ai besoin de m'honorer, en montrant que je pense comme eux sur nos maximes.

Je n'ignore pas combien cet écrit, si loin de ce qu'il devrait être, est loin même de ce que j'aurais pu faire en de plus heureux jours. Tant de choses ont concouru à le mettre au-dessous du médiocre où je pouvais autrefois atteindre, que je m'étonne qu'il ne soit pas pire encore. J'écrivais pour ma patrie : s'il était vrai que le zèle tînt lieu de talent, j'aurais fait mieux que jamais ; mais j'ai vu ce qu'il fallait faire, et n'ai pu l'exécuter. J'ai dit froidement la vérité : qui est-ce qui se soucie d'elle ? triste recommandation pour un livre ! Pour être utile il faut être agréable, et ma plume a perdu cet art-là. Tel me disputera malignement cette perte. Soit : cependant je me sens déchu et l'on ne tombe pas au-dessous de rien.

Premièrement, il ne s'agit plus ici d'un vain babil de philosophie ; mais d'une vérité de pratique importante à tout un peuple. Il ne s'agit plus de parler au petit nombre, mais au public ; ni de faire penser les autres, mais d'expliquer nettement ma pensée. Il a donc fallu changer de style : pour me faire mieux entendre à tout

le monde, j'ai dit moins de choses en plus de mots; et
voulant être clair et simple, je me suis trouvé lâche et
diffus.

Je comptais d'abord sur une feuille ou deux
d'impression tout au plus[8]; j'ai commencé à la hâte et
mon sujet s'étendant sous ma plume, je l'ai laissée aller
sans contrainte. J'étais malade et triste; et, quoique
j'eusse grand besoin de distraction, je me sentais si peu
en état de penser et d'écrire que, si l'idée d'un devoir à
remplir ne m'eût soutenu, j'aurais jeté cent fois mon
papier au feu. J'en suis devenu moins sévère à moi-
même. J'ai cherché dans mon travail quelque amusement qui me le fît supporter. Je me suis jeté dans
toutes les digressions qui se sont présentées, sans
prévoir combien, pour soulager mon ennui, j'en prépa-
rais peut-être au lecteur.

Le goût, le choix, la correction, ne sauraient se
trouver dans cet ouvrage. Vivant seul, je n'ai pu le
montrer à personne. J'avais un Aristarque sévère et
judicieux, je ne l'ai plus, je n'en veux plus*; mais je le
regretterai sans cesse, et il manque bien plus encore à
mon cœur qu'à mes écrits[9].

La solitude calme l'âme, et apaise les passions que le
désordre du monde a fait naître. Loin des vices qui
nous irritent, on en parle avec moins d'indignation;
loin des maux qui nous touchent, le cœur en est moins
ému. Depuis que je ne vois plus les hommes, j'ai

---

   * Ad. amicum etsi produxeris gladium, non desperes; est enim
regressus ad amicum. Si aperueris os triste, non timeas, est enim
concordatio, excepto convitio, et improperio, et superbio, et mysterii
revelatione, et plaga dolosa. In his omnibus effugier amicus.
Ecclesiastic. XXII, 26, 27.

presque cessé de haïr les méchants. D'ailleurs, le mal qu'ils m'ont fait à moi-même m'ôte le droit d'en dire d'eux. Il faut désormais que je leur pardonne pour ne leur pas ressembler. Sans y songer, je substituerais l'amour de la vengeance à celui de la justice ; il vaut mieux tout oublier. J'espère qu'on ne me trouvera plus cette âpreté qu'on me reprochait, mais qui me faisait lire ; je consens d'être moins lu, pourvu que je vive en paix [10].

A ces raisons il s'en joint une autre plus cruelle et que je voudrais en vain dissimuler ; le public ne la sentirait que trop malgré moi. Si dans les essais sortis de ma plume ce papier est encore au-dessous des autres, c'est moins la faute des circonstances que la mienne : c'est que je suis au-dessous de moi-même. Les maux du corps épuisent l'âme : à force de souffrir, elle perd son ressort. Un instant de fermentation passagère produisit en moi quelque lueur de talent ; il s'est montré tard, il s'est éteint de bonne heure. En reprenant mon état naturel, je suis rentré dans le néant. Je n'eus qu'un moment, il est passé ; j'ai la honte de me survivre. Lecteur, si vous recevez ce dernier ouvrage avec indulgence, vous accueillerez mon ombre : car pour moi, je ne suis plus.

A Montmorency, le 20 mars 1758.

J.-J. ROUSSEAU

CITOYEN DE GENÈVE

A Monsieur D'ALEMBERT

J'ai lu, Monsieur, avec plaisir votre article, GENEVE, dans le 7ᵉ volume de l'*Encyclopédie*. En le relisant avec plus de plaisir encore, il m'a fourni quelques réflexions que j'ai cru pouvoir offrir, sous vos auspices, au public et à mes concitoyens. Il y a beaucoup à louer dans cet article ; mais si les éloges dont vous honorez ma patrie m'ôtent le droit de vous en rendre, ma sincérité parlera pour moi ; n'être pas de votre avis sur quelques points, c'est assez m'expliquer sur les autres.

Je commencerai par celui que j'ai le plus de répugnance à traiter, et dont l'examen me convient le moins ; mais sur lequel, par la raison que je viens de dire, le silence ne m'est pas permis. C'est le jugement que vous portez de la doctrine de nos ministres en matière de foi [11]. Vous avez fait de ce corps respectable un éloge très beau, très vrai, très propre à eux seuls dans tous les clergés du monde, et qu'augmente encore la considération qu'ils vous ont témoignée, en montrant qu'ils aiment la philosophie, et ne craignent pas l'œil du philosophe. Mais, Monsieur, quand on veut honorer les gens, il faut que ce soit à leur manière, et non pas à la nôtre ; de peur qu'ils ne s'offensent avec raison des louanges nuisibles, qui, pour être données à bonne intention, n'en blessent pas moins l'état, l'intérêt, les opinions, ou les préjugés de ceux qui en font l'objet. Ignorez-vous que tout nom de secte est toujours odieux, et que de pareilles imputations, rarement sans conséquence pour des laïques, ne le sont jamais pour des théologiens [12] ?

Vous me direz qu'il est question de faits et non de louanges, et que le philosophe a plus d'égard à la vérité qu'aux hommes : mais cette prétendue vérité n'est pas si claire, ni si indifférente, que vous soyez en droit de l'avancer sans de bonnes autorités, et je ne vois pas où l'on en peut prendre pour prouver que les sentiments qu'un corps professe et sur lesquels il se conduit, ne sont pas les siens. Vous me direz encore que vous n'attribuez point à tout le corps ecclésiastique les sentiments dont vous parlez ; mais vous les attribuez à plusieurs, et plusieurs dans un petit nombre font toujours une si grande partie que le tout doit s'en ressentir.

Plusieurs pasteurs de Genève n'ont, selon vous, qu'un socinianisme parfait. Voilà ce que vous déclarez hautement, à la face de l'Europe [13]. J'ose vous demander comment vous l'avez appris. Ce ne peut être que par vos propres conjectures, ou par le témoignage d'autrui, ou sur l'aveu des pasteurs en question.

Or dans les matières de pur dogme et qui ne tiennent point à la morale, comment peut-on juger de la foi d'autrui par conjecture ? Comment peut-on même en juger sur la déclaration d'un tiers, contre celle de la personne intéressée? Qui sait mieux que moi ce que je crois ou ne crois pas et à qui doit-on s'en rapporter là-dessus plutôt qu'à moi-même? Qu'après avoir tiré des discours ou des écrits d'un honnête homme des conséquences sophistiques et désavouées, un prêtre acharné poursuive l'auteur sur ces conséquences, le prêtre fait son métier et n'étonne personne; mais devons-nous honorer les gens de bien comme un fourbe les persécute; et le philosophe imitera-t-il des raisonnements captieux dont il fut si souvent la victime?

Il resterait donc à penser, sur ceux de nos pasteurs que vous prétendez être sociniens parfaits et rejeter les peines éternelles, qu'ils vous ont confié là-dessus leurs sentiments particuliers : mais si c'était en effet leur sentiment, et qu'ils vous l'eussent confié, sans doute [14] ils vous l'auraient dit en secret, dans l'honnête et libre épanchement d'un commerce philosophique; ils l'auraient dit au philosophe, et non pas à l'auteur. Ils n'en ont donc rien fait, et ma preuve est sans réplique; c'est que vous l'avez publié.

Je ne prétends point pour cela juger ni blâmer la doctrine que vous leur imputez; je dis seulement qu'on n'a nul droit de la leur imputer, à moins qu'ils ne la reconnaissent et j'ajoute qu'elle ne ressemble en rien à celle dont ils nous instruisent [15]. Je ne sais ce que c'est que le socinianisme, ainsi je n'en puis parler ni en bien ni en mal et même sur quelques notions confuses de cette secte et de son fondateur, je me sens plus d'éloignement que de goût pour elle; mais, en général, je suis l'ami de toute religion paisible, où l'on sert l'Etre éternel selon la raison qu'il nous a donnée.

Quand un homme ne peut croire ce qu'il trouve
absurde, ce n'est pas sa faute, c'est celle de sa raison * ;
et comment concevrai-je que Dieu le punisse de ne
s'être pas fait un entendement ** contraire à celui qu'il

---

* Je crois voir un principe qui, bien démontré comme il pourrait
l'être, arracherait à l'instant les armes des mains à l'intolérant et au
superstitieux, et calmerait cette fureur de faire des prosélytes qui
semble animer les incrédules. C'est que la raison humaine n'a pas de
mesure commune bien déterminée, et qu'il est injuste à tout homme
de donner la sienne pour règle à celle des autres.

Supposons de la bonne foi, sans laquelle toute dispute n'est que du
caquet. Jusqu'à certain point il y a des principes communs, une
évidence commune, et de plus, chacun a sa propre raison qui le
détermine ; ainsi ce sentiment ne mène point au scepticisme : mais
aussi les bornes générales de la raison n'étant point fixées, et nul
n'ayant inspection sur celle d'autrui, voilà tout d'un coup le fier
dogmatique arrêté. Si jamais on pouvait établir la paix où règnent
l'intérêt, l'orgueil, et l'opinion, c'est par là qu'on terminerait à la fin
les dissensions des prêtres et des philosophes. Mais peut-être ne
serait-ce le compte ni des uns ni des autres : il n'y aurait plus ni
persécutions ni disputes ; les premiers n'auraient personne à tourmenter ; les seconds, personne à convaincre : autant vaudrait quitter
le métier.

Si l'on me demandait là-dessus pourquoi donc je dispute moi-
même, je répondrais que je parle au plus grand nombre, que j'expose
des vérités de pratique, que je me fonde sur l'expérience, que je
remplis mon devoir, et qu'après avoir dit ce que je pense, je ne
trouve point mauvais qu'on ne soit pas de mon avis.

** Il faut se ressouvenir que j'ai à répondre à un auteur qui n'est
pas protestant ; et je crois lui répondre en effet, en montrant que ce
qu'il accuse nos ministres de faire dans notre religion, s'y ferait
inutilement, et se fait nécessairement dans plusieurs autres, sans
qu'on y songe.

Le monde intellectuel, sans en excepter la géométrie, est plein de
vérités incompréhensibles, et pourtant incontestables ; parce que la
raison qui les démontre existantes ne peut les toucher, pour ainsi
dire, à travers les bornes qui l'arrêtent, mais seulement les apercevoir. Tel est le dogme de l'existence de Dieu ; tels sont les mystères
admis dans les communions protestantes. Les mystères qui heurtent
la raison, pour me servir des termes de M. d'Alembert, sont tout
autre chose. Leur contradiction même les fait rentrer dans ses

a reçu de lui ? Si un docteur venait m'ordonner de la part de Dieu de croire que la partie est plus grande que le tout, que pourrais-je penser en moi-même, sinon que cet homme vient m'ordonner d'être fou ? Sans doute l'orthodoxe, qui ne voit nulle absurdité dans les mystères, est obligé de les croire : mais si le socinien y en trouve, qu'a-t-on à lui dire ? Lui prouvera-t-on qu'il n'y en a pas ? Il commencera, lui, par vous prouver que c'est une absurdité de raisonner sur ce qu'on ne saurait entendre. Que faire donc ? Le laisser en repos.

Je ne suis pas plus scandalisé que ceux qui servent un Dieu clément, rejettent l'éternité des peines, s'ils la trouvent incompatible avec sa justice. Qu'en pareil cas ils interprètent de leur mieux les passages contraires à leur opinion, plutôt que de l'abandonner, que peuvent-ils faire autre chose ? Nul n'est plus pénétré que moi d'amour et de respect pour le plus sublime de tous les livres ; il me console et m'instruit tous les jours, quand les autres ne m'inspirent plus que du dégoût. Mais je

bornes ; elle a toutes les prises imaginables pour sentir qu'ils n'existent pas : car bien qu'on ne puisse voir une chose absurde, rien n'est si clair que l'absurdité. Voilà ce qui arrive, lorsqu'on soutient à la fois deux propositions contradictoires. Si vous me dites qu'un espace d'un pouce est aussi un espace d'un pied, vous ne dites point du tout une chose mystérieuse, obscure, incompréhensible ; vous dites, au contraire, une absurdité lumineuse et palpable, une chose évidemment fausse [16]. De quelque genre que soient les démonstrations qui l'établissent, elles ne sauraient l'emporter sur celle qui la détruit, parce qu'elle est tirée immédiatement des notions primitives qui servent de base à toute certitude humaine. Autrement la raison, déposant contre elle-même, nous forcerait à la récuser ; et loin de nous faire croire ceci ou cela, elle nous empêcherait de plus rien croire, attendu que tout principe de foi serait détruit. Tout homme, de quelque religion qu'il soit, qui dit croire à de pareils mystères, en impose donc [17], ou ne sait ce qu'il dit.

soutiens que si l'Ecriture elle-même nous donnait de
Dieu quelque idée indigne de lui, il faudrait la rejeter
en cela, comme vous rejetez en géométrie les démonstrations qui mènent à des conclusions absurdes : car de
quelque authenticité que puisse être le texte sacré, il
est encore plus croyable que la Bible soit altérée, que
Dieu injuste ou malfaisant.

Voilà, Monsieur, les raisons qui m'empêcheraient
de blâmer ces sentiments dans d'équitables et modérés
théologiens, qui de leur propre doctrine apprendraient
à ne forcer personne à l'adopter. Je dirai plus ; des
manières de penser si convenables à une créature
raisonnable et faible, si dignes d'un Créateur juste et
miséricordieux, me paraissent préférables à cet assen-
timent stupide qui fait de l'homme une bête, et à cette
barbare intolérance qui se plaît à tourmenter dès cette
vie ceux qu'elle destine aux tourments éternels dans
l'autre. En ce sens, je vous remercie pour ma patrie de
l'esprit de philosophie et d'humanité que vous recon-
naissez dans son clergé, et de la justice que vous aimez
à lui rendre ; je suis d'accord avec vous sur ce point.
Mais pour être philosophes et tolérants *, il ne s'ensuit
pas que ses membres soient hérétiques. Dans le nom
de parti que vous leur donnez, dans les dogmes que
vous dites être les leurs, je ne puis ni vous approuver,
ni vous suivre. Quoiqu'un tel système n'ait rien, peut-

* Sur la tolérance chrétienne, on peut consulter le chapitre qui
porte ce titre, dans le onzième livre de la *Doctrine chrétienne* de M. le
professeur Vernet [18]. On y verra par quelles raisons l'Eglise doit
apporter encore plus de ménagement et de circonspection dans la
censure des erreurs sur la foi, que dans celle des fautes contre les
mœurs, et comment s'allient dans les règles de cette censure la
douceur du chrétien, la raison du sage, et le zèle du pasteur.

être, que d'honorable à ceux qui l'adoptent, je me garderai de l'attribuer à mes pasteurs qui ne l'ont pas adopté ; de peur que l'éloge que j'en pourrais faire ne fournît à d'autres le sujet d'une accusation très grave, et ne nuisît à ceux que j'aurais prétendu louer. Pourquoi me chargerais-je de la profession de foi d'autrui ? N'ai-je pas trop appris à craindre ces imputations téméraires ? Combien de gens se sont chargés de la mienne en m'accusant de manquer de religion, qui sûrement ont fort mal lu dans mon cœur ? Je ne les taxerai point d'en manquer eux-mêmes : car un des devoirs qu'elle m'impose est de respecter les secrets des consciences. Monsieur, jugeons les actions des hommes, et laissons Dieu juger de leur foi.

En voilà trop, peut-être, sur un point dont l'examen ne m'appartient pas, et n'est pas aussi le sujet de cette lettre. Les ministres de Genève n'ont pas besoin de la plume d'autrui pour se défendre* ; ce n'est pas la mienne qu'ils choisiraient pour cela, et de pareilles discussions sont trop loin de mon inclination pour que

---

* C'est ce qu'ils viennent de faire, à ce qu'on m'écrit, par une déclaration publique. Elle ne m'est point parvenue dans ma retraite [19] ; mais j'apprends que le public l'a reçue avec applaudissement. Ainsi, non seulement je jouis du plaisir de leur avoir le premier rendu l'honneur qu'ils méritent, mais de celui d'entendre mon jugement unanimement confirmé. Je sens bien que cette déclaration rend le début de ma lettre entièrement superflu, et le rendrait peut-être indiscret dans tout autre cas : mais étant sur le point de le supprimer, j'ai vu que parlant du même article qui y a donné lieu, la même raison subsistait encore, et qu'on pourrait toujours prendre mon silence pour une espèce de consentement. Je laisse donc ces réflexions d'autant plus volontiers que si elles viennent hors de propos sur une affaire heureusement terminée, elles ne contiennent en général rien que d'honorable à l'Eglise de Genève, et que d'utile aux hommes en tous pays.

je m'y livre avec plaisir; mais ayant à parler du même
article où vous leur attribuez des opinions que nous
ne leur connaissons point, me taire sur cette assertion,
c'était y paraître adhérer, et c'est ce que je suis fort
éloigné de faire. Sensible au bonheur que nous avons
de posséder un corps de théologiens philosophes et
pacifiques, ou plutôt un corps d'officiers de morale * [20]
et de ministres de la vertu, je ne vois naître qu'avec
effroi toute occasion pour eux de se rabaisser jusqu'à
n'être plus que des gens d'Eglise. Il nous importe de
les conserver tels qu'ils sont. Il nous importe qu'ils
jouissent eux-mêmes de la paix qu'ils nous font aimer,
et que d'odieuses disputes de théologie ne troublent
plus leur repos ni le nôtre. Il nous importe enfin
d'apprendre toujours par leurs leçons et par leur
exemple que la douceur et l'humanité sont aussi les
vertus du chrétien.

Je me hâte de passer à une discussion moins grave et
moins sérieuse, mais qui nous intéresse encore assez
pour mériter nos réflexions, et dans laquelle j'entrerai
plus volontiers, comme étant un peu plus de ma
compétence; c'est celle du projet d'établir un théâtre
de comédie [21] à Genève. Je n'exposerai point ici mes
conjectures sur les motifs qui vous ont pu porter à nous
proposer un établissement si contraire à nos maximes.
Quelles que soient vos raisons, il ne s'agit pour moi
que des nôtres, et tout ce que je me permettrai de dire
à votre égard, c'est que vous serez sûrement le premier

---

* C'est ainsi que l'abbé de Saint-Pierre appelait toujours les
ecclésiastiques; soit pour dire ce qu'ils sont en effet; soit pour
exprimer ce qu'ils devraient être.

philosophe * [22] qui jamais ait excité un peuple libre,
une petite ville, et un Etat pauvre, à se charger d'un
spectacle public.

Que de questions je trouve à discuter dans celle que
vous semblez résoudre [23] ! Si les spectacles sont bons ou
mauvais en eux-mêmes ? S'ils peuvent s'allier avec les
mœurs ? Si l'austérité républicaine les peut comporter ? S'il faut les souffrir dans une petite ville ? Si la
profession de comédien peut être honnête ? Si les
comédiennes peuvent être aussi sages que d'autres
femmes ? Si de bonnes lois suffisent pour réprimer les
abus ? Si ces lois peuvent être bien observées ? etc.
Tout est problème encore sur les vrais effets du
théâtre, parce que les disputes qu'il occasionne ne
partageant que les gens d'Eglise et les gens du monde,
chacun ne l'envisage que par ses préjugés. Voilà,
Monsieur, des recherches qui ne seraient pas indignes
de votre plume. Pour moi, sans croire y suppléer, je me
contenterai de chercher dans cet essai les éclaircissements que vous nous avez rendus nécessaires ; vous
priant de considérer qu'en disant mon avis à votre
exemple, je remplis un devoir envers ma patrie, et
qu'au moins, si je me trompe dans mon sentiment,
cette erreur ne peut nuire à personne.

Au premier coup d'œil jeté sur ces institutions, je
vois d'abord qu'un spectacle est un amusement ; et s'il
est vrai qu'il faille des amusements à l'homme, vous

---

* De deux célèbres historiens, tous deux philosophes, tous deux
chers à M. d'Alembert, le moderne serait de son avis, peut-être ;
mais Tacite qu'il aime, qu'il médite, qu'il daigne traduire, le grave
Tacite qu'il cite si volontiers, et qu'à l'obscurité près il imite si bien
quelquefois, en eût-il été de même ?

conviendrez au moins qu'ils ne sont permis qu'autant qu'ils sont nécessaires, et que tout amusement inutile est un mal, pour un être dont la vie est si courte et le temps si précieux[24]. L'état d'homme a ses plaisirs, qui dérivent de sa nature, et naissent de ses travaux, de ses rapports, de ses besoins; et ces plaisirs, d'autant plus doux que celui qui les goûte a l'âme plus saine, rendent quiconque en sait jouir peu sensible à tous les autres. Un père, un fils, un mari, un citoyen, ont des devoirs si chers à remplir, qu'ils ne leur laissent rien à dérober à l'ennui. Le bon emploi du temps rend le temps plus précieux encore, et mieux on le met à profit, moins on en sait trouver à perdre. Aussi voit-on constamment que l'habitude du travail rend l'inaction insupportable, et qu'une bonne conscience éteint le goût des plaisirs frivoles : mais c'est le mécontentement de soi-même, c'est le poids de l'oisiveté, c'est l'oubli des goûts simples et naturels, qui rendent si nécessaire un amusement étranger. Je n'aime point qu'on ait besoin d'attacher incessamment son cœur sur la scène, comme s'il était mal à son aise au-dedans de nous. La nature même a dicté la réponse de ce Barbare *[25] à qui l'on vantait les magnificences du cirque et des jeux établis à Rome. Les Romains, demanda ce bonhomme, n'ont-ils ni femmes, ni enfants ? Le Barbare avait raison. L'on croit s'assembler au spectacle, et c'est là que chacun s'isole[26], c'est là qu'on va oublier ses amis, ses voisins, ses proches, pour s'intéresser à des fables, pour pleurer les malheurs des morts, ou rire aux dépens des vivants. Mais j'aurais dû sentir que ce

---

* Chrysost, in Matth. Homel. 38.

langage n'est plus de saison dans notre siècle. Tâchons d'en prendre un qui soit mieux entendu.

Demander si les spectacles sont bons ou mauvais en eux-mêmes, c'est faire une question trop vague ; c'est examiner un rapport avant que d'avoir fixé les termes. Les spectacles sont faits pour le peuple, et ce n'est que par leurs effets sur lui qu'on peut déterminer leurs qualités absolues. Il peut y avoir des spectacles d'une infinité d'espèces * [27] ; il y a de peuple à peuple une prodigieuse diversité de mœurs, de tempéraments, de caractères. L'homme est un, je l'avoue ; mais l'homme modifié par les religions, par les gouvernements, par les lois, par les coutumes, par les préjugés, par les climats, devient si différent de lui-même qu'il ne faut plus chercher parmi nous ce qui est bon aux hommes en général, mais ce qui leur est bon dans tel temps ou

---

* « Il peut y avoir des spectacles blâmables en eux-mêmes, comme ceux qui sont inhumains, ou indécents et licencieux : tels étaient quelques-uns des spectacles parmi les païens. Mais il en est aussi d'indifférents en eux-mêmes qui ne deviennent mauvais que par l'abus qu'on en fait. Par exemple, les pièces de théâtre n'ont rien de mauvais en tant qu'on y trouve une peinture des caractères et des actions des hommes, où l'on pourrait même donner des leçons agréables et utiles pour toutes les conditions ; mais si l'on y débite une morale relâchée, si les personnes qui exercent cette profession mènent une vie licencieuse et servent à corrompre les autres, si de tels spectacles entretiennent la vanité, la fainéantise, le luxe, l'impudicité, il est visible alors que la chose tourne en abus, et qu'à moins qu'on ne trouve le moyen de corriger ces abus ou de s'en garantir, il vaut mieux renoncer à cette sorte d'amusement. » *Instruction Chrét.*, t. III, l. III, ch. 16 (qu'on trouve chez Rey à Amsterdam).
   Voici l'état de la question bien posé. Il s'agit de savoir si la morale du théâtre est nécessairement relâchée, si les abus sont inévitables, si les inconvénients dérivent de la nature de la chose, ou s'ils viennent de causes qu'on en puisse écarter.

dans tel pays : ainsi les pièces de Ménandre, faites pour le théâtre d'Athènes, étaient déplacées sur celui de Rome ; ainsi les combats des gladiateurs, qui, sous la République, animaient le courage et la valeur des Romains, n'inspiraient, sous les Empereurs, à la populace de Rome, que l'amour du sang et la cruauté : du même objet offert au même peuple en différents temps, il apprit d'abord à mépriser sa vie, et ensuite à se jouer de celle d'autrui.

Quant à l'espèce des spectacles, c'est nécessairement le plaisir qu'ils donnent, et non leur utilité, qui la détermine. Si l'utilité peut s'y trouver, à la bonne heure ; mais l'objet principal est de plaire [28], et, pourvu que le peuple s'amuse, cet objet est assez rempli. Cela seul empêchera toujours qu'on ne puisse donner à ces sortes d'établissements tous les avantages dont ils seraient susceptibles, et c'est s'abuser beaucoup que de s'en former une idée de perfection, qu'on ne saurait mettre en pratique, sans rebuter ceux qu'on croit instruire. Voilà d'où naît la diversité des spectacles, selon les goûts divers des nations. Un peuple intrépide, grave et cruel, veut des fêtes meurtrières et périlleuses, où brillent la valeur et le sang-froid. Un peuple féroce et bouillant veut du sang, des combats, des passions atroces. Un peuple voluptueux veut de la musique et des danses. Un peuple galant veut de l'amour et de la politesse. Un peuple badin veut de la plaisanterie et du ridicule. *Trahit sua quemque voluptas* [29]. Il faut, pour leur plaire, des spectacles qui favorisent leurs penchants, au lieu qu'il en faudrait qui les modérassent.

La scène, en général, est un tableau des passions humaines, dont l'original est dans tous les cœurs :

mais si le peintre n'avait soin de flatter ces passions, les
spectateurs seraient bientôt rebutés, et ne voudraient
plus se voir sous un aspect qui les fît mépriser d'eux-
mêmes. Que s'il donne à quelques-unes des couleurs
odieuses, c'est seulement à celles qui ne sont point
générales, et qu'on hait naturellement. Ainsi l'auteur
ne fait encore en cela que suivre le sentiment du
public ; et alors ces passions de rebut sont toujours
employées à en faire valoir d'autres, sinon plus légitimes, du moins plus au gré des spectateurs. Il n'y a que
la raison qui ne soit bonne à rien sur la scène. Un homme
sans passions, ou qui les dominerait toujours, n'y saurait intéresser personne ; et l'on a déjà remarqué qu'un
stoïcien dans la tragédie, serait un personnage insupportable : dans la comédie, il ferait rire, tout au plus.

Qu'on n'attribue donc pas au théâtre le pouvoir de
changer des sentiments ni des mœurs qu'il ne peut que
suivre et embellir. Un auteur qui voudrait heurter le
goût général, composerait bientôt pour lui seul. Quand
Molière corrigea la scène comique, il attaqua des
modes, des ridicules ; mais il ne choqua pas pour cela
le goût du public * [30], il le suivit ou le développa,

---

* Pour peu qu'il anticipât, ce Molière lui-même avait peine à se
soutenir ; le plus parfait de ses ouvrages tomba dans sa naissance,
parce qu'il le donna trop tôt, et que le public n'était pas mûr encore
pour *Le Misanthrope*.
  Tout ceci est fondé sur une maxime évidente ; savoir qu'un peuple
suit souvent des usages qu'il méprise, ou qu'il est prêt à mépriser,
sitôt qu'on osera lui en donner l'exemple. Quand de mon temps on
jouait la fureur des pantins, on ne faisait que dire au théâtre ce que
pensaient ceux même qui passaient leur journée à ce sot amusement : mais les goûts constants d'un peuple, ses coutumes, ses vieux
préjugés, doivent être respectés sur la scène. Jamais poète ne s'est
bien trouvé d'avoir violé cette loi.

comme fit aussi Corneille de son côté. C'était l'ancien théâtre qui commençait à choquer ce goût, parce que, dans un siècle devenu plus poli, le théâtre gardait sa première grossièreté. Aussi le goût général ayant changé depuis ces deux auteurs, si leurs chefs-d'œuvre étaient encore à paraître, tomberaient-ils infailliblement aujourd'hui. Les connaisseurs ont beau les admirer toujours ; si le public les admire encore, c'est plus par honte de s'en dédire que par un vrai sentiment de leurs beautés. On dit que jamais une bonne pièce ne tombe ; vraiment je le crois bien, c'est que jamais une bonne pièce ne choque les mœurs * de son temps. Qui est-ce qui doute que, sur nos théâtres, la meilleure pièce de Sophocle ne tombât tout à plat ? On ne saurait se mettre à la place de gens qui ne nous ressemblent point [31].

Tout auteur qui veut nous peindre des mœurs étrangères a pourtant grand soin d'approprier sa pièce aux nôtres. Sans cette précaution, l'on ne réussit jamais, et le succès même de ceux qui l'ont prise a souvent des causes bien différentes de celles que lui suppose un observateur superficiel. Quand *Arlequin Sauvage* est si bien accueilli des spectateurs, pense-t-on que ce soit par le goût qu'ils prennent pour le sens et la simplicité de ce personnage, et qu'un seul d'entre eux

---

* Je dis le goût ou les mœurs indifféremment : car bien que l'une de ces choses ne soit pas l'autre, elles ont toujours une origine commune, et souffrent les mêmes révolutions. Ce qui ne signifie pas que le bon goût et les bonnes mœurs règnent toujours en même temps, proposition qui demande éclaircissement et discussion ; mais qu'un certain état du goût répond toujours à un certain état de mœurs, ce qui est incontestable.

voulût pour cela lui ressembler[32]? C'est, tout au contraire, que cette pièce favorise leur tour d'esprit, qui est d'aimer et rechercher les idées neuves et singulières. Or il n'y en a point de plus neuves pour eux que celles de la nature. C'est précisément leur aversion pour les choses communes qui les ramène quelquefois aux choses simples.

Il s'ensuit de ces premières observations, que l'effet général du spectacle est de renforcer le caractère national, d'augmenter les inclinations naturelles, et de donner une nouvelle énergie à toutes les passions. En ce sens il semblerait que cet effet, se bornant à charger et non changer les mœurs établies, la comédie serait bonne aux bons et mauvaise aux méchants. Encore dans le premier cas resterait-il toujours à savoir si les passions trop irritées ne dégénèrent point en vices. Je sais que la poétique du théâtre prétend faire tout le contraire, et purger les passions en les excitant : mais j'ai peine à bien concevoir cette règle. Serait-ce que pour devenir tempérant et sage, il faut commencer par être furieux et fou[33]?

« Eh non ! ce n'est pas cela, disent les partisans du théâtre. La tragédie prétend bien que toutes les passions dont elle fait des tableaux nous émeuvent, mais elle ne veut pas toujours que notre affection soit la même que celle du personnage tourmenté par une passion. Le plus souvent, au contraire, son but est d'exciter en nous des sentiments opposés à ceux qu'elle prête à ses personnages. » Ils disent encore que si les auteurs abusent du pouvoir d'émouvoir les cœurs, pour mal placer l'intérêt, cette faute doit être attribuée à l'ignorance et à la dépravation des artistes, et non

point à l'art[34]. Ils disent enfin que la peinture fidèle
des passions et des peines qui les accompagnent, suffit
seule pour nous les faire éviter avec tout le soin dont
nous sommes capables.

Il ne faut, pour sentir la mauvaise foi de toutes ces
réponses, que consulter l'état de son cœur à la fin
d'une tragédie. L'émotion, le trouble, et l'attendrissement qu'on sent en soi-même et qui se prolonge après
la pièce, annoncent-ils une disposition bien prochaine
à surmonter et régler nos passions ? Les impressions
vives et touchantes dont nous prenons l'habitude et
qui reviennent si souvent sont-elles bien propres à
modérer nos sentiments au besoin ? Pourquoi l'image
des peines qui naissent des passions effacerait-elle celle
des transports de plaisir et de joie qu'on en voit aussi
naître, et que les auteurs ont soin d'embellir encore
pour rendre leurs pièces plus agréables ? Ne sait-on pas
que toutes les passions sont sœurs, qu'une seule suffit
pour en exciter mille, et que les combattre l'une par
l'autre n'est qu'un moyen de rendre le cœur plus
sensible à toutes ? Le seul instrument qui serve à les
purger est la raison, et j'ai déjà dit que la raison n'avait
nul effet au théâtre. Nous ne partageons pas les
affections de tous les personnages, il est vrai : car leurs
intérêts étant opposés, il faut bien que l'auteur nous en
fasse préférer quelqu'un, autrement nous n'en pren-
drions point du tout ; mais loin de choisir pour cela les
passions qu'il veut nous faire aimer, il est forcé de
choisir celles que nous aimons. Ce que j'ai dit du genre
des spectacles doit s'entendre encore de l'intérêt qu'on
y fait régner. A Londres, un drame intéresse en faisant
haïr les Français ; à Tunis, la belle passion serait la

piraterie ; à Messine, une vengeance bien savoureuse ;
à Goa, l'honneur de brûler des juifs [35]. Qu'un auteur *
choque ces maximes, il pourra faire une fort belle pièce
où l'on n'ira point ; et c'est alors qu'il faudra taxer cet
auteur d'ignorance, pour avoir manqué à la première
loi de son art, à celle qui sert de base à toutes les
autres, qui est de réussir. Ainsi le thëâtre purge les
passions qu'on n'a pas, et fomente [36] celles qu'on a. Ne
voilà-t-il pas un remède bien administré ?

Il y a donc un concours de causes générales et
particulières, qui doivent empêcher qu'on ne puisse
donner aux spectacles la perfection dont on les croit
susceptibles, et qu'ils ne produisent les effets avantageux qu'on semble en attendre. Quand on supposerait
même cette perfection aussi grande qu'elle peut être, et
le peuple aussi bien disposé qu'on voudra ; encore ces
effets se réduiraient-ils à rien, faute de moyens pour les
rendre sensibles. Je ne sache que trois sortes d'instruments, à l'aide desquels on puisse agir sur les mœurs
d'un peuple ; savoir, la force des lois ; l'empire de
l'opinion, et l'attrait du plaisir. Or les lois n'ont nul
accès au théâtre, dont la moindre contrainte ** [37] ferait

---

* Qu'on mette, pour voir, sur la scène française, un homme droit
et vertueux, mais simple et grossier, sans amour, sans galanterie, et
qui ne se fasse point de belles phrases ; qu'on y mette un sage sans
préjugés, qui, ayant reçu un affront d'un spadassin, refuse de s'aller
faire égorger par l'offenseur, et qu'on épuise tout l'art du théâtre
pour rendre ces personnages intéressants comme le Cid au peuple
français : j'aurai tort, si l'on réussit.

** Les lois peuvent déterminer les sujets, la forme des pièces, la
manière de les jouer ; mais elles ne sauraient forcer le public à s'y
plaire. L'empereur Néron, chantant au théâtre, faisait égorger ceux
qui s'endormaient ; encore ne pouvait-il tenir tout le monde éveillé :

une peine et non pas un amusement. L'opinion n'en
dépend point, puisqu'au lieu de faire la loi au public, le
théâtre la reçoit de lui ; et quant au plaisir qu'on y
peut prendre, tout son effet est de nous y ramener plus
souvent.

Examinons s'il en peut avoir d'autres. Le théâtre,
me dit-on, dirigé comme il peut et doit l'être, rend la
vertu aimable et le vice odieux. Quoi donc ? avant qu'il
y eût des comédies n'aimait-on point les gens de bien,
ne haïssait-on point les méchants, et ces sentiments
sont-ils plus faibles dans les lieux dépourvus de
spectacles ? Le théâtre rend la vertu aimable... Il opère
un grand prodige de faire ce que la nature et la raison
font avant lui ! Les méchants sont haïs sur la scène...
Sont-ils aimés dans la société, quand on les y connaît
pour tels ? Est-il bien sûr que cette haine soit plutôt
l'ouvrage de l'auteur, que des forfaits qu'il leur fait
commettre ? Est-il bien sûr que le simple récit de ces
forfaits nous en donnerait moins d'horreur que toutes
les couleurs dont il nous les peint ? Si tout son art
consiste à nous montrer des malfaiteurs pour nous les
rendre odieux, je ne vois point ce que cet art a de si
admirable, et l'on ne prend là-dessus que trop d'autres
leçons sans celle-là. Oserai-je ajouter un soupçon qui
me vient ? Je doute que tout homme à qui l'on
exposera d'avance les crimes de Phèdre ou de Médée,
ne les déteste plus encore au commencement qu'à la

---

et peu s'en fallut que le plaisir d'un court sommeil ne coutât la vie à
Vespasien. Nobles acteurs de l'Opéra de Paris, ah, si vous eussiez
joui de la puissance impériale, je ne gémirais pas maintenant d'avoir
trop vécu !

fin de la pièce[38] ; et si ce doute est fondé, que faut-il penser de cet effet si vanté du théâtre ?

Je voudrais bien qu'on me montrât clairement et sans verbiage par quels moyens il pourrait produire en nous des sentiments que nous n'aurions pas, et nous faire juger des êtres moraux autrement que nous n'en jugeons en nous-mêmes ? Que toutes ces vaines préten-tions approfondies sont puériles et dépourvues de sens ! Ah si la beauté de la vertu était l'ouvrage de l'art, il y a longtemps qu'il l'aurait défigurée ! Quant à moi, dût-on me traiter de méchant encore pour oser soutenir que l'homme est né bon, je le pense et crois l'avoir prouvé ; la source de l'intérêt qui nous attache à ce qui est honnête et nous inspire de l'aversion pour le mal, est en nous et non dans les pièces. Il n'y a point d'art pour produire[39] cet intérêt, mais seulement pour s'en prévaloir. L'amour du beau * est un sentiment aussi naturel au cœur humain que l'amour de soi-même ; il n'y naît point d'un arrangement de scènes ; l'auteur ne l'y porte pas, il l'y trouve ; et de ce pur sentiment qu'il flatte naissent les douces larmes qu'il fait couler.

Imaginez la comédie aussi parfaite qu'il vous plaira. Où est celui qui, s'y rendant pour la première fois, n'y va pas déjà convaincu de ce qu'on y prouve, et déjà

---

* C'est du beau moral qu'il est ici question. Quoi qu'en disent les philosophes, cet amour est inné dans l'homme, et sert de principe à la conscience.

Je puis citer en exemple de cela la petite pièce de *Nanine* qui a fait murmurer l'assemblée et ne s'est soutenue que par la grande réputation de l'auteur, et cela parce que l'honneur, la vertu, les purs sentiments de la Nature y sont préférés à l'impertinent préjugé des conditions[40].

prévenu pour ceux qu'on y fait aimer? Mais ce n'est
pas de cela qu'il est question; c'est d'agir conséquemment à ses principes et d'imiter les gens qu'on estime.
Le cœur de l'homme est toujours droit sur tout ce qui
ne se rapporte pas personnellement à lui. Dans les
querelles dont nous sommes purement spectateurs,
nous prenons à l'instant le parti de la justice, et il n'y a
point d'acte de méchanceté qui ne nous donne une vive
indignation, tant que nous n'en tirons aucun profit:
mais quand notre intérêt s'y mêle, bientôt nos sentiments se corrompent; et c'est alors seulement que
nous préférons le mal qui nous est utile, au bien que
nous fait aimer la nature. N'est-ce pas un effet
nécessaire de la constitution des choses, que le
méchant tire un double avantage, de son injustice, et
de la probité d'autrui? Quel traité plus avantageux
pourrait-il faire que d'obliger le monde entier d'être
juste, excepté lui seul; en sorte que chacun lui rendît
fidèlement ce qui lui est dû, et qu'il ne rendît ce qu'il
doit à personne? Il aime la vertu, sans doute, mais il
l'aime dans les autres, parce qu'il espère en profiter; il
n'en veut point pour lui, parce qu'elle lui serait
coûteuse. Que va-t-il donc voir au spectacle? Précisément ce qu'il voudrait trouver partout; des leçons de
vertu pour le public dont il s'excepte, et des gens
immolant tout à leur devoir, tandis qu'on n'exige rien
de lui.

J'entends dire que la tragédie mène à la pitié par la
terreur[41]; soit, mais quelle est cette pitié? Une émotion passagère et vaine, qui ne dure pas plus que
l'illusion qui l'a produite; un reste de sentiment
naturel étouffé bientôt par les passions; une pitié

stérile qui se repaît de quelques larmes, et n'a jamais produit le moindre acte d'humanité. Ainsi pleurait le sanguinaire Sylla au récit des maux qu'il n'avait pas faits lui-même. Ainsi se cachait le tyran de Phères au spectacle, de peur qu'on ne le vît gémir avec Andromaque et Priam, tandis qu'il écoutait sans émotion les cris de tant d'infortunés qu'on égorgeait tous les jours par ses ordres [42].

Si, selon la remarque de Diogène Laërce, le cœur s'attendrit plus volontiers à des maux feints qu'à des maux véritables ; si les imitations du théâtre nous arrachent quelquefois plus de pleurs que ne ferait la présence même des objets imités ; c'est moins, comme le pense l'abbé Du Bos, parce que les émotions sont plus faibles et ne vont pas jusqu'à la douleur * [43] que parce qu'elles sont pures et sans mélange d'inquiétude pour nous-mêmes. En donnant des pleurs à ces fictions, nous avons satisfait à tous les droits de l'humanité, sans avoir plus rien à mettre du nôtre ; au lieu que les infortunés en personne exigeraient de nous des soins, des soulagements, des consolations, des travaux qui pourraient nous associer à leurs peines, qui coûteraient du moins à notre indolence, et dont nous sommes bien aises d'être exemptés. On dirait que notre cœur se resserre, de peur de s'attendrir à nos dépens.

* Il dit que le poète ne nous afflige qu'autant que nous le voulons ; qu'il ne nous fait aimer ses héros qu'autant qu'il nous plaît. Cela est contre toute expérience. Plusieurs s'abstiennent d'aller à la tragédie, parce qu'ils en sont émus au point d'en être incommodés ; d'autres, honteux de pleurer au spectacle, y pleurent pourtant malgré eux ; et ces effets ne sont pas assez rares pour n'être qu'une exception à la maxime de cet auteur.

Au fond, quand un homme est allé admirer de belles
actions dans des fables, et pleurer des malheurs imagi-
naires, qu'a-t-on encore à exiger de lui? N'est-il pas
content de lui-même? Ne s'applaudit-il pas de sa belle
âme? Ne s'est-il pas acquitté de tout ce qu'il doit à la
vertu par l'hommage qu'il vient de lui rendre? Que
voudrait-on qu'il fît de plus? Qu'il la pratiquât lui-
même? Il n'a point de rôle à jouer : il n'est pas
comédien.

Plus j'y réfléchis, et plus je trouve que tout ce qu'on
met en représentation au théâtre, on ne l'approche pas
de nous, on l'en éloigne. Quand je vois *Le Comte
d'Essex*, le règne d'Elisabeth se recule à mes yeux de
dix siècles [44], et si l'on jouait un événement arrivé hier
dans Paris, on me le ferait supposer du temps de
Molière. Le théâtre a ses règles, ses maximes, sa
morale à part, ainsi que son langage et ses vêtements.
On se dit bien que rien de tout cela ne nous convient,
et l'on se croirait aussi ridicule d'adopter les vertus de
ses héros que de parler en vers, et d'endosser un habit
à la romaine [45]. Voilà donc à peu près à quoi servent
tous ces grands sentiments et toutes ces brillantes
maximes qu'on vante avec tant d'emphase; à les
reléguer à jamais sur la scène, et à nous montrer la
vertu comme un jeu de théâtre, bon pour amuser le
public, mais qu'il y aurait de la folie à vouloir
transporter sérieusement dans la société. Ainsi la plus
avantageuse impression des meilleures tragédies est de
réduire à quelques affections passagères, stériles et
sans effet tous les devoirs de l'homme, à nous faire
applaudir de notre courage en louant celui des autres,
de notre humanité en plaignant les maux que nous

aurions pu guérir, de notre charité en disant au
pauvre : Dieu vous assiste [46].

On peut, il est vrai, donner un appareil plus simple
à la scène, et rapprocher dans la comédie [47] le ton du
théâtre de celui du monde : mais de cette manière on
ne corrige pas les mœurs, on les peint, et un laid visage
ne paraît point laid à celui qui le porte. Que si l'on
veut les corriger par leur charge, on quitte la vraisemblance et la nature, et le tableau ne fait plus d'effet. La
charge ne rend pas les objets haïssables, elle ne les
rend que ridicules ; et de là résulte un très grand
inconvénient, c'est qu'à force de craindre les ridicules,
les vices n'effraient plus, et qu'on ne saurait guérir les
premiers sans fomenter les autres. Pourquoi, direz-
vous, supposer cette opposition nécessaire ? Pourquoi,
Monsieur ? Parce que les bons ne tournent point les
méchants en dérision, mais les écrasent de leur mépris,
et que rien n'est moins plaisant et risible que l'indignation de la vertu. Le ridicule, au contraire, est l'arme
favorite du vice. C'est par elle qu'attaquant dans le
fond des cœurs le respect qu'on doit à la vertu, il éteint
enfin l'amour qu'on lui porte.

Ainsi tout nous force d'abandonner cette vaine idée
de perfection qu'on nous veut donner de la forme des
spectacles, dirigés vers l'utilité publique. C'est une
erreur, disait le grave Muralt [48], d'espérer qu'on y
montre fidèlement les véritables rapports des choses :
car, en général, le poète ne peut qu'altérer ces
rapports, pour les accommoder au goût du peuple.
Dans le comique il les diminue et les met au-dessous de
l'homme ; dans le tragique, il les étend pour les rendre
héroïques, et les met au-dessus de l'humanité. Ainsi

jamais ils ne sont à sa mesure, et toujours nous voyons
au théâtre d'autres êtres que nos semblables. J'ajouterai que cette différence est si vraie et si reconnue
qu'Aristote en fait une règle dans sa *Poétique*. *Comœdia
enim deteriores, Tragœdia meliores quam nunc sunt imitari
conantur* [49]. Ne voilà-t-il pas une imitation bien enten-
due, qui se propose pour objet ce qui n'est point, et
laisse, entre le défaut et l'excès, ce qui est, comme une
chose inutile ? Mais qu'importe la vérité de l'imitation,
pourvu que l'illusion y soit ? Il ne s'agit que de piquer
la curiosité du peuple. Ces productions d'esprit,
comme la plupart des autres, n'ont pour but que les
applaudissements. Quand l'auteur en reçoit et que les
acteurs les partagent, la pièce est parvenue à son but et
l'on n'y cherche point d'autre utilité. Or si le bien est
nul : reste le mal, et comme celui-ci n'est pas douteux,
la question me paraît décidée ; mais passons à quelques exemples, qui puissent en rendre la solution plus
sensible [50].

   Je crois pouvoir avancer, comme une vérité facile à
prouver, en conséquence des précédentes, que le
théâtre français, avec les défauts qui lui restent, est
cependant à peu près aussi parfait qu'il peut l'être, soit
pour l'agrément, soit pour l'utilité [51] ; et que ces deux
avantages y sont dans un rapport qu'on ne peut
troubler sans ôter à l'un plus qu'on ne donnerait à
l'autre, ce qui rendrait ce même théâtre moins parfait
encore. Ce n'est pas qu'un homme de génie ne puisse
inventer un genre de pièces préférable à ceux qui sont
établis : mais ce nouveau genre, ayant besoin pour se
soutenir des talents de l'auteur, périra nécessairement
avec lui [52] ; et ses successeurs, dépourvus des mêmes

ressources, seront toujours forcés de revenir aux
moyens communs d'intéresser et de plaire. Quels sont
ces moyens parmi nous ? Des actions célèbres, de
grands noms, de grands crimes, et de grandes vertus
dans la tragédie ; le comique et le plaisant dans la
comédie : et toujours l'amour dans toutes deux *. Je
demande quel profit les mœurs peuvent tirer de tout
cela.

On me dira que dans ces pièces le crime est toujours
puni, et la vertu toujours récompensée. Je réponds
que, quand cela serait, la plupart des actions tragiques, n'étant que de pures fables, des événements
qu'on sait être de l'invention du poète, ne font pas une
grande impression sur les spectateurs ; à force de leur
montrer qu'on veut les instruire, on ne les instruit plus.
Je réponds encore que ces punitions et ces récompenses s'opèrent toujours par des moyens si peu
communs [53] qu'on n'attend rien de pareil dans le cours
naturel des choses humaines. Enfin je réponds en niant
le fait. Il n'est, ni ne peut être généralement vrai : car
cet objet, n'étant point celui sur lequel les auteurs
dirigent leurs pièces, ils doivent rarement l'atteindre,
et souvent il serait un obstacle au succès. Vice ou
vertu, qu'importe, pourvu qu'on en impose par un air
de grandeur ? Aussi la scène française, sans contredit
la plus parfaite, ou du moins la plus régulière qui ait
encore existé, n'est-elle pas moins le triomphe des

---

* Les Grecs n'avaient pas besoin de fonder sur l'amour le
principal intérêt de leur tragédie, et ne l'y fondaient pas, en effet. La
nôtre, qui n'a pas la même ressource, ne saurait se passer de cet
intérêt. On verra dans la suite la raison de cette différence.

grands scélérats que des plus illustres héros : témoin
Catilina, Mahomet, Atrée, et beaucoup d'autres [54].

· Je comprends bien qu'il ne faut pas toujours regarder à la catastrophe pour juger de l'effet moral d'une
tragédie, et qu'à cet égard l'objet est rempli quand on
s'intéresse pour l'infortuné vertueux, plus que pour
l'heureux coupable : ce qui n'empêche point qu'alors
la prétendue règle ne soit violée. Comme il n'y a
personne qui n'aimât mieux être Britannicus que
Néron, je conviens qu'on doit compter en ceci pour
bonne, la pièce qui les représente, quoique Britannicus
y périsse. Mais par le même principe, quel jugement
porterons-nous d'une tragédie où, bien que les criminels soient punis, ils nous sont présentés sous un aspect
si favorable que tout l'intérêt est pour eux ? Où Caton,
le plus grand des humains, fait le rôle d'un pédant ? où
Cicéron, le sauveur de la République, Cicéron, de tous
ceux qui portèrent le nom de pères de la patrie le
premier qui en fut honoré et le seul qui le mérita, nous
est montré comme un vil rhéteur, un lâche ; tandis que
l'infâme Catilina, couvert de crimes qu'on n'oserait
nommer, prêt d'égorger tous ses magistrats, et de
réduire sa patrie en cendres, fait le rôle d'un grand
homme et réunit, par ses talents, sa fermeté, son
courage, toute l'estime des spectateurs ? Qu'il eût, si
l'on veut, une âme forte : en était-il moins un scélérat
détestable, et fallait-il donner aux forfaits d'un brigand
le coloris des exploits d'un héros ? A quoi donc aboutit
la morale d'une pareille pièce, si ce n'est à encourager
des Catilina, et à donner aux méchants habiles le prix
de l'estime publique due aux gens de bien ? Mais tel est
le goût qu'il faut flatter sur la scène ; telles sont les

mœurs d'un siècle instruit. Le savoir, l'esprit, le
courage ont seuls notre admiration ; et toi, douce et
modeste vertu, tu restes toujours sans honneurs !
Aveugles que nous sommes au milieu de tant de
lumières ! Victimes de nos applaudissements insensés,
n'apprendrons-nous jamais combien mérite de mépris
et de haine tout homme qui abuse, pour le malheur du
genre humain, du génie et des talents que lui donna la
Nature ?

Atrée et *Mahomet* n'ont pas même la faible ressource
du dénouement. Le monstre qui sert de héros à
chacune de ces deux pièces achève paisiblement ses
forfaits, en jouit, et l'un des deux le dit en propres
termes au dernier vers de la tragédie :

Et je jouis enfin du prix de mes forfaits[55].

Je veux bien supposer que les spectateurs, renvoyés
avec cette belle maxime, n'en concluront pas que le
crime a donc un prix de plaisir et de jouissance ; mais
je demande enfin de quoi leur aura profité la pièce où
cette maxime est mise en exemple ?

Quant à *Mahomet,* le défaut d'attacher l'admiration
publique au coupable y serait d'autant plus grand que
celui-ci a bien un autre coloris, si l'auteur n'avait eu
soin de porter sur un second personnage un intérêt de
respect et de vénération, capable d'effacer ou de
balancer au moins la terreur et l'étonnement que
Mahomet inspire. La scène, surtout, qu'ils ont ensemble est conduite avec tant d'art que Mahomet, sans se
démentir, sans rien perdre de la supériorité qui lui est
propre, est pourtant éclipsé par le simple bon sens et

l'intrépide vertu de Zopire * [56]. Il fallait un auteur qui sentît bien sa force, pour oser mettre vis-à-vis l'un de l'autre deux pareils interlocuteurs. Je n'ai jamais ouï faire de cette scène en particulier tout l'éloge dont elle me paraît digne ; mais je n'en connais pas une au théâtre français, où la main d'un grand maître soit plus sensiblement empreinte, et où le sacré caractère de la vertu l'emporte plus sensiblement sur l'élévation du génie.

Une autre considération qui tend à justifier cette pièce, c'est qu'il n'est pas seulement question d'étaler des forfaits, mais les forfaits du fanatisme en particulier, pour apprendre au peuple à le connaître et s'en défendre. Par malheur, de pareils soins sont très inutiles, et ne sont pas toujours sans danger. Le fanatisme n'est pas une erreur, mais une fureur aveugle et stupide que la raison ne retient jamais. L'unique secret pour l'empêcher de naître est de contenir ceux qui l'excitent. Vous avez beau démontrer à des fous que leurs chefs les trompent, ils n'en

---

* Je me souviens d'avoir trouvé dans Omar plus de chaleur et d'élévation vis-à-vis de Zopire, que dans Mahomet lui-même ; et je prenais cela pour un défaut. En y pensant mieux, j'ai changé d'opinion. Omar emporté par son fanatisme ne doit parler de son maître qu'avec cet enthousiasme de zèle et d'admiration qui l'élève au-dessus de l'humanité. Mais Mahomet n'est pas fanatique ; c'est un fourbe qui, sachant bien qu'il n'est pas question de faire l'inspiré vis-à-vis de Zopire, cherche à le gagner par une confiance affectée et par des motifs d'ambition. Ce ton de raison doit le rendre moins brillant qu'Omar, par cela même qu'il est plus grand et qu'il sait mieux discerner les hommes. Lui-même dit, ou fait entendre tout cela dans la scène. C'était donc ma faute si je ne l'avais pas senti mais voilà ce qui nous arrive à nous autres petits auteurs. En voulant censurer les écrits de nos maîtres, notre étourderie nous y fait relever mille fautes qui sont des beautés pour les hommes de jugement.

sont pas moins ardents à les suivre. Que si le fanatisme existe une fois, je ne vois encore qu'un seul moyen d'arrêter son progrès : c'est d'employer contre lui ses propres armes. Il ne s'agit ni de raisonner ni de convaincre ; il faut laisser là la philosophie, fermer les livres, prendre le glaive et punir les fourbes. De plus, je crains bien, par rapport à Mahomet, qu'aux yeux des spectateurs, sa grandeur d'âme ne diminue beaucoup l'atrocité de ses crimes ; et qu'une pareille pièce, jouée devant des gens en état de choisir, ne fît plus de Mahomets que de Zopires. Ce qu'il y a, du moins, de bien sûr, c'est que de pareils exemples ne sont guère encourageants pour la vertu [57].

Le noir Atrée n'a aucune de ces excuses, l'horreur qu'il inspire est à pure perte ; il ne nous apprend rien qu'à frémir de son crime ; et quoiqu'il ne soit grand que par sa fureur, il n'y a pas dans toute la pièce un seul personnage en état par son caractère de partager avec lui l'attention publique : car, quant au doucereux Plisthène, je ne sais comment on l'a pu supporter dans une pareille tragédie. Sénèque n'a point mis d'amour dans la sienne ; et puisque l'auteur moderne a pu se résoudre à l'imiter dans tout le reste, il aurait bien dû l'imiter encore en cela. Assurément il faut avoir un cœur bien flexible pour souffrir des entretiens galants à côté des scènes d'Atrée [58].

Avant de finir sur cette pièce, je ne puis m'empêcher d'y remarquer un mérite qui semblera peut-être un défaut à bien des gens. Le rôle de Thyeste est peut-être de tous ceux qu'on a mis sur notre théâtre le plus sentant le goût antique. Ce n'est point un héros courageux, ce n'est point un modèle de vertu, on ne

peut pas dire non plus que ce soit un scélérat*; c'est
un homme faible et pourtant intéressant, par cela seul
qu'il est homme et malheureux. Il me semble aussi que
par cela seul, le sentiment qu'il excite est extrêmement
tendre et touchant : car cet homme tient de bien près à
chacun de nous, au lieu que l'héroïsme nous accable
encore plus qu'il ne nous touche ; parce qu'après tout,
nous n'y avons que faire. Ne serait-il pas à désirer que
nos sublimes auteurs daignassent descendre un peu de
leur continuelle élévation et nous attendrir quelquefois
pour la simple humanité souffrante, de peur que,
n'ayant de la pitié que pour des héros malheureux,
nous n'en ayons jamais pour personne. Les anciens
avaient des héros et mettaient des hommes sur leurs
théâtres ; nous, au contraire, nous n'y mettons que des
héros, et à peine avons-nous des hommes. Les anciens
parlaient de l'humanité en phrases moins apprêtées ;
mais ils savaient mieux l'exercer. On pourrait appliquer à eux et à nous un trait rapporté par Plutarque, et
que je ne puis m'empêcher de transcrire. Un vieillard
d'Athènes cherchait place au spectacle et n'en trouvait
point ; de jeunes gens, le voyant en peine, lui firent
signe de loin ; il vint, mais ils se serrèrent et se
moquèrent de lui. Le bonhomme fit ainsi le tour du
théâtre, fort embarrassé de sa personne et toujours hué
de la belle jeunesse. Les ambassadeurs de Sparte s'en
aperçurent, et se levant à l'instant, placèrent honorablement le vieillard au milieu d'eux. Cette action fut

---

* La preuve de cela, c'est qu'il intéresse. Quant à la faute dont il
est puni, elle est ancienne, elle est trop expiée, et puis c'est peu de
chose pour un méchant de théâtre qu'on ne tient point pour tel, s'il
ne fait frémir d'horreur.

remarquée de tout le spectacle et applaudie d'un battement de mains universel. *Eh, que de maux !* s'écria le bon vieillard, d'un ton de douleur, *les Athéniens savent ce qui est honnête, mais les Lacédémoniens le pratiquent*[59]. Voilà la philosophie moderne, et les mœurs anciennes.

Je reviens à mon sujet. Qu'apprend-on dans *Phèdre* et dans *Œdipe,* sinon que l'homme n'est pas libre, et que le ciel le punit des crimes qu'il lui fait commettre ? Qu'apprend-on dans *Médée,* si ce n'est jusqu'où la fureur de la jalousie peut rendre une mère cruelle et dénaturée ? Suivez la plupart des pièces du théâtre français : vous trouverez presque dans toutes des monstres abominables et des actions atroces, utiles, si l'on veut, à donner de l'intérêt aux pièces et de l'exercice aux vertus, mais dangereuses certainement, en ce qu'elles accoutument les yeux du peuple à des horreurs qu'il ne devrait pas même connaître et à des forfaits qu'il ne devrait pas supposer possibles. Il n'est pas même vrai que le meurtre et le parricide y soient toujours odieux. A la faveur de je ne sais quelles commodes suppositions, on les rend permis, ou pardonnables. On a peine à ne pas excuser Phèdre incestueuse et versant le sang innocent. Syphax empoisonnant sa femme, le jeune Horace poignardant sa sœur, Agamemnon immolant sa fille, Oreste égorgeant sa mère, ne laissent pas d'être des personnages intéressants. Ajoutez que l'auteur, pour faire parler chacun selon son caractère, est forcé de mettre dans la bouche des méchants leurs maximes et leurs principes, revêtus de tout l'éclat des beaux vers, et débités d'un ton imposant et sentencieux, pour l'instruction du parterre.

Si les Grecs supportaient de pareils spectacles, c'était comme leur représentant des antiquités nationales qui couraient de tous temps parmi le peuple, qu'ils avaient leurs raisons pour se rappeler sans cesse, et dont l'odieux même entrait dans leurs vues. Dénuée des mêmes motifs et du même intérêt, comment la même tragédie peut-elle trouver parmi vous des spectateurs capables de soutenir les tableaux qu'elle leur présente, et les personnages qu'elle y fait agir? L'un tue son père, épouse sa mère, et se trouve le frère de ses enfants. Un autre force un fils d'égorger son père. Un troisième fait boire au père le sang de son fils. On frissonne à la seule idée des horreurs dont on pare la scène française, pour l'amusement du peuple le plus doux et le plus humain qui soit sur la terre! Non... je le soutiens, et j'en atteste l'effroi des lecteurs, les massacres des gladiateurs n'étaient pas si barbares que ces affreux spectacles. On voyait couler du sang, il est vrai, mais on ne souillait pas son imagination de crimes qui font frémir la Nature.

Heureusement la tragédie telle qu'elle existe est si loin de nous, elle nous présente des êtres si gigantesques, si boursouflés, si chimériques, que l'exemple de leurs vices n'est guère plus contagieux que celui de leurs vertus n'est utile, et qu'à proportion qu'elle veut moins nous instruire, elle nous fait aussi moins de mal. Mais il n'en est pas ainsi de la comédie, dont les mœurs ont avec les nôtres un rapport plus immédiat, et dont les personnages ressemblent mieux à des hommes. Tout en est mauvais et pernicieux, tout tire à conséquence pour les spectateurs; et le plaisir même du comique étant fondé sur un vice du cœur humain,

c'est une suite de ce principe que plus la comédie est
agréable et parfaite, plus son effet est funeste aux
mœurs : mais sans répéter ce que j'ai déjà dit de sa
nature, je me contenterai d'en faire ici l'application, et
de jeter un coup d'œil sur votre théâtre comique.

Prenons-le dans sa perfection, c'est-à-dire à sa
naissance [60]. On convient, et on le sentira chaque jour
davantage, que Molière est le plus parfait auteur
comique dont les ouvrages nous soient connus ; mais
qui peut disconvenir aussi que le théâtre de ce même
Molière, des talents duquel je suis plus l'admirateur
que personne, ne soit une école de vices et de
mauvaises mœurs, plus dangereuse que les livres
mêmes où l'on fait profession de les enseigner ? Son
plus grand soin est de tourner la bonté et la simplicité
en ridicule, et de mettre la ruse et le mensonge du parti
pour lequel on prend intérêt ; ses honnêtes gens ne sont
que des gens qui parlent, ses vicieux sont des gens qui
agissent et que les plus brillants succès favorisent le
plus souvent ; enfin l'honneur des applaudissements,
rarement pour le plus estimable, est presque toujours
pour le plus adroit.

Examinez le comique de cet auteur : partout vous
trouverez que les vices de caractère en sont l'instrument, et les défauts naturels le sujet ; que la malice de
l'un punit la simplicité de l'autre ; et que les sots sont
les victimes des méchants : ce qui, pour n'être que trop
vrai dans le monde, n'en vaut pas mieux à mettre au
théâtre avec un air d'approbation, comme pour exciter
les âmes perfides à punir, sous le nom de sottise, la
candeur des honnêtes gens.

Dat veniam corvis, vexat censura columbas.

Voilà l'esprit général de Molière et de ses imitateurs. Ce sont des gens qui, tout au plus, raillent quelquefois les vices, sans jamais faire aimer la vertu ; de ces gens, disait un ancien, qui savent bien moucher la lampe, mais qui n'y mettent jamais d'huile.

Voyez comment, pour multiplier ses plaisanteries, cet homme trouble tout l'ordre de la société : avec quel scandale il renverse tous les rapports les plus sacrés sur lesquels elle est fondée ; comment il tourne en dérision les respectables droits des pères sur leurs enfants, des maris sur leurs femmes, des maîtres sur leurs serviteurs ! Il fait rire, il est vrai, et n'en devient que plus coupable, en forçant, par un charme invincible, les sages mêmes de se prêter à des railleries qui devraient attirer leur indignation. J'entends dire qu'il attaque les vices ; mais je voudrais bien que l'on comparât ceux qu'il attaque avec ceux qu'il favorise. Quel est le plus blâmable d'un bourgeois sans esprit et vain qui fait sottement le gentilhomme, ou du gentilhomme fripon qui le dupe ? Dans la pièce dont je parle, ce dernier n'est-il pas l'honnête homme[61] ? N'a-t-il pas pour lui l'intérêt et le public n'applaudit-il pas à tous les tours qu'il fait à l'autre ? Quel est le plus criminel d'un paysan assez fou pour épouser une demoiselle, ou d'une femme qui cherche à déshonorer son époux ? Que penser d'une pièce où le parterre applaudit à l'infidélité, au mensonge, à l'impudence de celle-ci, et rit de la bêtise du manant puni[62] ? C'est un grand vice d'être avare et de prêter à usure ; mais n'en est-ce pas un plus grand encore à un fils de voler son père, de lui

manquer de respect, de lui faire mille insultants
reproches, et, quand ce père irrité lui donne sa
malédiction, de répondre d'un air goguenard qu'il n'a
que faire de ses dons ? Si la plaisanterie est excellente,
en est-elle moins punissable ; et la pièce où l'on fait
aimer le fils insolent qui l'a faite, en est-elle moins une
école de mauvaises mœurs ?

Je ne m'arrêterai point à parler des valets. Ils sont
condamnés par tout le monde * [63] ; et il serait d'autant
moins juste d'imputer à Molière les erreurs de ses
modèles et de son siècle qu'il s'en est corrigé lui-même.
Ne nous prévalons, ni des irrégularités qui peuvent se
trouver dans les ouvrages de sa jeunesse, ni de ce qu'il
y a de moins bien dans ses autres pièces, et passons
tout d'un coup à celle qu'on reconnaît unanimement
pour son chef-d'œuvre : je veux dire, *Le Misanthrope* [64].

Je trouve que cette comédie nous découvre mieux
qu'aucune autre la véritable vue dans laquelle Molière
a composé son théâtre ; et nous peut mieux faire juger
de ses vrais effets. Ayant à plaire au public, il a
consulté le goût le plus général de ceux qui le
composent : sur ce goût il s'est formé un modèle, et sur
ce modèle un tableau des défauts contraires, dans
lequel il a pris ses caractères comiques, et dont il a
distribué les divers traits dans ses pièces. Il n'a donc

---

* Je ne décide pas s'il faut en effet les condamner. Il se peut que
les valets ne soient plus que les instruments des méchancetés des
maîtres, depuis que ceux-ci leur ont ôté l'honneur de l'invention.
Cependant je douterais qu'en ceci l'image trop naïve de la société fût
bonne au théâtre. Supposé qu'il faille quelques fourberies dans les
pièces, je ne sais s'il ne vaudrait pas mieux que les valets seuls en
fussent chargés et que les honnêtes gens fussent aussi des gens
honnêtes : au moins sur la scène.

point prétendu former un honnête homme, mais un homme du monde ; par conséquent, il n'a point voulu corriger les vices, mais les ridicules ; et, comme j'ai déjà dit, il a trouvé dans le vice même un instrument très propre à y réussir. Ainsi voulant exposer à la risée publique tous les défauts opposés aux qualités de l'homme aimable, de l'homme de société, après avoir joué tant d'autres ridicules, il lui restait à jouer celui que le monde pardonne le moins, le ridicule de la vertu : c'est ce qu'il a fait dans *Le Misanthrope*.

Vous ne sauriez me nier deux choses : l'une, qu'Alceste dans cette pièce est un homme droit, sincère, estimable, un véritable homme de bien ; l'autre, que l'auteur lui donne un personnage ridicule. C'en est assez, ce me semble, pour rendre Molière inexcusable. On pourrait dire qu'il a joué dans Alceste, non la vertu, mais un véritable défaut, qui est la haine des hommes. A cela je réponds qu'il n'est pas vrai qu'il ait donné cette haine à son personnage : il ne faut pas que ce nom de Misanthrope en impose, comme si celui qui le porte était ennemi du genre humain. Une pareille haine ne serait pas un défaut, mais une dépravation de la Nature et le plus grand de tous les vices : puisque, toutes les vertus sociales se rapportant à la bienfaisance, rien ne leur est si directement contraire que l'inhumanité. Le vrai misanthrope est un monstre. S'il pouvait exister, il ne ferait pas rire ; il ferait horreur. Vous pouvez avoir vu à la Comédie-Italienne une pièce intitulée *La vie est un songe*. Si vous vous rappelez le héros de cette pièce, voilà le vrai Misanthrope[65].

Qu'est-ce donc que le Misanthrope de Molière ? Un homme de bien qui déteste les mœurs de son siècle et la méchanceté de ses contemporains ; qui, précisément parce qu'il aime ses semblables, hait en eux les maux qu'ils se font réciproquement et les vices dont ces maux sont l'ouvrage. S'il était moins touché des erreurs de l'humanité, moins indigné des iniquités qu'il voit, serait-il plus humain lui-même ? Autant vaudrait soutenir qu'un tendre père aime mieux les enfants d'autrui que les siens, parce qu'il s'irrite des fautes de ceux-ci, et ne dit jamais rien aux autres.

Ces sentiments du Misanthrope sont parfaitement développés dans son rôle. Il dit, je l'avoue, qu'il a conçu une haine effroyable contre le genre humain ; mais en quelle occasion le dit-il * ? Quand, outré d'avoir vu son ami trahir lâchement son sentiment et tromper l'homme qui le lui demande, il s'en voit encore plaisanter lui-même au plus fort de sa colère, il est naturel que cette colère dégénère en emportement et lui fasse dire alors plus qu'il ne pense de sang-froid. D'ailleurs, la raison qu'il rend de cette haine universelle en justifie pleinement la cause :

> *les uns, parce qu'ils sont méchants*[66],
> *Et les autres, pour être aux méchants complaisants.*

Ce n'est donc pas des hommes qu'il est ennemi, mais de la méchanceté des uns et du support que cette

---

* J'avertis qu'étant sans livres, sans mémoire, et n'ayant pour tous matériaux qu'un confus souvenir des observations que j'ai faites autrefois au spectacle, je puis me tromper dans mes citations et renverser l'ordre des pièces. Mais quand mes exemples seraient peu justes, mes raisons ne le seraient pas moins, attendu qu'elles ne sont point tirées de telle ou telle pièce, mais de l'esprit général du théâtre, que j'ai bien étudié.

méchanceté trouve dans les autres. S'il n'y avait ni
fripons, ni flatteurs, il aimerait tout le monde. Il n'y a
pas un homme de bien qui ne soit misanthrope en ce
sens ; ou plutôt, les vrais misanthropes sont ceux qui
ne pensent pas ainsi : car au fond, je ne connais point
de plus grand ennemi des hommes que l'ami de tout le
monde, qui, toujours charmé de tout, encourage
incessamment les méchants, et flatte par sa coupable
complaisance les vices d'où naissent tous les désordres
de la société.

Une preuve bien sûre qu'Alceste n'est point misanthrope à la lettre, c'est qu'avec ses brusqueries et ses
incartades, il ne laisse pas d'intéresser et de plaire. Les
spectateurs ne voudraient pas, à la vérité, lui ressembler : parce que tant de droiture est fort incommode ;
mais aucun d'eux ne serait fâché d'avoir à faire à
quelqu'un qui lui ressemblât, ce qui n'arriverait pas
s'il était l'ennemi déclaré des hommes. Dans toutes les
autres pièces de Molière, le personnage ridicule est
toujours haïssable ou méprisable ; dans celle-là, quoique Alceste ait des défauts réels dont on n'a pas tort de
rire, on sent pourtant au fond du cœur un respect pour
lui dont on ne peut se défendre. En cette occasion, la
force de la vertu l'emporte sur l'art de l'auteur et fait
honneur à son caractère. Quoique Molière fît des
pièces répréhensibles, il était personnellement honnête
homme, et jamais le pinceau d'un honnête homme ne
sut couvrir de couleurs odieuses les traits de la droiture
et de la probité. Il y a plus : Molière a mis dans la
bouche d'Alceste un si grand nombre de ses propres
maximes que plusieurs ont cru qu'il s'était voulu
peindre lui-même. Cela parut dans le dépit qu'eut le

parterre à la première représentation, de n'avoir pas
été, sur le sonnet, de l'avis du Misanthrope : car on vit
bien que c'était celui de l'auteur [67].

Cependant ce caractère si vertueux est présenté
comme ridicule ; il l'est, en effet, à certains égards, et
ce qui démontre que l'intention du poète est bien de le
rendre tel, c'est celui de l'ami Philinte qu'il met en
opposition avec le sien. Ce Philinte est le sage de la
pièce ; un de ces honnêtes gens du grand monde, dont
les maximes ressemblent beaucoup à celles des fripons ; de ces gens si doux, si modérés, qui trouvent
toujours que tout va bien, parce qu'ils ont intérêt que
rien n'aille mieux ; qui sont toujours contents de tout le
monde, parce qu'ils ne se soucient de personne ; qui,
autour d'une bonne table, soutiennent qu'il n'est pas
vrai que le peuple ait faim ; qui, le gousset bien garni,
trouvent fort mauvais qu'on déclame en faveur des
pauvres ; qui, de leur maison bien fermée, verraient
voler, piller, égorger, massacrer tout le genre humain
sans se plaindre : attendu que Dieu les a doués d'une
douceur très méritoire à supporter les malheurs d'autrui [68].

On voit bien que le flegme raisonneur de celui-ci est
très propre à redoubler et faire sortir d'une manière
comique les emportements de l'autre ; et le tort de
Molière n'est pas d'avoir fait du Misanthrope un
homme colère et bilieux, mais de lui avoir donné des
fureurs puériles sur des sujets qui ne devaient pas
l'émouvoir. Le caractère du Misanthrope n'est pas à la
disposition du poète ; il est déterminé par la nature de
sa passion dominante. Cette passion est une violente
haine du vice, née d'un amour ardent pour la vertu, et

aigrie par le spectacle continuel de la méchanceté des
hommes. Il n'y a donc qu'une âme grande et noble qui
en soit susceptible. L'horreur et le mépris qu'y nourrit
cette même passion pour tous les vices qui l'ont irritée
sert encore à les écarter du cœur qu'elle agite. De plus,
cette contemplation continuelle des désordres de la
société, le détache de lui-même pour fixer toute son
attention sur le genre humain. Cette habitude élève,
agrandit ses idées, détruit en lui les inclinations basses
qui nourrissent et concentrent l'amour-propre ; et de
ce concours naît une certaine force de courage, une
fierté de caractère qui ne laisse prise au fond de son
âme qu'à des sentiments dignes de l'occuper.

Ce n'est pas que l'homme ne soit toujours homme ;
que la passion ne le rende souvent faible, injuste,
déraisonnable ; qu'il n'épie peut-être les motifs cachés
des actions des autres, avec un secret plaisir d'y voir la
corruption de leurs cœurs ; qu'un petit mal ne lui
donne souvent une grande colère, et qu'en l'irritant à
dessein, un méchant adroit ne pût parvenir à le faire
passer pour méchant lui-même [69] ; mais il n'en est pas
moins vrai que tous moyens ne sont pas bons à
produire ces effets, et qu'ils doivent être assortis à son
caractère pour le mettre en jeu : sans quoi, c'est
substituer un autre homme au Misanthrope et nous le
peindre avec des traits qui ne sont pas les siens.

Voilà donc de quel côté le caractère du Misanthrope
doit porter ses défauts, et voilà aussi de quoi Molière
fait un usage admirable dans toutes les scènes
d'Alceste avec son ami, où les froides maximes et les
railleries de celui-ci, démontant l'autre à chaque
instant, lui font dire mille impertinences très bien

placées ; mais ce caractère âpre et dur, qui lui donne
tant de fiel et d'aigreur dans l'occasion, l'éloigne en
même temps de tout chagrin puéril qui n'a nul
fondement raisonnable, et de tout intérêt personnel
trop vif, dont il ne doit nullement être susceptible.
Qu'il s'emporte sur tous les désordres dont il n'est que
le témoin, ce sont toujours de nouveaux traits au
tableau ; mais qu'il soit froid sur celui qui s'adresse
directement à lui. Car ayant déclaré la guerre aux
méchants, il s'attend bien qu'ils la lui feront à leur
tour. S'il n'avait pas prévu le mal que lui fera sa
franchise, elle serait une étourderie et non pas une
vertu. Qu'une femme fausse le trahisse, que d'indignes
amis le déshonorent, que de faibles amis l'abandon-
nent : il doit le souffrir sans en murmurer. Il connaît
les hommes.

Si ces distinctions sont justes, Molière a mal saisi le
Misanthrope. Pense-t-on que ce soit par erreur ? Non,
sans doute. Mais voilà par où le désir de faire rire aux
dépens du personnage l'a forcé de le dégrader, contre
la vérité du caractère.

Après l'aventure du sonnet, comment Alceste ne
s'attend-il point aux mauvais procédés d'Oronte ?
Peut-il en être étonné quand on l'en instruit, comme si
c'était la première fois de sa vie qu'il eût été sincère, ou
la première fois que sa sincérité lui eût fait un ennemi ?
Ne doit-il pas se préparer tranquillement à la perte de
son procès, loin d'en marquer d'avance un dépit
d'enfant ?

> *Ce sont vingt mille francs qu'il m'en pourra coûter :*
> *Mais pour vingt mille francs j'aurai droit de pester* [70].

Un misanthrope n'a que faire d'acheter si cher le droit
de pester, il n'a qu'à ouvrir les yeux ; et il n'estime
pas assez l'argent pour croire avoir acquis sur ce point
un nouveau droit par la perte d'un procès : mais
il fallait faire rire le parterre.

Dans la scène avec Dubois, plus Alceste a de sujet de
s'impatienter, plus il doit rester flegmatique et froid :
parce que l'étourderie du valet n'est pas un vice. Le
misanthrope et l'homme emporté sont deux caractères
très différents : c'était là l'occasion de les distinguer.
Molière ne l'ignorait pas ; mais il fallait faire rire le
parterre.

Au risque de faire rire aussi le lecteur à mes dépens,
j'ose accuser cet auteur d'avoir manqué de très
grandes convenances, une très grande vérité, et peut-
être de nouvelles beautés de situation. C'était de faire
un tel changement à son plan que Philinte entrât
comme acteur nécessaire dans le nœud de sa pièce, en
sorte qu'on pût mettre les actions de Philinte et
d'Alceste dans une apparente opposition avec leurs
principes, et dans une conformité parfaite avec leurs
caractères. Je veux dire qu'il fallait que le Misanthrope
fût toujours furieux contre les vices publics, et toujours
tranquille sur les méchancetés personnelles dont il
était la victime. Au contraire, le philosophe Philinte
devait voir tous les désordres de la société avec un
flegme stoïque, et se mettre en fureur au moindre mal
qui s'adressait directement à lui. En effet, j'observe
que ces gens, si paisibles sur les injustices publiques,
sont toujours ceux qui font le plus de bruit au moindre
tort qu'on leur fait, et qu'ils ne gardent leur philosophie qu'aussi longtemps qu'ils n'en ont pas besoin

pour eux-mêmes. Ils ressemblènt à cet Irlandais qui ne voulait pas sortir de son lit, quoique le feu fût à la maison. La maison brûle, lui criait-on. Que m'importe ? répondait-il, je n'en suis que le locataire. A la fin le feu pénétra jusqu'à lui. Aussitôt il s'élance, il court, il crie, il s'agite ; il commence à comprendre qu'il faut quelquefois prendre intérêt à la maison qu'on habite, quoiqu'elle ne nous appartienne pas.

Il me semble qu'en traitant les caractères en question sur cette idée, chacun des deux eût été plus vrai, plus théâtral, et que celui d'Alceste eût fait incomparablement plus d'effet : mais le parterre alors n'aurait pu rire qu'aux dépens de l'homme du monde, et l'intention de l'auteur était qu'on rît aux dépens du Misanthrope *.

Dans la même vue, il lui fait tenir quelquefois des propos d'humeur, d'un goût tout contraire à celui qu'il lui donne. Telle est cette pointe de la scène du sonnet :

> *La peste de ta chute, empoisonneur au Diable !*
> *En eusses-tu fait une à te casser le nez* [71].

pointe d'autant plus déplacée dans la bouche du Misanthrope qu'il vient d'en critiquer de plus supportables dans le sonnet d'Oronte ; et il est bien étrange

---

* Je ne doute point que, sur l'idée que je viens de proposer, un homme de génie ne pût faire un nouveau *Misanthrope,* non moins vrai, non moins naturel que l'Athénien, égal en mérite à celui de Molière, et sans comparaison plus instructif. Je ne vois qu'un inconvénient à cette nouvelle pièce, c'est qu'il serait impossible qu'elle réussît : car, quoi qu'on dise, en choses qui déshonorent, nul ne rit de bon cœur à ses dépens. Nous voilà rentrés dans mes principes.

que celui qui la fait propose un instant après la
chanson du *Roi Henri* pour un modèle de goût. Il ne
sert de rien de dire que ce mot échappe dans un
moment de dépit : car le dépit ne dicte rien moins
que [72] des pointes, et Alceste, qui passe sa vie à
gronder, doit avoir pris, même en grondant, un ton
conforme à son tour d'esprit.

>   *Morbleu ! vil complaisant ! vous louez des sottises.*

C'est ainsi que doit parler le Misanthrope en colère.
Jamais une pointe n'ira bien après cela. Mais il fallait
faire rire le parterre ; et voilà comment on avilit la
vertu.

   Une chose assez remarquable, dans cette comédie,
est que les charges étrangères [73] que l'auteur a données
au rôle du Misanthrope, l'ont forcé d'adoucir ce qui
était essentiel au caractère. Ainsi, tandis que dans
toutes ses autres pièces les caractères sont chargés
pour faire plus d'effet, dans celle-ci seule les traits sont
émoussés pour la rendre plus théâtrale. La même
scène dont je viens de parler m'en fournit la preuve.
On y voit Alceste tergiverser et user de détours, pour
dire son avis à Oronte. Ce n'est point là le misanthrope : c'est un honnête homme du monde qui se fait
peine de tromper celui qui le consulte. La force du
caractère voulait qu'il lui dît brusquement, Votre
sonnet ne vaut rien, jetez-le au feu ; mais cela aurait
ôté le comique qui naît de l'embarras du Misanthrope
et de ses *je ne dis pas cela* répétés, qui pourtant ne sont
au fond que des mensonges. Si Philinte, à son exemple,
lui eût dit en cet endroit : *Et que dis-tu donc, traître ?*

qu'avait-il à répliquer ? En vérité, ce n'est pas la peine
de rester misanthrope pour ne l'être qu'à demi : car, si
l'on se permet le premier ménagement et la première
altération de la vérité, où sera la raison suffisante pour
s'arrêter jusqu'à ce qu'on devienne aussi faux qu'un
homme de Cour ?

L'ami d'Alceste doit le connaître. Comment ose-t-il
lui proposer de visiter des juges, c'est-à-dire, en termes
honnêtes, de chercher à les corrompre ? Comment
peut-il supposer qu'un homme capable de renoncer
même aux bienséances par amour pour la vertu, soit
capable de manquer à ses devoirs par intérêt ? Solliciter un juge ! Il ne faut pas être misanthrope, il suffit
d'être honnête homme pour n'en rien faire. Car enfin,
quelque tour qu'on donne à la chose, ou celui qui
sollicite un juge l'exhorte à remplir son devoir et alors
il lui fait une insulte, ou il lui propose une acception de
personnes et alors il le veut séduire : puisque toute
acception de personnes [74] est un crime dans un juge qui
doit connaître l'affaire et non les parties, et ne voir que
l'ordre et la loi. Or je dis qu'engager un juge à faire
une mauvaise action, c'est la faire soi-même ; et qu'il
vaut mieux perdre une cause juste que de faire une
mauvaise action. Cela est clair, net, il n'y a rien à
répondre. La morale du monde a d'autres maximes, je
ne l'ignore pas. Il me suffit de montrer que, dans tout
ce qui rendait le Misanthrope si ridicule, il ne faisait
que le devoir d'un homme de bien ; et que son
caractère était mal rempli d'avance, si son ami suppo-
sait qu'il pût y manquer.

Si quelquefois l'habile auteur laisse agir ce caractère
dans toute sa force, c'est seulement quand cette force

rend la scène plus théâtrale, et produit un comique de
contraste ou de situation plus sensible. Telle est, par
exemple, l'humeur taciturne et silencieuse d'Alceste, et
ensuite la censure intrépide et vivement apostrophée [75]
de la conversation chez la coquette.

> *Allons, ferme, poussez, mes bons amis de Cour.*

Ici l'auteur a marqué fortement la distinction du
médisant et du misanthrope. Celui-ci, dans son fiel
âcre et mordant, abhorre la calomnie et déteste la
satire. Ce sont les vices publics, ce sont les méchants
en général qu'il attaque. La basse et secrète médisance
est indigne de lui, il la méprise et la hait dans les
autres ; et quand il dit du mal de quelqu'un, il
commence par le lui dire en face. Aussi, durant toute la
pièce, ne fait-il nulle part plus d'effet que dans cette
scène : parce qu'il est là ce qu'il doit être et que, s'il fait
rire le parterre, les honnêtes gens ne rougissent pas
d'avoir ri.

Mais, en général, on ne peut nier que, si le
Misanthrope était plus misanthrope, il ne fût beaucoup moins plaisant : parce que sa franchise et sa
fermeté, n'admettant jamais de détour, ne le laisse-
raient jamais dans l'embarras. Ce n'est donc pas par
ménagement pour lui que l'auteur adoucit quelquefois
son caractère : c'est au contraire pour le rendre plus
ridicule. Une autre raison l'y oblige encore : c'est que
le Misanthrope de théâtre, ayant à parler de ce qu'il
voit, doit vivre dans le monde, et par conséquent
tempérer sa droiture et ses manières, par quelques-uns
de ces égards de mensonge et de fausseté qui compo-

sent la politesse et que le monde exige de quiconque y veut être supporté. S'il s'y montrait autrement, ses discours ne feraient plus d'effet. L'intérêt de l'auteur est bien de le rendre ridicule, mais non pas fou ; et c'est ce qu'il paraîtrait aux yeux du public, s'il était tout à fait sage.

On a peine à quitter cette admirable pièce, quand on a commencé de s'en occuper ; et, plus on y songe, plus on y découvre de nouvelles beautés. Mais enfin, puisqu'elle est, sans contredit, de toutes les comédies de Molière, celle qui contient la meilleure et la plus saine morale, sur celle-là jugeons des autres ; et convenons que, l'intention de l'auteur étant de plaire à des esprits corrompus, ou sa morale porte au mal, ou le faux bien qu'elle prêche est plus dangereux que le mal même : en ce qu'il séduit par une apparence de raison : en ce qu'il fait préférer l'usage et les maximes du monde à l'exacte probité : en ce qu'il fait consister la sagesse dans un certain milieu entre le vice et la vertu : en ce qu'au grand soulagement des spectateurs, il leur persuade que, pour être honnête homme, il suffit de n'être pas un franc scélérat.

J'aurais trop d'avantage, si je voulais passer de l'examen de Molière à celui de ses successeurs, qui, n'ayant ni son génie, ni sa probité, n'en ont que mieux suivi ses vues intéressées, en s'attachant à flatter une jeunesse débauchée et des femmes sans mœurs. Je ne ferai pas à Dancourt l'honneur de parler de lui : ses pièces n'effarouchent pas par des termes obscènes, mais il faut n'avoir de chaste que les oreilles pour les pouvoir supporter. Regnard, plus modeste, n'est pas moins dangereux [76] : laissant l'autre amuser les

femmes perdues, il se charge, lui, d'encourager les
filous. C'est une chose incroyable qu'avec l'agrément
de la police, on joue publiquement au milieu de Paris
une comédie[77], où, dans l'appartement d'un oncle
qu'on vient de voir expirer, son neveu, l'honnête
homme de la pièce, s'occupe avec son digne cortège, de
soins que les lois paient de la corde ; et qu'au lieu des
larmes que la seule humanité fait verser en pareil cas
aux indifférents mêmes, on égaie, à l'envi, de plaisanteries barbares le triste appareil de la mort. Les droits
les plus sacrés, les plus touchants sentiments de la
Nature, sont joués dans cette odieuse scène. Les tours
les plus punissables y sont rassemblés comme à plaisir,
avec un enjouement qui fait passer tout cela pour des
gentillesses. Faux acte, supposition, vol, fourberie,
mensonge, inhumanité, tout y est et tout y est
applaudi. Le mort s'étant avisé de renaître, au grand
déplaisir de son cher neveu, et ne voulant point ratifier
ce qui s'est fait en son nom, on trouve le moyen
d'arracher son consentement de force, et tout se
termine au gré des acteurs et des spectateurs, qui,
s'intéressant malgré eux à ces misérables, sortent de la
pièce avec cet édifiant souvenir, d'avoir été dans le
fond de leurs cœurs, complices des crimes qu'ils ont vu
commettre.

Osons le dire sans détour. Qui de nous est assez sûr
de lui pour supporter la représentation d'une pareille
comédie, sans être de moitié des tours[78] qui s'y jouent ?
Qui ne serait pas un peu fâché si le filou venait à être
surpris ou manquer son coup ? Qui ne devient pas un
moment filou soi-même en s'intéressant pour lui ? Car
s'intéresser pour quelqu'un qu'est-ce autre chose que

se mettre à sa place ? Belle instruction pour la jeunesse
que celle où les hommes faits ont bien de la peine à se
garantir de la séduction du vice ! Est-ce à dire qu'il ne
soit jamais permis d'exposer au théâtre des actions blâmables ? Non : mais en vérité, pour savoir mettre un fripon sur la scène, il faut un auteur bien honnête homme.

Ces défauts sont tellement inhérents à notre théâtre
qu'en voulant les en ôter, on le défigure. Nos auteurs
modernes, guidés par de meilleures intentions, font des
pièces plus épurées ; mais aussi qu'arrive-t-il ? Qu'elles
n'ont plus de vrai comique et ne produisent aucun
effet. Elles instruisent beaucoup, si l'on veut ; mais
elles ennuient encore davantage. Autant vaudrait aller
au sermon [79].

Dans cette décadence du théâtre, on se voit
contraint d'y substituer aux véritables beautés éclip-
sées de petits agréments capables d'en imposer à la
multitude. Ne sachant plus nourrir la force du comique et des caractères, on a renforcé l'intérêt de
l'amour. On a fait la même chose dans la tragédie pour
suppléer aux situations prises dans des intérêts d'Etat
qu'on ne connaît plus, et aux sentiments naturels et
simples qui ne touchent plus personne. Les autres
concourent à l'envi pour l'utilité publique à donner
une nouvelle énergie et un nouveau coloris à cette
passion dangereuse ; et, depuis Molière et Corneille,
on ne voit plus réussir au théâtre que des romans, sous
le nom de pièces dramatiques [80].

L'amour est le règne des femmes. Ce sont celles qui
nécessairement y donnent la loi : parce que, selon
l'ordre de la Nature, la résistance leur appartient et
que les hommes ne peuvent vaincre cette résistance

qu'aux dépens de leur liberté. Un effet naturel de ces sortes de pièces est donc d'étendre l'empire du sexe, de rendre des femmes et des jeunes filles les précepteurs du public, et de leur donner sur les spectateurs le même pouvoir qu'elles ont sur leurs amants. Pensez-vous, Monsieur, que cet ordre soit sans inconvénient, et qu'en augmentant avec tant de soin l'ascendant des femmes, les hommes en seront mieux gouvernés ?

Il peut y avoir dans le monde quelques femmes dignes d'être écoutées d'un honnête homme ; mais est-ce d'elles, en général, qu'il doit prendre conseil, et ny aurait-il aucun moyen d'honorer leur sexe, à moins d'avilir le nôtre ? Le plus charmant objet de la Nature, le plus capable d'émouvoir un cœur sensible et de le porter au bien, est, je l'avoue, une femme aimable et vertueuse ; mais cet objet céleste, où se cache-t-il ? N'est-il pas bien cruel de le contempler avec tant de plaisir au théâtre, pour en trouver de si différents dans la société ? Cependant le tableau séducteur fait son effet. L'enchantement causé par ces prodiges de sagesse tourne au profit des femmes sans honneur. Qu'un jeune homme n'ait vu le monde que sur la scène, le premier moyen qui s'offre à lui pour aller à la vertu est de chercher une maîtresse qui l'y conduise, espérant bien trouver une Constance ou une Cénie * [81]

---

* Ce n'est point par étourderie que je cite *Cénie* en cet endroit, quoique cette charmante pièce soit l'ouvrage d'une femme : car, en cherchant la vérité de bonne foi, je ne sais point déguiser ce qui fait contre mon sentiment ; et ce n'est pas à une femme, mais aux femmes que je refuse les talents des hommes. J'ignore d'autant plus volontiers ceux de l'auteur de *Cénie* en particulier qu'ayant à me plaindre de ses discours, je lui rends un hommage pur et désinté-ressé, comme tous les éloges sortis de ma plume.

tout au moins. C'est ainsi que, sur la foi d'un modèle imaginaire, sur un air modeste et touchant, sur une douceur contrefaite, *nescius auræ fallacis* le jeune insensé court se perdre, en pensant devenir un sage[82].

Ceci me fournit l'occasion de proposer une espèce de problème. Les anciens avaient en général un très grand respect pour les femmes *; mais ils marquaient ce respect en s'abstenant de les exposer au jugement du public, et croyaient honorer leur modestie, en se taisant sur leurs autres vertus. Ils avaient pour maxime que le pays, où les mœurs étaient les plus pures, était celui où l'on parlait le moins des femmes; et que la femme la plus honnête était celle dont on parlait le moins. C'est sur ce principe qu'un Spartiate, entendant un étranger faire de magnifiques éloges d'une dame de sa connaissance, l'interrompit en colère : Ne cesseras-tu point, lui dit-il, de médire d'une femme de bien[83] ? De là venait encore que, dans leur comédie, les rôles d'amoureuses et de filles à marier ne représentaient[84] jamais que des esclaves ou des filles publiques. Ils avaient une telle idée de la modestie du sexe qu'ils auraient cru manquer aux égards qu'ils lui devaient, de mettre une honnête fille sur la scène,

---

* Ils leur donnaient plusieurs noms honorables que nous n'avons plus, ou qui sont bas et surannés parmi nous. On sait quel usage Virgile a fait de celui de *Matres* dans une occasion où les mères troyennes n'étaient guère sages. Nous n'avons à la place que le mot de *Dames* qui ne convient pas à toutes, qui même vieillit insensiblement, et qu'on a tout à fait proscrit du ton à la mode. J'observe que les anciens tiraient volontiers leurs titres d'honneur des droits de la Nature, et que nous ne tirons les nôtres que des droits du rang.

seulement en représentation*. En un mot l'image du vice à découvert les choquait moins que celle de la pudeur offensée.

Chez nous, au contraire, la femme la plus estimée est celle qui fait le plus de bruit; de qui l'on parle le plus; qu'on voit le plus dans le monde; chez qui l'on dîne le plus souvent; qui donne le plus impérieusement le ton; qui juge, tranche, décide, prononce, assigne aux talents, au mérite, aux vertus, leurs degrés et leurs places; et dont les humbles savants mendient le plus bassement la faveur [85]. Sur la scène, c'est pis encore. Au fond, dans le monde elles ne savent rien, quoiqu'elles jugent de tout; mais au théâtre, savantes du savoir des hommes, philosophes, grâce aux auteurs, elles écrasent notre sexe de ses propres talents, et les imbéciles spectateurs vont bonnement apprendre des femmes ce qu'ils ont pris soin de leur dicter. Tout cela, dans le vrai, c'est se moquer d'elles, c'est les taxer d'une vanité puérile; et je ne doute pas que les plus sages n'en soient indignées. Parcourez la plupart des pièces modernes : c'est toujours une femme qui sait tout, qui apprend tout aux hommes; c'est toujours la dame de Cour qui fait dire le catéchisme au petit Jean de Saintré [86]. Un enfant ne saurait se nourrir de son pain, s'il n'est coupé par sa gouvernante. Voilà l'image de ce qui se passe aux nouvelles pièces. La bonne est sur le théâtre, et les enfants sont dans le parterre. Encore une fois, je ne nie pas que cette méthode n'ait

---

* S'ils en usaient autrement dans les tragédies, c'est que, suivant le système politique de leur théâtre, ils n'étaient pas fâchés qu'on crût que les personnes d'un haut rang n'ont pas besoin de pudeur, et font toujours exception aux règles de la morale.

ses avantages, et que de tels précepteurs ne puissent donner du poids et du prix à leurs leçons ; mais revenons à ma question. De l'usage antique et du nôtre, je demande lequel est le plus honorable aux femmes, et rend le mieux à leur sexe les vrais respects qui lui sont dus ?

La même cause qui donne, dans nos pièces tragiques et comiques, l'ascendant aux femmes sur les hommes, le donne encore aux jeunes gens sur les vieillards ; et c'est un autre renversement des rapports naturels, qui n'est pas moins répréhensible. Puisque l'intérêt y est toujours pour les amants, il s'ensuit que les personnages avancés en âge n'y peuvent jamais faire que des rôles en sous-ordre. Ou, pour former le nœud de l'intrigue, ils servent d'obstacle aux vœux des jeunes amants et alors ils sont haïssables ; ou ils sont amoureux eux-mêmes et alors ils sont ridicules. *Turpe senex miles* [87]. On en fait, dans les tragédies, des tyrans, des usurpateurs ; dans les comédies, des jaloux, des usuriers, des pédants, des pères insupportables que tout le monde conspire à tromper. Voilà sous quel honorable aspect on montre la vieillesse au théâtre, voilà quel respect on inspire pour elle aux jeunes gens. Remercions l'illustre auteur de *Zaïre* et de *Nanine* d'avoir soustrait à ce mépris le vénérable Luzignan et le bon vieux Philippe Humbert [88]. Il en est quelques autres encore : mais cela suffit-il pour arrêter le torrent du préjugé public, et pour effacer l'avilissement où la plupart des auteurs se plaisent à montrer l'âge de la sagesse, de l'expérience et de l'autorité ? Qui peut douter que l'habitude de voir toujours dans les vieillards des personnages odieux au théâtre, n'aide à les

faire rebuter dans la société, et qu'en s'accoutumant à
confondre ceux qu'on voit dans le monde avec les
radoteurs et les Gérontes de la comédie, on ne les
méprise tous également? Observez à Paris dans une
assemblée, l'air suffisant et vain, le ton ferme et
tranchant d'une impudente jeunesse, tandis que les
anciens, craintifs et modestes, ou n'osent ouvrir la
bouche, ou sont à peine écoutés. Voit-on rien de pareil
dans les provinces, et dans les lieux où les spectacles ne
sont point établis; et par toute la terre, hors les
grandes villes, une tête chenue et des cheveux blancs
n'impriment-ils pas toujours du respect? On me dira
qu'à Paris les vieillards contribuent à se rendre
méprisables, en renonçant au maintien qui leur
convient, pour prendre indécemment la parure et les
manières de la jeunesse, et que faisant les galants à son
exemple, il est très simple qu'on la leur préfère dans
son métier; mais c'est tout au contraire pour n'avoir
nul autre moyen de se faire supporter, qu'ils sont
contraints de recourir à celui-là, et ils aiment encore
mieux être soufferts à la faveur de leurs ridicules, que
de ne l'être point du tout. Ce n'est pas assurément
qu'en faisant les agréables ils le deviennent en effet, et
qu'un galant sexagénaire soit un personnage fort
gracieux; mais son indécence même lui tourne à
profit : c'est un triomphe de plus pour une femme,
qui, traînant à son char un Nestor, croit montrer
que les glaces de l'âge ne garantissent point des
feux qu'elle inspire. Voilà pourquoi les femmes
encouragent de leur mieux ces doyens de Cythère,
et ont la malice de traiter d'hommes charmants, de
vieux fous qu'elles trouveraient moins aimables s'ils

étaient moins extravagants. Mais revenons à mon sujet.

Ces effets ne sont pas les seuls que produit l'intérêt de la scène uniquement fondé sur l'amour. On lui en attribue beaucoup d'autres plus graves et plus importants, dont je n'examine point ici la réalité, mais qui ont été souvent et fortement allégués par les écrivains ecclésiastiques. Les dangers que peut produire le tableau d'une passion contagieuse sont, leur a-t-on répondu, prévenus par la manière de le présenter ; l'amour qu'on expose au théâtre y est rendu légitime, son but est honnête, souvent il est sacrifié au devoir et à la vertu, et dès qu'il est coupable il est puni. Fort bien : mais n'est-il pas plaisant qu'on prétende ainsi régler après coup les mouvements du cœur sur les préceptes de la raison, et qu'il faille attendre les événements pour savoir quelle impression l'on doit recevoir des situations qui les amènent ? Le mal qu'on reproche au théâtre n'est pas précisément d'inspirer des passions criminelles, mais de disposer l'âme à des sentiments trop tendres qu'on satisfait ensuite aux dépens de la vertu. Les douces émotions qu'on y ressent n'ont pas par elles-mêmes un objet déterminé, mais elles en font naître le besoin ; elles ne donnent pas précisément de l'amour, mais elles préparent à en sentir ; elles ne choisissent pas la personne qu'on doit aimer, mais elles nous forcent à faire ce choix. Ainsi elles ne sont innocentes ou criminelles que par l'usage que nous en faisons selon notre caractère, et ce caractère est indépendant de l'exemple. Quand il serait vrai qu'on ne peint au théâtre que des passions légitimes, s'ensuit-il de là que les impressions en sont plus faibles, que les effets en sont moins dangereux ?

Comme si les vives images d'une tendresse innocente
étaient moins douces, moins séduisantes, moins capables d'échauffer un cœur sensible que celles d'un
amour criminel, à qui l'horreur du vice sert au moins
de contrepoison? Mais si l'idée de l'innocence embellit
quelques instants le sentiment qu'elle accompagne,
bientôt les circonstances s'effacent de la mémoire,
tandis que l'impression d'une passion si douce reste
gravée au fond du cœur. Quand le patricien Manilius
fut chassé du Sénat de Rome pour avoir donné un
baiser à sa femme en présence de sa fille, à ne
considérer cette action qu'en elle-même, qu'avait-elle
de répréhensible? Rien sans doute : elle annonçait
même un sentiment louable. Mais les chastes feux de
la mère en pouvaient inspirer d'impurs à la fille [89].
C'était donc, d'une action fort honnête, faire un
exemple de corruption. Voilà l'effet des amours permis
du théâtre.

On prétend nous guérir de l'amour par la peinture
de ses faiblesses. Je ne sais là-dessus comment les
auteurs s'y prennent; mais je vois que les spectateurs
sont toujours du parti de l'amant faible, et que souvent
ils sont fâchés qu'il ne le soit pas davantage. Je
demande si c'est un grand moyen d'éviter de lui
ressembler.

Rappelez-vous, Monsieur, une pièce à laquelle je
crois me souvenir d'avoir assisté avec vous, il y a
quelques années, et qui nous fit un plaisir auquel nous
nous attendions peu, soit qu'en effet l'auteur y eût mis
plus de beautés théâtrales que nous n'avions pensé,
soit que l'actrice prêtât son charme ordinaire au rôle
qu'elle faisait valoir. Je veux parler de la *Bérénice* de

Racine[90]. Dans quelle disposition d'esprit le spectateur voit-il commencer cette pièce ? Dans un sentiment de mépris pour la faiblesse d'un empereur et d'un Romain, qui balance comme le dernier des hommes entre sa maîtresse et son devoir : qui, flottant incessamment dans une déshonorante incertitude, avilit par des plaintes efféminées ce caractère presque divin que lui donne l'histoire ; qui fait chercher dans un vil soupirant de ruelle le bienfaiteur du monde, et les délices du genre humain. Qu'en pense le même spectateur après la représentation ? Il finit par plaindre cet homme sensible qu'il méprisait, par s'intéresser à cette même passion dont il lui faisait un crime, par murmurer en secret du sacrifice qu'il est forcé d'en faire aux lois de la patrie. Voilà ce que chacun de nous éprouvait à la représentation. Le rôle de Titus, très bien rendu, eût fait de l'effet s'il eût été plus digne de lui ; mais tous sentirent que l'intérêt principal était pour Bérénice, et que c'était le fort de son amour qui déterminait l'espèce de la catastrophe. Non que ses plaintes continuelles donnassent une grande émotion durant le cours de la pièce ; mais au cinquième acte où, cessant de se plaindre, l'air morne, l'œil sec et la voix éteinte, elle faisait parler une douleur froide approchante du désespoir, l'art de l'actrice ajoutait au pathétique du rôle, et les spectateurs vivement touchés commençaient à pleurer quand Bérénice ne pleurait plus. Que signifiait cela, sinon qu'on tremblait qu'elle ne fût renvoyée ; qu'on sentait d'avance la douleur dont son cœur serait pénétré ; et que chacun aurait voulu que Titus se laissât vaincre, même au risque de l'en moins estimer ? Ne voilà-t-il pas une tragédie qui a

bien rempli son objet, et qui a bien appris aux
spectateurs à surmonter les faiblesses de l'amour ?

L'événement dément ces vœux secrets, mais qu'importe ? Le dénouement n'efface point l'effet de la pièce.
La Reine part sans le congé du parterre : l'Empereur
la renvoie *invitus invitam*, on peut ajouter *invito specta-
tore*[91]. Titus a beau rester Romain, il est seul de son
parti ; tous les spectateurs ont épousé Bérénice.

Quand même on pourrait me disputer cet effet ;
quand même on soutiendrait que l'exemple de force et
de vertu qu'on voit dans Titus, vainqueur de lui-
même, fonde l'intérêt de la pièce, et fait qu'en plaignant Bérénice, on est bien aise de la plaindre ; on ne
ferait que rentrer en cela dans mes principes : parce
que, comme je l'ai déjà dit, les sacrifices faits au devoir
et à la vertu ont toujours un charme secret, même pour
les cœurs corrompus : et la preuve que ce sentiment
n'est point l'ouvrage de la pièce, c'est qu'ils l'ont avant
qu'elle commence. Mais cela n'empêche pas que
certaines passions satisfaites ne leur semblent préférables à la vertu même, et que, s'ils sont contents de voir
Titus vertueux et magnanime, ils ne le fussent encore
plus de le voir heureux et faible, ou du moins qu'ils ne
consentissent volontiers à l'être à sa place. Pour rendre
cette vérité sensible, imaginons un dénouement tout
contraire à celui de l'auteur. Qu'après avoir mieux
consulté son cœur, Titus ne voulant ni enfreindre les
lois de Rome, ni vendre le bonheur à l'ambition,
vienne, avec des maximes opposées, abdiquer l'Empire
aux pieds de Bérénice ; que, pénétrée d'un si grand
sacrifice, elle sente que son devoir serait de refuser la
main de son amant, et que pourtant elle l'accepte ; que

tous deux enivrés des charmes de l'amour, de la paix,
de l'innocence, et renonçant aux vaines grandeurs,
prennent, avec cette douce joie qu'inspirent les vrais
mouvements de la Nature, le parti d'aller vivre
heureux et ignorés dans un coin de la terre ; qu'une
scène si touchante soit animée des sentiments tendres
et pathétiques que le sujet fournit et que Racine eût si
bien fait valoir ; que Titus en quittant les Romains leur
adresse un discours, tel que la circonstance et le sujet
le comportent : n'est-il pas clair, par exemple, qu'à
moins qu'un auteur ne soit de la dernière maladresse,
un tel discours doit faire fondre en larmes toute
l'assemblée ? La pièce, finissant ainsi, sera, si l'on veut,
moins bonne, moins instructive, moins conforme à
l'histoire, mais en fera-t-elle moins de plaisir, et les
spectateurs en sortiront-ils moins satisfaits ? Les quatre premiers actes subsisteraient à peu près tels qu'ils
sont, et cependant on en tirerait une leçon directement
contraire. Tant il est vrai que les tableaux de l'amour
font toujours plus d'impression que les maximes de la
sagesse, et que l'effet d'une tragédie est tout à fait
indépendant de celui du dénouement !

Veut-on savoir s'il est sûr qu'en montrant les suites
funestes des passions immodérées, la tragédie
apprenne à s'en garantir ? Que l'on consulte l'expérience. Ces suites funestes sont représentées très fortement dans *Zaïre* ; il en coûte la vie aux deux amants, et
il en coûte bien plus que la vie à Orosmane : puisqu'il
ne se donne la mort que pour se délivrer du plus cruel
sentiment qui puisse entrer dans un cœur humain, le
remords d'avoir poignardé sa maîtresse. Voilà donc,
assurément, des leçons très énergiques. Je serais

curieux de trouver quelqu'un, homme ou femme, qui s'osât vanter d'être sorti d'une représentation de *Zaïre* bien prémuni contre l'amour. Pour moi, je crois entendre chaque spectateur dire en son cœur à la fin de la tragédie : Ah! qu'on me donne une Zaïre, je ferai bien en sorte de ne la pas tuer. Si les femmes n'ont pu se lasser de courir en foule à cette pièce enchanteresse et d'y faire courir les hommes, je ne dirai point que c'est pour s'encourager par l'exemple de l'héroïne à n'imiter par un sacrifice qui lui réussit si mal; mais c'est parce que, de toutes les tragédies qui sont au théâtre, nulle autre ne montre avec plus de charmes le pouvoir de l'amour et l'empire de la beauté, et qu'on y apprend encore pour surcroît de profit à ne pas juger sa maîtresse sur les apparences. Qu'Orosmane immole Zaïre à sa jalousie, une femme sensible y voit sans effroi le transport de la passion : car c'est un moindre malheur de périr par la main de son amant, que d'en être médiocrement aimée.

Qu'on nous peigne l'amour comme on voudra; il séduit, ou ce n'est pas lui. S'il est mal peint, la pièce est mauvaise; s'il est bien peint, il offusque tout ce qui l'accompagne. Ses combats, ses maux, ses souffrances le rendent plus touchant encore que s'il n'avait nulle résistance à vaincre. Loin que ses tristes effets rebutent, il n'en devient que plus intéressant par ses malheurs mêmes. On se dit, malgré soi, qu'un sentiment si délicieux console de tout. Une si douce image amollit insensiblement le cœur : on prend de la passion ce qui mène au plaisir, on en laisse ce qui tourmente. Personne ne se croit obligé d'être un héros, et c'est ainsi qu'admirant l'amour honnête on se livre à l'amour criminel.

Ce qui achève de rendre ses images dangereuses, c'est précisément ce qu'on fait pour les rendre agréables ; c'est qu'on ne le voit jamais régner sur la scène qu'entre des âmes honnêtes, c'est que les deux amants sont toujours des modèles de perfection. Et comment ne s'intéresserait-on pas pour une passion si séduisante, entre deux cœurs dont le caractère est déjà si intéressant par lui-même ? Je doute que, dans toutes nos pièces dramatiques, on en trouve une seule où l'amour mutuel n'ait pas la faveur du spectateur. Si quelque infortuné brûle d'un feu non partagé, on en fait le rebut du parterre. On croit faire merveilles de rendre un amant estimable ou haïssable, selon qu'il est bien ou mal accueilli dans ses amours ; de faire toujours approuver au public les sentiments de sa maîtresse ; et de donner à la tendresse tout l'intérêt de la vertu. Au lieu qu'il faudrait apprendre aux jeunes gens à se défier des illusions de l'amour, à fuir l'erreur d'un penchant aveugle qui croit toujours se fonder sur l'estime, et à craindre quelquefois de livrer un cœur vertueux à un objet indigne de ses soins. Je ne sache guère que *Le Misanthrope* où le héros de la pièce ait fait un mauvais choix. Rendre le Misanthrope amoureux n'était rien, le coup de génie est de l'avoir fait amoureux d'une coquette. Tout le reste du théâtre est un trésor de femmes parfaites. On dirait qu'elles s'y sont toutes réfugiées. Est-ce là l'image fidèle de la société ? Est-ce ainsi qu'on nous rend suspecte une passion qui perd tant de gens bien nés ? Il s'en faut peu qu'on ne nous fasse croire qu'un honnête homme est obligé d'être amoureux, et qu'une amante aimée ne saurait n'être pas vertueuse. Nous voilà fort bien instruits !

Encore une fois, je n'entreprends point de juger si
c'est bien ou mal fait de fonder sur l'amour le principal
intérêt du théâtre ; mais je dis que, si ses peintures sont
quelquefois dangereuses, elles le seront toujours quoi
qu'on fasse pour les déguiser. Je dis que c'est en parler
de mauvaise foi, ou sans le connaître, de vouloir en
rectifier les impressions par d'autres impressions
étrangères qui ne les accompagnent point jusqu'au
cœur, ou que le cœur en a bientôt séparées ; impressions qui même en déguisent les dangers, et donnent à
ce sentiment trompeur un nouvel attrait par lequel il
perd ceux qui s'y livrent.

Soit qu'on déduise de la nature des spectacles, en
général, les meilleures formes dont ils sont susceptibles ; soit qu'on examine tout ce que les lumières d'un
siècle et d'un peuple éclairés ont fait pour la perfection
des nôtres ; je crois qu'on peut conclure[92] de ces
considérations diverses que l'effet moral du spectacle
et des théâtres ne saurait jamais être bon ni salutaire
en lui-même : puisqu'à ne compter que leurs avantages, on n'y trouve aucune sorte d'utilité réelle, sans
inconvénients qui la surpassent. Or par une suite de
son inutilité même, le théâtre, qui ne peut rien pour
corriger les mœurs, peut beaucoup pour les altérer. En
favorisant tous nos penchants, il donne un nouvel ascendant à ceux qui nous dominent ; les continuelles émotions qu'on y ressent nous énervent, nous affaiblissent,
nous rendent plus incapables de résister à nos passions ;
et le stérile intérêt qu'on prend à la vertu ne sert qu'à
contenter notre amour-propre, sans nous contraindre à
la pratiquer. Ceux de mes compatriotes qui ne désapprouvent pas les spectacles en eux-mêmes, ont donc tort.

Outre ces effets du théâtre, relatifs aux choses représentées, il en a d'autres non moins nécessaires, qui se rapportent directement à la scène et aux personnages représentants, et c'est à ceux-là que les Genevois déjà cités attribuent le goût de luxe, de parure, et de dissipation dont ils craignent avec raison l'introduction parmi nous. Ce n'est pas seulement la fréquentation des comédiens, mais celle du théâtre, qui peut amener ce goût par son appareil et la parure des acteurs. N'eût-il d'autre effet que d'interrompre à certaines heures le cours des affaires civiles et domestiques, et d'offrir une ressource assurée à l'oisiveté, il n'est pas possible que la commodité d'aller tous les jours régulièrement au même lieu s'oublier soi-même et s'occuper d'objets étrangers ne donne au citoyen d'autres habitudes et ne lui forme de nouvelles mœurs ; mais ces changements seront-ils avantageux ou nuisibles ? C'est une question qui dépend moins de l'examen du spectacle que de celui des spectateurs. Il est sûr que ces changements les amèneront tous à peu près au même point ; c'est donc par l'état où chacun était d'abord, qu'il faut estimer les différences.

Quand les amusements sont indifférents par leur nature (et je veux bien pour un moment considérer les spectacles comme tels), c'est la nature des occupations qu'ils interrompent qui les fait juger bons ou mauvais ; surtout lorsqu'ils sont assez vifs pour devenir des occupations eux-mêmes, et substituer leur goût à celui du travail. La raison veut qu'on favorise les amusements des gens dont les occupations sont nuisibles, et qu'on détourne des mêmes amusements ceux dont les occupations sont utiles. Une autre considération générale est qu'il n'est pas bon de laisser à des hommes oisifs et corrompus le choix de leurs amusements, de peur qu'ils ne les imaginent conformes à leurs inclinations vicieuses, et ne deviennent aussi malfaisants dans leurs plaisirs que dans leurs affaires. Mais laissez un peuple simple et laborieux se délasser de ses travaux, quand et comme il lui plaît ; jamais il n'est à craindre qu'il abuse de cette liberté, et l'on ne doit point se tourmenter à lui chercher des divertissements agréables : car, comme il faut peu d'apprêts aux mets que l'abstinence et la faim assaisonnent, il n'en faut pas, non plus, beaucoup aux plaisirs de gens épuisés de fatigue, pour qui le repos seul en est un très doux. Dans une grande ville, pleine de gens intrigants, désœuvrés, sans religion, sans principes, dont l'imagination dépravée par l'oisiveté, la fainéantise, par l'amour du plaisir et par de grands besoins, n'engendre que des monstres et n'inspire que des forfaits ; dans une grande ville où les mœurs et l'honneur ne sont rien, parce que chacun, dérobant aisément sa conduite aux yeux du public, ne se montre que par son crédit et n'est estimé que par ses richesses ; la police ne saurait trop multiplier les plaisirs permis, ni trop s'appliquer à les rendre agréables, pour ôter aux particuliers la tentation d'en chercher de plus dangereux. Comme les empêcher de s'occuper c'est les empêcher de mal faire, deux heures par jour dérobées à l'activité du vice sauvent la douzième partie des crimes qui se commettraient ; et tout ce que les spectacles vus ou à voir causent d'entretiens dans les cafés et autres refuges des fainéants et fripons du pays, est encore autant de gagné pour les pères de famille, soit sur l'honneur de leurs filles ou de leurs femmes, soit sur leur bourse ou sur celle de leurs fils[93].

Mais dans les petites villes, dans les lieux moins peuplés, où les particuliers, toujours sous les yeux du public, sont censeurs nés les uns des autres, et où la police a sur tous une inspection facile, il faut suivre des maximes toutes contraires. S'il y a de l'industrie, des arts, des manufactures, on doit se garder d'offrir des distractions relâchantes à l'âpre intérêt qui fait ses plaisirs de ses soins, et enrichit le prince de l'avarice des sujets[94]. Si le pays sans commerce, nourrit les habitants dans l'inaction, loin de fomenter en eux l'oisiveté à laquelle une vie simple et facile ne les porte déjà que trop, il faut la leur rendre insupportable en les contraignant, à force d'ennui, d'employer utilement un temps dont ils ne sauraient abuser. Je vois qu'à Paris, où l'on juge de tout sur les apparences, parce qu'on n'a le loisir de rien examiner, on croit, à l'air de désœuvrement et de langueur dont frappent au premier coup d'œil la plupart des villes de provinces, que les habitants, plongés dans une stupide inaction n'y font que végéter, ou tracasser et se brouiller ensemble. C'est une erreur dont on reviendrait aisément si l'on songeait que la plupart des gens de lettres qui brillent à Paris, la plupart des découvertes utiles et des inventions nouvelles y viennent de ces provinces si méprisées. Restez quelque temps dans une petite ville, où vous aurez cru d'abord ne trouver que des automates : non seulement vous y verrez bientôt des gens beaucoup plus sensés que vos singes des grandes villes, mais vous manquerez rarement d'y découvrir dans l'obscurité quelque homme ingénieux qui vous surprendra par ses talents, par ses ouvrages, que vous surprendrez encore plus en les admirant, et qui, vous montrant des prodiges de travail, de patience et d'industrie, croira ne vous montrer que des choses communes à Paris. Telle est la simplicité du vrai génie : il n'est ni intrigant, ni actif ; il ignore le chemin des honneurs et de la fortune, et ne songe point à le chercher ; il ne se compare à personne ; toutes ses ressources sont en lui seul ; insensible aux outrages, et peu sensible aux louanges, s'il se connaît, il ne s'assigne point sa place et jouit de lui-même sans s'apprécier [95].

Dans une petite ville, on trouve, proportion gardée, moins d'activité, sans doute, que dans une capitale : parce que les passions sont moins vives et les besoins moins pressants ; mais plus d'esprits originaux, plus d'industrie inventive, plus de choses vraiment neuves : parce qu'on y est moins imitateur, qu'ayant peu de modèles, chacun tire plus de lui-même, et met plus du sien dans tout ce qu'il fait : parce que l'esprit humain, moins étendu, moins noyé parmi les opinions vulgaires, s'élabore et fermente mieux dans la tranquille solitude : parce qu'en voyant moins, on imagine davantage : enfin, parce que, moins pressé du temps, on a plus le loisir d'étendre et digérer ses idées.

Je me souviens d'avoir vu dans ma jeunesse aux environs de Neuchâtel un spectacle assez agréable et peut-être unique sur la terre [96]. Une montagne entière couverte d'habitations dont chacune fait le centre des terres qui en dépendent ; en sorte que ces maisons, à distances aussi égales que les fortunes des propriétaires, offrent à la fois aux nombreux habitants de cette

montagne, le recueillement de la retraite et les dou-
ceurs de la société. Ces heureux paysans, tous à leur
aise, francs de tailles, d'impôts, de subdélégués [97], de
corvées, cultivent, avec tout le soin possible, des biens
dont le produit est pour eux, et emploient le loisir que
cette culture leur laisse à faire mille ouvrages de leurs
mains, et à mettre à profit le génie inventif que leur
donna la Nature. L'hiver surtout, temps où la hauteur
des neiges leur ôte une communication facile, chacun
renfermé bien chaudement, avec sa nombreuse famille,
dans sa jolie et propre maison de bois * qu'il a bâtie
lui-même, s'occupe de mille travaux amusants, qui
chassent l'ennui de son asile, et ajoutent à son bien-
être. Jamais menuisier, serrurier, vitrier, tourneur de
profession n'entra dans le pays ; tous le sont pour eux-
mêmes, aucun ne l'est pour autrui ; dans la multitude
de meubles commodes et même élégants qui composent leur ménage et parent leur logement, on n'en voit
pas un qui n'ait été fait de la main du maître. Il leur
reste encore du loisir pour inventer et faire mille
instruments divers, d'acier, de bois, de carton, qu'ils
vendent aux étrangers, dont plusieurs même parviennent jusqu'à Paris, entre autres ces petites horloges de
bois qu'on y voit depuis quelques années. Ils en font
aussi de fer, ils font même des montres ; et, ce qui

---

* Je crois entendre un bel esprit de Paris se récrier, pourvu qu'il
ne se lise pas lui-même, à cet endroit comme à bien d'autres, et
démontrer doctement aux dames (car c'est surtout aux dames que
ces messieurs démontrent) qu'il est impossible qu'une maison de
bois soit chaude. Grossier mensonge ! Erreur de physique ! Ah,
pauvre auteur ! Quant à moi, je crois la démonstration sans réplique.
Tout ce que je sais, c'est que les Suisses passent chaudement leur
hiver au milieu des neiges, dans des maisons de bois.

paraît incroyable, chacun réunit à lui seul toutes les professions diverses dans lesquelles se subdivise l'horlogerie, et fait tous ses outils lui-même.

Ce n'est pas tout : ils ont des livres utiles et sont passablement instruits ; ils raisonnent sensément de toutes choses, et de plusieurs avec esprit *. Ils font des siphons, des aimants, des lunettes, des pompes, des baromètres, des chambres noires ; leurs tapisseries sont des multitudes d'instruments de toute espèce ; vous prendriez le poêle [98] d'un paysan pour un atelier de mécanique et pour un cabinet de physique expérimentale. Tous savent un peu dessiner, peindre, chiffrer ; la plupart jouent de la flûte, plusieurs ont un peu de musique et chantent juste. Ces arts ne leur sont point enseignés par des maîtres, mais leur passent, pour ainsi dire, par tradition. De ceux que j'ai vus savoir la musique, l'un me disait l'avoir apprise de son père, un autre de sa tante, un autre de son cousin, quelques-uns croyaient l'avoir toujours sue. Un de leurs plus fréquents amusements est de chanter avec leurs femmes et leurs enfants les psaumes à quatre parties ; et l'on est tout étonné d'entendre sortir de ces cabanes champêtres l'harmonie forte et mâle de Goudimel [100], depuis si longtemps oubliée de nos savants artistes.

Je ne pouvais non plus me lasser de parcourir ces charmantes demeures, que les habitants de m'y témoi-

---

* Je puis citer en exemple un homme de mérite, bien connu dans Paris, et plus d'une fois honoré des suffrages de l'Académie des Sciences. C'est M. Rivaz, célèbre Valaisan. Je sais bien qu'il n'a pas beaucoup d'égaux parmi ses compatriotes ; mais enfin c'est en vivant comme eux qu'il apprit à les surpasser [99].

gner la plus franche hospitalité. Malheureusement j'étais jeune : ma curiosité n'était que celle d'un enfant, et je songeais plus à m'amuser qu'à m'instruire. Depuis trente ans, le peu d'observations que je fis se sont effacées de ma mémoire. Je me souviens seulement que j'admirais sans cesse en ces hommes singuliers un mélange étonnant de finesse et de simplicité qu'on croirait presque incompatibles, et que je n'ai plus observé nulle part. Du reste, je n'ai rien retenu de leurs mœurs, de leur société, de leurs caractères. Aujourd'hui que j'y porterais d'autres yeux, faut-il ne revoir plus cet heureux pays ? Hélas ! il est sur la route du mien [101] !

Après cette légère idée, supposons [102] qu'au sommet de la montagne dont je viens de parler, au centre des habitations, on établisse un spectacle fixe et peu coûteux, sous prétexte, par exemple, d'offrir une honnête récréation à des gens continuellement occupés, et en état de supporter cette petite dépense ; supposons encore qu'ils prennent du goût pour ce même spectacle ; et cherchons ce qui doit résulter de son établissement.

Je vois d'abord que, leurs travaux cessant d'être leurs amusements, aussitôt qu'ils en auront un autre, celui-ci les dégoûtera des premiers ; le zèle ne fournira plus tant de loisir, ni les mêmes inventions. D'ailleurs, il y aura chaque jour un temps réel de perdu pour ceux qui assisteront au spectacle ; et l'on ne se remet pas à l'ouvrage, l'esprit rempli de ce qu'on vient de voir : on en parle, ou l'on y songe. Par conséquent, relâchement de travail : premier préjudice.

Quelque peu qu'on paie à la porte, on paie enfin ;

c'est toujours une dépense qu'on ne faisait pas. Il en
coûte pour soi, pour sa femme, pour ses enfants, quand
on les y mène, et il les y faut mener quelquefois. De plus,
un ouvrier ne va point dans une assemblée se montrer en
habit de travail : il faut prendre plus souvent ses
habits des dimanches, changer de linge plus souvent, se
poudrer, se raser ; tout cela coûte du temps et de l'argent.
Augmentation de dépense : deuxième préjudice.

Un travail moins assidu et une dépense plus forte
exigent un dédommagement. On le trouvera sur le prix
des ouvrages qu'on sera forcé de renchérir. Plusieurs
marchands, rebutés de cette augmentation, quitteront
les *Montagnons**, et se pourvoiront chez les autres
Suisses leurs voisins, qui, sans être moins industrieux,
n'auront point de spectacles, et n'augmenteront point
leurs prix. Diminution de débit : troisième préjudice.

Dans les mauvais temps, les chemins ne sont pas
praticables ; et comme il faudra toujours, dans ces
temps-là, que la troupe vive, elle n'interrompra pas ses
représentations. On ne pourra donc éviter de rendre le
spectacle abordable en tout temps. L'hiver, il faudra
faire des chemins dans la neige, peut-être les paver ; et
Dieu veuille qu'on n'y mette pas des lanternes. Voilà
des dépenses publiques ; par conséquent des contributions de la part des particuliers. Etablissement
d'impôts : quatrième préjudice.

Les femmes des Montagnons allant, d'abord pour
voir, et ensuite pour être vues, voudront être parées ;
elles voudront l'être avec distinction. La femme de

* C'est le nom qu'on donne dans le pays aux habitants de cette
montagne.

M. le Châtelain [103] ne voudra pas se montrer au
spectacle mise comme celle du maître d'école ; la
femme du maître d'école s'efforcera de se mettre
comme celle du châtelain. De là naîtra bientôt une
émulation de parure qui ruinera les maris, les gagnera
peut-être, et qui trouvera sans cesse mille nouveaux
moyens d'éluder les lois somptuaires. Introduction du
luxe : cinquième préjudice.

Tout le reste est facile à concevoir. Sans mettre en
ligne de compte les autres inconvénients, dont j'ai
parlé, ou dont je parlerai dans la suite ; sans avoir
égard à l'espèce du spectacle et à ses effets moraux ; je
m'en tiens uniquement à ce qui regarde le travail et le
gain, et je crois montrer par une conséquence évidente,
comment un peuple aisé, mais qui doit son bien-être à
son industrie, changeant la réalité contre l'apparence,
se ruine à l'instant qu'il veut briller.

Au reste, il ne faut point se récrier contre la chimère
de ma supposition ; je ne la donne que pour telle, et ne
veux que rendre sensibles du plus au moins ses suites
inévitables. Otez quelques circonstances, vous retrou-
verez ailleurs d'autres Montagnons, et *mutatis mutandis*,
l'exemple a son application [104].

Ainsi quand il serait vrai que les spectacles ne sont
pas mauvais en eux-mêmes, on aurait toujours à
chercher s'ils ne le deviendraient point à l'égard du
peuple auquel on les destine. En certains lieux, ils
seront utiles pour attirer les étrangers ; pour augmenter la circulation des espèces ; pour exciter les artistes ;
pour varier les modes ; pour occuper les gens trop
riches ou aspirant à l'être ; pour les rendre moins
malfaisants ; pour distraire le peuple de ses misères ;

pour lui faire oublier ses chefs en voyant ses baladins ;
pour maintenir et perfectionner le goût quand l'honnêteté est perdue ; pour couvrir d'un vernis de procédés
la laideur du vice ; pour empêcher, en un mot, que les
mauvaises mœurs ne dégénèrent en brigandage. En
d'autres lieux, ils ne serviraient qu'à détruire l'amour
du travail ; à décourager l'industrie ; à ruiner les
particuliers ; à leur inspirer le goût de l'oisiveté ; à leur
faire chercher les moyens de subsister sans rien faire ; à
rendre un peuple inactif et lâche ; à l'empêcher de voir
les objets publics et particuliers dont il doit s'occuper ;
à tourner la sagesse en ridicule ; à substituer un jargon
de théâtre à la pratique des vertus ; à mettre toute la
morale en métaphysique ; à travestir les citoyens en
beaux esprits, les mères de famille en petites-maî-
tresses, et les filles en amoureuses de comédie. L'effet
général sera le même sur tous les hommes ; mais les
hommes ainsi changés conviendront plus ou moins à
leurs pays. En devenant égaux, les mauvais gagneront,
les bons perdront encore davantage ; tous contracte-
ront un caractère de mollesse, un esprit d'inaction qui
ôtera aux uns de grandes vertus, et préservera les
autres de méditer de grands crimes.

De ces nouvelles réflexions il résulte une conséquence directement contraire à celle que je tirais des
premières ; savoir que, quand le peuple est corrompu,
les spectacles lui sont bons, et mauvais quand il est
bon lui-même. Il semblerait donc que ces deux effets
contraires devraient s'entredétruire, et les spectacles
rester indifférents à tous ; mais il y a cette différence
que, l'effet qui renforce le bien et le mal, étant tiré de
l'esprit des pièces, est sujet comme elles à mille

modifications qui le réduisent presque à rien : au lieu que celui qui change le bien en mal et le mal en bien, résultant de l'existence même du spectacle, est un effet constant, réel, qui revient tous les jours et doit l'emporter à la fin.

Il suit de là que, pour juger s'il est à propos ou non d'établir un théâtre en quelque ville, il faut premièrement savoir si les mœurs y sont bonnes ou mauvaises ; question sur laquelle il ne m'appartient peut-être pas de prononcer par rapport à nous. Quoi qu'il en soit, tout ce que je puis accorder là-dessus, c'est qu'il est vrai que la comédie ne nous fera plus de mal, si plus rien ne nous en peut faire.

Pour prévenir les inconvénients qui peuvent naître de l'exemple des comédiens, vous voudriez qu'on les forçât d'être honnêtes gens. Par ce moyen, dites-vous, on aurait à la fois des spectacles et des mœurs, et l'on réunirait les avantages des uns et des autres [105]. Des spectacles et des mœurs ! Voilà qui formerait vraiment un spectacle à voir, d'autant plus que ce serait la première fois. Mais quels sont les moyens que vous nous indiquez pour contenir les comédiens ? Des lois sévères et bien exécutées. C'est au moins avouer qu'ils ont besoin d'être contenus, et que les moyens n'en sont pas faciles. Des lois sévères ? La première est de n'en point souffrir. Si nous enfreignons celle-là, que deviendra la sévérité des autres ? Des lois bien exécutées ? Il s'agit de savoir si cela se peut : car la force des lois a sa mesure, celle des vices qu'elles répriment a aussi la sienne. Ce n'est qu'après avoir comparé ces deux quantités et trouvé que la première surpasse l'autre qu'on peut s'assurer de l'exécution des lois. La connaissance de ces rapports fait la véritable science du législateur : car, s'il ne s'agissait que de publier édits sur édits, règlements sur règlements, pour remédier aux abus, à mesure qu'ils naissent, on dirait, sans doute, de fort belles choses ; mais qui, pour la plupart, resteraient sans effet, et serviraient d'indications de ce qu'il faudrait faire, plutôt que de moyens pour l'exécuter. Dans le fond, l'institution des lois n'est pas une chose si merveilleuse, qu'avec du sens et de l'équité, tout homme ne pût très bien trouver de lui-même celles qui, bien observées, seraient les plus utiles à la société. Où est le plus petit écolier de droit qui ne dressera pas un code d'une morale aussi pure que celle des lois de Platon [106] ? Mais ce n'est pas de cela seul qu'il s'agit. C'est d'approprier tellement ce code au peuple pour lequel il est fait, et aux choses sur lesquelles on y statue, que son exécution s'ensuive du seul concours de ces convenances ; c'est d'imposer au peuple à l'exemple de Solon, moins les meilleures lois en elles-mêmes que les meilleures qu'il puisse comporter dans la situation donnée. Autrement, il vaut encore mieux laisser subsister les désordres, que de les prévenir, ou d'y pourvoir, par des lois qui ne seront point observées : car sans remédier au mal, c'est encore avilir les lois.

Une autre observation, non moins importante, est que les choses de mœurs et de justice universelle ne se règlent pas, comme celles de justice particulière et de droit rigoureux, par des édits et par des lois ; ou si quelquefois les lois influent sur les mœurs, c'est quand elles en tirent leur force [107]. Alors elles leur rendent cette même force par une sorte de réaction bien connue des vrais politiques. La première fonction des Ephores de Sparte, en entrant en charge, était une proclamation publique par laquelle ils enjoignaient aux citoyens, non pas d'observer les lois, mais de les aimer [108], afin que l'observation ne leur en fût point dure. Cette proclamation, qui n'était pas un vain formulaire, montre parfaitement l'esprit de l'institution de Sparte, par laquelle les lois et les mœurs, intimement unies dans les cœurs des citoyens, n'y faisaient, pour ainsi dire, qu'un même corps. Mais ne nous flattons pas de voir Sparte renaître au sein du commerce et de l'amour du gain. Si nous avions les mêmes maximes, on pourrait établir à Genève un spectacle sans aucun risque : car jamais citoyen ni bourgeois n'y mettrait le pied.

Par où le gouvernement peut-il donc avoir prise sur les mœurs ? Je réponds que c'est par l'opinion publique. Si nos habitudes naissent de nos propres sentiments dans la retraite, elles naissent de l'opinion d'autrui dans la société. Quand on ne vit pas en soi, mais dans les autres, ce sont leurs jugements qui règlent tout ; rien ne paraît bon ni désirable aux particuliers que ce que le public a jugé tel, et le seul bonheur que la plupart des hommes connaissent est d'être estimés heureux.

Quant au choix des instruments propres à diriger l'opinion publique ; c'est une autre question qu'il serait superflu de résoudre pour vous, et que ce n'est pas ici le lieu de résoudre pour la multitude. Je me contenterai de montrer par un exemple sensible que ces instruments ne sont ni des lois, ni des peines, ni nulle espèce de moyens coactifs. Cet exemple est sous vos yeux ; je le tire de votre patrie, c'est celui du tribunal des maréchaux de France, établis juges suprêmes du point d'honneur [109].

De quoi s'agissait-il dans cette institution ? De changer l'opinion publique sur les duels, sur la réparation des offenses, et sur les occasions où un brave homme est obligé, sous peine d'infamie, de tirer raison d'un affront l'épée à la main. Il s'ensuit de là :

Premièrement, que la force n'ayant aucun pouvoir sur les esprits, il fallait écarter avec le plus grand soin tout vestige de violence du tribunal établi pour opérer ce changement. Ce mot même de *tribunal* était mal imaginé : j'aimerais mieux celui de *cour d'honneur*. Ses seules armes devaient être l'honneur et l'infamie : jamais de récompense utile, jamais de punition corporelle, point de prison, point d'arrêts, point de gardes armés. Simplement un appariteur qui aurait fait ses citations en touchant l'accusé d'une baguette blanche, sans qu'il s'ensuivît aucune autre contrainte pour le faire comparaître. Il est vrai que ne pas comparaître au terme fixé par-devant les juges de l'honneur, c'était s'en confesser dépourvu, c'était se condamner soi-même. De là résultait naturellement note d'infamie, dégradation de noblesse, incapacité de servir le Roi dans ses tribunaux, dans ses armées, et autres punitions de ce genre qui tiennent immédiatement à l'opinion, ou en sont un effet nécessaire.

Il s'ensuit, en second lieu, que, pour déraciner le préjugé public, il fallait des juges d'une grande autorité sur la matière en question ; et, quant à ce point, l'instituteur entra parfaitement dans l'esprit de l'établissement : car, dans une nation toute guerrière, qui peut mieux juger des justes occasions de montrer son courage et de celles où l'honneur offensé demande satisfaction, que d'anciens militaires chargés de titres d'honneur, qui ont blanchi sous les lauriers, et prouvé cent fois au prix de leur sang qu'ils n'ignorent pas quand le devoir veut qu'on en répande ?

Il suit, en troisième lieu que, rien n'étant plus indépendant du pouvoir suprême que le jugement du public, le souverain devait se garder, sur toutes choses, de mêler ses décisions arbitraires parmi des arrêts faits pour représenter ce jugement, et, qui plus est, pour le déterminer. Il devait s'efforcer au contraire de mettre la cour d'honneur au-dessus de lui, comme soumis lui-même à ses décrets respectables. Il ne fallait donc pas commencer par condamner à mort tous les duellistes indistinctement ; ce qui était mettre d'emblée une opposition choquante entre l'honneur et la loi : car la loi même ne peut obliger personne à se déshonorer. Si tout le peuple a jugé qu'un homme est poltron, le Roi, malgré toute sa puissance, aura beau le déclarer brave, personne n'en croira rien ; et cet homme, passant alors pour un poltron qui veut être honoré par force, n'en sera que plus méprisé. Quant à ce que disent les édits, que c'est offenser Dieu de se battre, c'est un avis fort pieux sans doute ; mais la loi civile n'est point juge des péchés, et, toutes les fois que l'autorité souveraine voudra s'interposer dans les conflits de l'honneur et de la religion, elle sera compromise des deux côtés. Les mêmes édits ne raisonnent pas mieux, quand ils disent qu'au lieu de se battre, il faut s'adresser aux maré-chaux : condamner ainsi le combat sans distinction, sans réserve, c'est commencer par juger soi-même ce qu'on renvoie à leur jugement. On sait bien qu'il ne leur est pas permis d'accorder le duel, même quand l'honneur outragé n'a plus d'autres ressources ; et, selon les préjugés du monde, il y a beaucoup de semblables cas : car, quant aux satisfactions cérémonieuses, dont on a voulu payer l'offensé, ce sont de véritables jeux d'enfant.

Qu'un homme ait le droit d'accepter une réparation pour lui-même et de pardonner à son ennemi, en ménageant cette maxime avec art, on la peut substituer insensiblement au féroce préjugé qu'elle attaque ; mais il n'en est pas de même, quand l'honneur de gens auxquels le nôtre est lié se trouve attaqué. Dès lors il n'y a plus d'accommodement possible. Si mon père a reçu un soufflet, si ma sœur, ma femme, ou ma maîtresse est insultée, conserverai-je mon honneur en faisant bon marché du leur ? Il n'y a ni maréchaux, ni satisfaction qui suffisent, il faut que je les venge ou que je me déshonore ; les édits ne me laissent que le choix du supplice ou de l'infamie. Pour citer un exemple qui se rapporte à mon sujet, n'est-ce pas un concert bien entendu entre l'esprit de la scène et celui des lois, qu'on aille applaudir au théâtre ce même Cid qu'on irait voir pendre à la Grève ?

Ainsi l'on a beau faire ; ni la raison, ni la vertu, ni les lois ne vaincront l'opinion publique, tant qu'on ne trouvera pas l'art de la changer. Encore une fois, cet art ne tient point à la violence. Les moyens établis ne serviraient, s'ils étaient pratiqués, qu'à punir les braves gens et sauver les lâches ; mais heureusement ils sont trop absurdes pour pouvoir être employés, et n'ont servi qu'à faire changer de nom aux duels.

Comment fallait-il donc s'y prendre? Il fallait, ce me semble, soumettre absolument les combats particuliers à la juridiction des maréchaux, soit pour les juger, soit pour les prévenir, soit même pour les permettre. Non seulement il fallait leur laisser le droit d'accorder le champ quand ils le jugeraient à propos; mais il était important qu'ils usassent quelquefois de ce droit, ne fût-ce que pour ôter au public une idée assez difficile à détruire et qui seule annule toute leur autorité, savoir que, dans les affaires qui passent par-devant eux, ils jugent moins sur leur propre sentiment que sur la volonté du prince. Alors il n'y avait point de honte à leur demander le combat dans une occasion nécessaire; il n'y en avait pas même à s'en abstenir, quand les raisons de l'accorder n'étaient pas jugées suffisantes; mais il y en aura toujours à leur dire: Je suis offensé, faites en sorte que je sois dispensé de me battre.

Par ce moyen, tous les appels secrets seraient infailliblement tombés dans le décri, quand, l'honneur offensé pouvant se défendre et le courage se montrer au champ d'honneur, on eût très justement suspecté ceux qui se seraient cachés pour se battre, et quand ceux que la cour d'honneur eût jugé s'être mal * battus, seraient, en qualité de vils assassins, restés soumis aux tribunaux criminels. Je conviens que plusieurs duels n'étant jugés qu'après coup, et d'autres même étant solennellement autorisés, il en aurait d'abord coûté la

---

* Mal, c'est-à-dire, non seulement en lâche et avec fraude, mais injustement et sans raison suffisante; ce qui se fût naturellement présumé de toute affaire non portée au tribunal.

vie à quelques braves gens ; mais c'eût été pour la
sauver dans la suite à des infinités d'autres, au lieu
que, du sang qui se verse malgré les édits, naît une
raison d'en verser davantage.

Que serait-il arrivé dans la suite ? A mesure que la
cour d'honneur aurait acquis de l'autorité sur l'opinion du peuple, par la sagesse et le poids de ses
décisions, elle serait devenue peu à peu plus sévère,
jusqu'à ce que les occasions légitimes se réduisant tout
à fait à rien, le point d'honneur eût changé de
principes et que les duels fussent entièrement abolis.
On n'a pas eu tous ces embarras à la vérité, mais aussi
l'on a fait un établissement inutile. Si les duels
aujourd'hui sont plus rares, ce n'est pas qu'ils soient
méprisés ni punis ; c'est parce que les mœurs ont
changé* et la preuve que ce changement vient de
causes toutes différentes auxquelles le gouvernement
n'a point de part, la preuve que l'opinion publique n'a
nullement changé sur ce point, c'est qu'après tant de
soins mal entendus, tout gentilhomme qui ne tire pas
raison d'un affront, l'épée à la main, n'est pas moins
déshonoré qu'auparavant.

Une quatrième conséquence de l'objet du même

---

* Autrefois les hommes prenaient querelle au cabaret ; on les a
dégoûtés de ce plaisir grossier en leur faisant bon marché des autres.
Autrefois ils s'égorgeaient pour une maîtresse ; en vivant plus
familièrement avec les femmes, ils ont trouvé que ce n'était pas la
peine de se battre pour elles. L'ivresse et l'amour ôtés, il reste peu
d'importants sujets de dispute. Dans le monde on ne se bat plus que
pour le jeu. Les militaires ne se battent plus que pour des passe-
droits, ou pour n'être pas forcés de quitter le service. Dans ce siècle
éclairé chacun sait calculer, à un écu près, ce que valent son honneur
et sa vie.

établissement est que, nul homme ne pouvant vivre
civilement sans honneur, tous les états où l'on porte
une épée, depuis le prince jusqu'au soldat, et tous les
états même où l'on n'en porte point, doivent ressortir à
cette cour d'honneur ; les uns, pour rendre compte de
leur conduite et de leurs actions ; les autres, de leurs
discours et de leurs maximes : tous également sujets à
être honorés ou flétris selon la conformité ou l'opposition de leur vie ou de leurs sentiments aux principes de
l'honneur établis dans la nation et, réformés insensiblement par le tribunal, sur ceux de la justice et de la
raison. Borner cette compétence aux nobles et aux
militaires, c'est couper les rejetons et laisser la racine :
car si le point d'honneur fait agir la noblesse, il fait
parler le peuple ; les uns ne se battent que parce que les
autres les jugent, et pour changer les actions dont
l'estime publique est l'objet, il faut auparavant changer les jugements qu'on en porte. Je suis convaincu
qu'on ne viendra jamais à bout d'opérer ces changements sans y faire intervenir les femmes mêmes, de qui
dépend en grande partie la manière de penser des
hommes.

De ce principe il suit encore que le tribunal doit être
plus ou moins redouté dans les diverses conditions, à
proportion qu'elles ont plus ou moins d'honneur à
perdre, selon les idées vulgaires qu'il faut toujours
prendre ici pour règles. Si l'établissement est bien fait,
les grands et les princes doivent trembler au seul nom
de la cour d'honneur. Il aurait fallu qu'en l'instituant
on y eût porté tous les démêlés personnels existant
alors entre les premiers du royaume ; que le tribunal
les eût jugés définitivement autant qu'ils pouvaient

l'être par les seules lois de l'honneur ; que ces jugements eussent été sévères ; qu'il y eût eu des cessions
de pas et de rang, personnelles et indépendantes du
droit des places, des interdictions du port des armes ou
de paraître devant la face du prince, ou d'autres
punitions semblables, nulles par elles-mêmes,
grièves [110] par l'opinion, jusqu'à l'infamie inclusive-
ment qu'on aurait pu regarder comme la peine capitale décernée par la cour d'honneur ; que toutes ces
peines eussent eu par le concours de l'autorité suprême
les mêmes effets qu'a naturellement le jugement public
quand la force n'annule point ses décisions ; que le
tribunal n'eût point statué sur des bagatelles, mais
qu'il n'eût jamais rien fait à demi ; que le Roi même y
eût été cité, quand il jeta sa canne par la fenêtre, de
peur, dit-il, de frapper un gentilhomme * [111] ; qu'il eût
comparu en accusé avec sa partie ; qu'il eût été jugé
solennellement, condamné à faire réparation au gentilhomme, pour l'affront indirect qu'il lui avait fait ; et
que le tribunal lui eût en même temps décerné un prix
d'honneur, pour la modération du monarque dans la
colère. Ce prix, qui devait être un signe très simple,
mais visible, porté par le Roi durant toute sa vie, lui
eût été, ce me semble, un ornement plus honorable que
ceux de la royauté, et je ne doute pas qu'il ne fût
devenu le sujet des chants de plus d'un poète. Il est
certain que, quant à l'honneur, les rois eux-mêmes
sont soumis plus que personne au jugement du public,
et peuvent, par conséquent, sans s'abaisser, comparaî-

---

* M. de Lauzun. Voilà, selon moi, des coups de canne bien
noblement appliqués.

tre au tribunal qui le représente. Louis XIV était digne de faire de ces choses-là, et je crois qu'il les eût faites, si quelqu'un les lui eût suggérées.

Avec toutes ces précautions et d'autres semblables, il est fort douteux qu'on eût réussi : parce qu'une pareille institution est entièrement contraire à l'esprit de la monarchie ; mais il est très sûr que pour les avoir négligées, pour avoir voulu mêler la force et les lois dans des matières de préjugés et changer le point d'honneur par la violence, on a compromis l'autorité royale et rendu méprisables des lois qui passaient leur pouvoir.

Cependant en quoi consistait ce préjugé qu'il s'agissait de détruire ? Dans l'opinion la plus extravagante et la plus barbare qui jamais entra dans l'esprit humain, savoir, que tous les devoirs de la société sont suppléés par la bravoure ; qu'un homme n'est plus fourbe, fripon, calomniateur, qu'il est civil, humain, poli, quand il sait se battre ; que le mensonge se change en vérité, que le vol devient légitime, la perfidie honnête, l'infidélité louable, sitôt qu'on soutient tout cela le fer à la main ; qu'un affront est toujours bien réparé par un coup d'épée ; et qu'on n'a jamais tort avec un homme, pourvu qu'on le tue. Il y a, je l'avoue, une autre sorte d'affaire où la gentillesse se mêle à la cruauté, et où l'on ne tue les gens que par hasard ; c'est celle où l'on se bat au premier sang. Au premier sang ! Grand Dieu ! Et qu'en veux-tu faire de ce sang, bête féroce ! le veux-tu boire ? Le moyen de songer à ces horreurs sans émotion ? Tels sont les préjugés que les rois de France, armés de toute la force publique, ont vainement attaqués. L'opinion, reine du monde, n'est point soumise au pouvoir des rois; ils sont eux-mêmes ses premiers esclaves.

Je finis cette longue discussion, qui malheureusement ne sera pas la dernière; et de cet exemple, trop brillant peut-être, *si parva licet componere magnis* [112], je reviens à des applications plus simples. Un des infaillibles effets d'un théâtre établi dans une aussi petite ville que la nôtre, sera de changer nos maximes, ou, si l'on veut, nos préjugés et nos opinions publiques; ce qui changera nécessairement nos mœurs contre d'autres, meilleures ou pires, je n'en dis rien encore, mais sûrement moins convenables à notre constitution. Je demande, Monsieur, par quelles lois efficaces vous remédierez à cela? Si le gouvernement peut beaucoup sur les mœurs, c'est seulement par son institution primitive : quand une fois il les a déterminées, non seulement il n'a plus le pouvoir de les changer, à moins qu'il ne change, il a même bien de la peine à les maintenir contre les accidents inévitables qui les attaquent, et contre la pente naturelle qui les altère. Les opinions publiques, quoique si difficiles à gouverner, sont pourtant par elles-mêmes très mobiles et changeantes. Le hasard, mille causes fortuites, mille circonstances imprévues font ce que la force et la raison ne sauraient faire; ou plutôt, c'est précisément parce que le hasard les dirige que la force n'y peut rien : comme les dés qui partent de la main, quelque impulsion qu'on leur donne, n'en amènent pas plus aisément le point qu'on désire.

Tout ce que la sagesse humaine peut faire, est de prévenir les changements, d'arrêter de loin tout ce qui les amène; mais sitôt qu'on les souffre et qu'on les autorise, on est rarement maître de leurs effets, et l'on ne peut jamais se répondre de l'être. Comment donc préviendrons-nous ceux dont nous aurons volontairement introduit la cause? A l'imitation de l'établissement dont je viens de parler, nous proposerez-vous d'instituer des censeurs? Nous en avons déjà*; et si toute la force de ce tribunal suffit à peine pour nous maintenir tels que nous sommes; quand nous aurons ajouté une nouvelle inclinaison à la pente des mœurs, que fera-t-il pour arrêter ce progrès? Il est clair qu'il n'y pourra plus suffire. La première marque de son impuissance à prévenir les abus de la comédie, sera de la laisser établir. Car il est aisé de prévoir que ces deux établissements ne sauraient subsister longtemps ensemble, et que la comédie tournera les censeurs en ridicule, ou que les censeurs feront chasser les comédiens.

Mais il ne s'agit pas seulement ici de l'insuffisance des lois pour réprimer de mauvaises mœurs, en laissant subsister leur cause. On trouvera, je le prévois, que, l'esprit rempli des abus qu'engendre nécessairement le théâtre, et de l'impossibilité générale de prévenir ces abus, je ne réponds pas assez précisément à l'expédient proposé, qui est d'avoir des comédiens honnêtes gens, c'est-à-dire de les rendre tels. Au fond cette discussion particulière n'est plus fort nécessaire : tout ce que j'ai dit jusqu'ici des effets de la comédie étant indépendant des mœurs des comédiens, n'en aurait pas moins lieu, quand ils auraient bien profité des leçons que vous nous exhortez à leur donner, et

---

* Le Consistoire et la chambre de la Réforme.

qu'ils deviendraient par nos soins autant de modèles
de vertu. Cependant par égard au sentiment de ceux
de mes compatriotes qui ne voient d'autre danger dans
la comédie que le mauvais exemple des comédiens, je
veux bien rechercher encore, si, même dans leur
supposition, cet expédient est praticable avec quelque
espoir de succès, et s'il doit suffire pour les tranquilli-
ser.

En commençant par observer les faits avant de
raisonner sur les causes, je vois en général que l'état de
comédien est un état de licence et de mauvaises
mœurs ; que les hommes y sont livrés au désordre ; que
les femmes y mènent une vie scandaleuse ; que les uns
et les autres, avares et prodigues tout à la fois, toujours
accablés de dettes et toujours versant l'argent à pleines
mains, sont aussi peu retenus sur leurs dissipations,
que peu scrupuleux sur les moyens d'y pourvoir. Je
vois encore que, par tout pays, leur profession est
déshonorante, que ceux qui l'exercent, excommuniés
ou non, sont partout méprisés*, et qu'à Paris même,
où ils ont plus de considération et une meilleure
conduite que partout ailleurs, un bourgeois craindrait
de fréquenter ces mêmes comédiens qu'on voit tous les
jours à la table des grands. Une troisième observation,
non moins importante, est que ce dédain est plus fort
partout où les mœurs sont plus pures, et qu'il y a des

---

* Si les Anglais ont inhumé la célèbre Oldfield à côté de leurs rois,
ce n'était pas son métier, mais son talent qu'ils voulaient honorer.
Chez eux les grands talents ennoblissent dans les moindres états ; les
petits avilissent dans les plus illustres. Et quant à la profession des
comédiens, les mauvais et les médiocres sont méprisés à Londres,
autant ou plus que partout ailleurs.

pays d'innocence et de simplicité où le métier de
comédien est presque en horreur. Voilà des faits
incontestables. Vous me direz qu'il n'en résulte que
des préjugés. J'en conviens : mais ces préjugés étant
universels, il faut leur chercher une cause universelle,
et je ne vois pas qu'on la puisse trouver ailleurs que
dans la profession même à laquelle ils se rapportent. A
cela vous répondez que les comédiens ne se rendent
méprisables que parce qu'on les méprise ; mais pourquoi les eût-on méprisés s'ils n'eussent été méprisables ? Pourquoi penserait-on plus mal de leur état que
des autres, s'il n'avait rien qui l'en distinguât ? Voilà
ce qu'il faudrait examiner, peut-être, avant de les
justifier aux dépens du public.

Je pourrais imputer ces préjugés aux déclamations
des prêtres, si je ne les trouvais établis chez les
Romains avant la naissance du christianisme, et, non
seulement courant vaguement dans l'esprit du peuple,
mais autorisés par des lois expresses qui déclaraient les
acteurs infâmes, leur ôtaient le titre et les droits de
citoyens romains, et mettaient les actrices au rang des
prostituées. Ici toute autre raison manque, hors celle
qui se tire de la nature de la chose. Les prêtres païens
et les dévots, plus favorables que contraires à des
spectacles qui faisaient partie des jeux consacrés à la
religion *, n'avaient aucun intérêt à les décrier, et ne
les décriaient pas en effet. Cependant, on pouvait dès
lors se récrier, comme vous faites, sur l'inconséquence

---

* Tite-Live dit que les jeux scéniques furent introduits à Rome
l'an 390, à l'occasion d'une peste qu'il s'agissait d'y faire cesser.
Aujourd'hui l'on fermerait les théâtres pour le même sujet et
sûrement cela serait plus raisonnable.

de déshonorer des gens qu'on protège, qu'on paie,
qu'on pensionne ; ce qui, à vrai dire, ne me paraît pas
si étrange qu'à vous : car il est à propos quelquefois
que l'Etat encourage et protège des professions déshonorantes, mais utiles, sans que ceux qui les exercent en
doivent être plus considérés pour cela.

J'ai lu quelque part que ces flétrissures étaient
moins imposées à de vrais comédiens qu'à des histrions et farceurs qui souillaient leurs jeux d'indécence
et d'obscénités ; mais cette distinction est insoutenable : car les mots de comédien et d'histrion étaient
parfaitement synonymes, et n'avaient d'autre différence, sinon que l'un était grec et l'autre étrusque.
Cicéron, dans le livre *De l'orateur,* appelle histrions les
deux plus grands acteurs qu'ait jamais eus Rome,
Esope et Roscius ; dans son plaidoyer pour ce dernier,
il plaint un si honnête homme d'exercer un métier si
peu honnête [113]. Loin de distinguer entre les comédiens, histrions et farceurs, ni entre les acteurs des
tragédies et ceux des comédies, la loi couvre indistinctement du même opprobre tous ceux qui montent sur
le théâtre. *Quisquis in scenam prodierit, ait prætor, infamis
est* [114]. Il est vrai, seulement, que cet opprobre tombait
moins sur la représentation même, que sur l'état où
l'on en faisait métier : puisque la jeunesse de Rome
représentait publiquement, à la fin des grandes pièces,
les attellanes ou exodes, sans déshonneur [115]. A cela
près, on voit dans mille endroits que tous les comédiens indifféremment étaient esclaves, et traités
comme tels, quand le public n'était pas content d'eux.

Je ne sache qu'un seul peuple qui n'ait pas eu là-
dessus les maximes de tous les autres, ce sont les

Grecs. Il est certain que, chez eux, la profession du
théâtre était si peu déshonnête que la Grèce fournit des
exemples d'acteurs chargés de certaines fonctions
publiques, soit dans l'Etat, soit en ambassades[116].
Mais on pourrait trouver aisément les raisons de cette
exception. 1°. La tragédie ayant été inventée chez les
Grecs, aussi bien que la comédie, ils ne pouvaient jeter
d'avance une impression de mépris sur un état dont on
ne connaissait pas encore les effets; et, quand on
commença de les connaître, l'opinion publique avait
déjà pris son pli. 2°. Comme la tragédie avait quelque
chose de sacré dans son origine, d'abord ses acteurs
furent plutôt regardés comme des prêtres que comme
des baladins. 3°. Tous les sujets des pièces n'étant tirés
que des antiquités nationales dont les Grecs étaient
idolâtres, ils voyaient dans ces mêmes acteurs moins
des gens qui jouaient des fables, que des citoyens
instruits qui représentaient aux yeux de leurs compatriotes l'histoire de leur pays. 4°. Ce peuple, enthousiaste de sa liberté jusqu'à croire que les Grecs étaient
les seuls hommes libres par nature, se rappelait avec
un vif sentiment de plaisir ses anciens malheurs et les
crimes de ses maîtres. Ces grands tableaux l'instrui-
saient sans cesse, et il ne pouvait se défendre d'un peu
de respect pour les organes de cette instruction. 5°. La
tragédie n'étant d'abord jouée que par des hommes, on
ne voyait point, sur leur théâtre, ce mélange scandaleux d'hommes et de femmes qui fait des nôtres autant
d'écoles de mauvaises mœurs. 6°. Enfin leurs spectacles n'avaient rien de la mesquinerie de ceux d'aujour-
d'hui. Leurs théâtres n'étaient point élevés par l'intérêt et par l'avarice; ils n'étaient point renfermés dans

d'obscures prisons ; leurs acteurs n'avaient pas besoin de mettre à contribution les spectateurs, ni de compter du coin de l'œil les gens qu'ils voyaient passer la porte, pour être sûrs de leur souper.

Ces grands et superbes spectacles donnés sous le ciel, à la face de toute une nation, n'offraient de toutes parts que des combats, des victoires, des prix, des objets capables d'inspirer aux Grecs une ardente émulation, et d'échauffer leurs cœurs de sentiments d'honneur et de gloire. C'est au milieu de cet imposant appareil, si propre à élever et remuer l'âme, que les acteurs, animés du même zèle, partageaient, selon leurs talents, les honneurs rendus aux vainqueurs des Jeux, souvent aux premiers hommes de la nation. Je ne suis pas surpris que, loin de les avilir, leur métier, exercé de cette manière, leur donnât cette fierté de courage et ce noble désintéressement qui semblait quelquefois élever l'acteur à son personnage. Avec tout cela, jamais la Grèce, excepté Sparte, ne fut citée en exemple de bonnes mœurs ; et Sparte, qui ne souffrait point de théâtre [117], n'avait garde d'honorer ceux qui s'y montrent.

Revenons aux Romains qui, loin de suivre à cet égard l'exemple des Grecs, en donnèrent un tout contraire. Quand leurs lois déclaraient les comédiens infâmes, était-ce dans le dessein d'en déshonorer la profession ? Quelle eût été l'utilité d'une disposition si cruelle ? Elles ne la déshonoraient point, elles rendaient seulement authentique le déshonneur qui en est inséparable : car jamais les bonnes lois ne changent la nature des choses, elles ne font que la suivre, et celles-là seules sont observées. Il ne s'agit donc pas de crier

d'abord contre les préjugés ; mais de savoir premièrement si ce ne sont que des préjugés ; si la profession de
comédien n'est point, en effet, déshonorante en elle-
même : car, si par malheur elle l'est, nous aurons beau
statuer qu'elle ne l'est pas, au lieu de la réhabiliter,
nous ne ferons que nous avilir nous-mêmes.

Qu'est-ce que le talent du comédien ? L'art de se
contrefaire, de revêtir un autre caractère que le sien, de
paraître différent de ce qu'on est, de se passionner de
sang-froid, de dire autre chose que ce qu'on pense
aussi naturellement que si l'on le pensait réellement, et
d'oublier enfin sa propre place à force de prendre celle
d'autrui. Qu'est-ce que la profession du comédien ? Un
métier par lequel il se donne en représentation pour de
l'argent, se soumet à l'ignominie et aux affronts qu'on
achète le droit de lui faire, et met publiquement sa
personne en vente [118]. J'adjure tout homme sincère de
dire s'il ne sent pas au fond de son âme qu'il y a dans
ce trafic de soi-même quelque chose de servile et de
bas. Vous autres philosophes, qui vous prétendez si
fort au-dessus des préjugés, ne mourriez-vous pas tous
de honte si, lâchement travestis en rois, il vous fallait
aller faire aux yeux du public un rôle différent du
vôtre, et exposer vos majestés aux huées de la populace ? Quel est donc, au fond, l'esprit que le comédien
reçoit de son état ? Un mélange de bassesse, de
fausseté, de ridicule orgueil, et d'indigne avilissement,
qui le rend propre à toutes sortes de personnages, hors
le plus noble de tous, celui d'homme qu'il abandonne.

Je sais que le jeu du comédien n'est pas celui d'un
fourbe qui veut en imposer, qu'il ne prétend pas qu'on
le prenne en effet pour la personne qu'il représente, ni

qu'on le croie affecté des passions qu'il imite, et qu'en donnant cette imitation pour ce qu'elle est, il la rend tout à fait innocente. Aussi ne l'accusé-je pas d'être précisément un trompeur, mais de cultiver pour tout métier le talent de tromper les hommes, et de s'exercer à des habitudes qui, ne pouvant être innocentes qu'au théâtre, ne servent partout ailleurs qu'à mal faire. Ces hommes si bien parés, si bien exercés au ton de la galanterie et aux accents de la passion, n'abuseront-ils jamais de cet art pour séduire de jeunes personnes ? Ces valets filous, si subtils de la langue et de la main sur la scène, dans les besoins d'un métier plus dispendieux que lucratif, n'auront-ils jamais de distractions utiles ? Ne prendront-ils jamais la bourse d'un fils prodigue ou d'un père avare pour celle de Léandre ou d'Argan [119] ? Partout la tentation de mal faire augmente avec la facilité ; et il faut que les comédiens soient plus vertueux que les autres hommes, s'ils ne sont pas plus corrompus.

L'orateur, le prédicateur, pourra-t-on me dire encore, paient de leur personne ainsi que le comédien. La différence est très grande. Quand l'orateur se montre, c'est pour parler et non pour se donner en spectacle : il ne représente que lui-même, il ne fait que son propre rôle, ne parle qu'en son propre nom, ne dit ou ne doit dire que ce qu'il pense ; l'homme et le personnage étant le même être, il est à sa place ; il est dans le cas de tout autre citoyen qui remplit les fonctions de son état. Mais un comédien sur la scène, étalant d'autres sentiments que les siens, ne disant que ce qu'on lui fait dire, représentant souvent un être chimérique, s'anéantit, pour ainsi dire, s'annule avec son héros; et dans cet oubli de l'homme, s'il en reste quelque chose, c'est pour être le jouet des spectateurs. Que dirai-je de ceux qui semblent avoir peur de valoir trop par eux-mêmes, et se dégradent jusqu'à représenter des personnages auxquels ils seraient bien fâchés de ressembler? C'est un grand mal, sans doute, de voir tant de scélérats dans le monde faire des rôles d'honnêtes gens; mais y a-t-il rien de plus odieux, de plus choquant, de plus lâche, qu'un honnête homme à la comédie faisant le rôle d'un scélérat, et déployant tout son talent pour faire valoir de criminelles maximes, dont lui-même est pénétré d'horreur?

Si l'on ne voit en tout ceci qu'une profession peu honnête, on doit voir encore une source de mauvaises mœurs dans le désordre des actrices, qui force et entraîne celui des acteurs. Mais pourquoi ce désordre est-il inévitable? Ah, pourquoi! Dans tout autre temps on n'aurait pas besoin de le demander; mais dans ce siècle où règnent si fièrement les préjugés et l'erreur sous le nom de philosophie, les hommes, abrutis par leur vain savoir, ont fermé leur esprit à la voix de la raison, et leur cœur à celle de la Nature.

Dans tout Etat, dans tout pays, dans toute condition, les deux sexes ont entre eux une liaison si forte et si naturelle que les mœurs de l'un décident toujours de celles de l'autre. Non que ces mœurs soient toujours les mêmes, mais elles ont toujours le même degré de bonté, modifié dans chaque sexe par les penchants qui lui sont propres. Les Anglaises sont douces et timides. Les Anglais sont durs et féroces[120]. D'où vient cette apparente opposition? De ce que le caractère de chaque sexe est ainsi renforcé, et que c'est aussi le

caractère national de porter tout à l'extrême. A cela
près, tout est semblable. Les deux sexes aiment à vivre
à part ; tous deux font cas des plaisirs de la table ; tous
deux se rassemblent pour boire après le repas, les
hommes du vin, les femmes du thé ; tous deux se
livrent au jeu sans fureur et s'en font un métier plutôt
qu'une passion ; tous deux ont un grand respect pour
les choses honnêtes ; tous deux aiment la patrie et les
lois ; tous deux honorent la foi conjugale, et, s'ils la
violent, ils ne se font point un honneur de la violer ; la
paix domestique plaît à tous deux ; tous deux sont
silencieux et taciturnes ; tous deux difficiles à émouvoir ; tous deux emportés dans leurs passions ; pour
tous deux l'amour est terrible et tragique, il décide du
sort de leurs jours, il ne s'agit pas de moins, dit
Muralt, que d'y laisser la raison ou la vie ; enfin tous
deux se plaisent à la campagne, et les dames anglaises
errent aussi volontiers dans leurs parcs solitaires,
qu'elles vont se montrer à Vauxhall. De ce goût
commun pour la solitude, naît aussi celui des lectures
contemplatives et des romans dont l'Angleterre est
inondée * [121]. Ainsi tous deux, plus recueillis avec eux-
mêmes, se livrent moins à des imitations frivoles,
prennent mieux le goût des vrais plaisirs de la vie, et
songent moins à paraître heureux qu'à l'être.

J'ai cité les Anglais par préférence, parce qu'ils sont,
de toutes les nations du monde, celle où les mœurs des
deux sexes paraissent d'abord le plus contraires. De

---

* Ils y sont, comme les hommes, sublimes ou détestables. On n'a
jamais fait encore, en quelque langue que ce soit, de roman égal à
Clarisse, ni même approchant.

leur rapport dans ce pays-là nous pouvons conclure pour les autres. Toute la différence consiste en ce que la vie des femmes est un développement continuel de leurs mœurs, au lieu que celles des hommes s'effaçant davantage dans l'uniformité des affaires, il faut attendre pour en juger, de les voir dans les plaisirs. Voulez-vous donc connaître les hommes ? Etudiez les femmes. Cette maxime est générale, et jusque-là tout le monde sera d'accord avec moi. Mais si j'ajoute qu'il n'y a point de bonnes mœurs pour les femmes hors d'une vie retirée et domestique ; si je dis que les paisibles soins de la famille et du ménage sont leur partage, que la dignité de leur sexe est dans sa modestie, que la honte et la pudeur sont en elles inséparables de l'honnêteté, que rechercher les regards des hommes c'est déjà s'en laisser corrompre, et que toute femme qui se montre se déshonore : à l'instant va s'élever contre moi cette philosophie d'un jour qui naît et meurt dans le coin d'une grande ville, et veut étouffer de là le cri de la Nature et la voix unanime du genre humain.

Préjugés populaires ! me crie-t-on. Petites erreurs de l'enfance ! Tromperie des lois et de l'éducation ! La pudeur n'est rien. Elle n'est qu'une invention des lois sociales pour mettre à couvert les droits des pères et des époux, et maintenir quelque ordre dans les familles. Pourquoi rougirions-nous des besoins que nous donna la Nature ? Pourquoi trouverions-nous un motif de honte dans un acte aussi indifférent en soi et aussi utile dans ses effets que celui qui concourt à perpétuer l'espèce ? Pourquoi, les désirs étant égaux des deux parts, les démonstrations en seraient-elles différentes ? Pourquoi l'un des sexes se refuserait-il

plus que l'autre aux penchants qui leur sont communs? Pourquoi l'homme aurait-il sur ce point d'autres lois que les animaux?

Tes pourquoi, dit le dieu, ne finiraient jamais [122].

Mais ce n'est pas à l'homme, c'est à son auteur qu'il
les faut adresser. N'est-il pas plaisant qu'il faille dire
pourquoi j'ai honte d'un sentiment naturel, si cette
honte ne m'est pas moins naturelle que ce sentiment
même? Autant vaudrait me demander aussi pourquoi
j'ai ce sentiment. Est-ce à moi de rendre compte de ce
qu'a fait la Nature? Par cette manière de raisonner,
ceux qui ne voient pas pourquoi l'homme est existant
devraient nier qu'il existe.

J'ai peur que ces grands scrutateurs des conseils de
Dieu n'aient un peu légèrement pesé ses raisons. Moi
qui ne me pique pas de les connaître, j'en crois voir qui
leur ont échappé. Quoi qu'ils en disent, la honte qui
voile aux yeux d'autrui les plaisirs de l'amour, est
quelque chose. Elle est la sauvegarde commune que la
Nature a donnée aux deux sexes, dans un état de
faiblesse et d'oubli d'eux-mêmes qui les livre à la merci
du premier venu; c'est ainsi qu'elle couvre leur
sommeil des ombres de la nuit, afin que durant ce
temps de ténèbres ils soient moins exposés aux attaques les uns des autres; c'est ainsi qu'elle fait chercher
à tout animal souffrant la retraite et les lieux déserts,
afin qu'il souffre et meure en paix, hors des atteintes
qu'il ne peut plus repousser.

A l'égard de la pudeur du sexe en particulier, quelle
arme plus douce eût pu donner cette même Nature à

celui qu'elle destinait à se défendre ? Les désirs sont
égaux ! Qu'est-ce à dire ? Y a-t-il de part et d'autre
mêmes facultés de les satisfaire ? Que deviendrait
l'espèce humaine, si l'ordre de l'attaque et de la
défense était changé ? L'assaillant choisirait au hasard
des temps où la victoire serait impossible ; l'assailli
serait laissé en paix, quand il aurait besoin de se
rendre, et poursuivi sans relâche, quand il serait trop
faible pour succomber ; enfin le pouvoir et la volonté
toujours en discorde ne laissant jamais partager les
désirs, l'amour ne serait plus le soutien de la Nature, il
en serait le destructeur et le fléau.

Si les deux sexes avaient également fait et reçu les
avances, la vaine importunité n'eût point été sauvée ;
des feux toujours languissant [123] dans une ennuyeuse
liberté ne se fussent jamais irrités, le plus doux de tous
les sentiments eût à peine effleuré le cœur humain, et
son objet eût été mal rempli. L'obstacle apparent qui
semble éloigner cet objet, est au fond ce qui le
rapproche. Les désirs voilés par la honte n'en deviennent que plus séduisants ; en les gênant la pudeur les
enflamme : ses craintes, ses détours, ses réserves, ses
timides aveux, sa tendre et naïve finesse, disent mieux
ce qu'elle croit taire que la passion ne l'eût dit sans
elle : c'est elle qui donne du prix aux faveurs et de la
douceur aux refus [124]. Le véritable amour possède en
effet ce que la seule pudeur lui dispute ; ce mélange de
faiblesse et de modestie le rend plus touchant et plus
tendre ; moins il obtient, plus la valeur de ce qu'il
obtient en augmente, et c'est ainsi qu'il jouit à la fois
de ses privations et de ses plaisirs.

Pourquoi, disent-ils, ce qui n'est pas honteux à

l'homme, le serait-il à la femme ? Pourquoi l'un des sexes se ferait-il un crime de ce que l'autre se croit permis ? Comme si les conséquences étaient les mêmes des deux côtés ! Comme si tous les austères devoirs de la femme ne dérivaient pas de cela seul qu'un enfant doit avoir un père. Quand ces importantes considérations nous manqueraient, nous aurions toujours la même réponse à faire, et toujours elle serait sans réplique. Ainsi l'a voulu la Nature, c'est un crime d'étouffer sa voix. L'homme peut être audacieux, telle est sa destination *, il faut bien que quelqu'un se

---

* Distinguons cette audace de l'insolence et de la brutalité ; car rien ne part de sentiments plus opposés, et n'a d'effets plus contraires. Je suppose l'amour innocent et libre, ne recevant de Lois que de lui-même ; c'est à lui seul qu'il appartient de présider à ses mystères, et de former l'union des personnes, ainsi que celle des cœurs. Qu'un homme insulte à la pudeur du sexe, et attente avec violence aux charmes d'un jeune objet qui ne sent rien pour lui ; sa grossièreté n'est point passionnée, elle est outrageante ; elle annonce une âme sans mœurs, sans délicatesse, incapable à la fois d'amour et d'honnêteté. Le plus grand prix des plaisirs est dans le cœur qui les donne : un véritable amant ne trouverait que douleur, rage et désespoir dans la possession même de ce qu'il aime, s'il croyait n'en point être aimé.

Vouloir contenter insolemment ses désirs sans l'aveu de celle qui les fait naître, est l'audace d'un satyre ; celle d'un homme est de savoir les témoigner sans déplaire, de les rendre intéressants, de faire en sorte qu'on les partage, d'asservir les sentiments avant d'attaquer la personne. Ce n'est pas encore assez d'être aimé, les désirs partagés ne donnent pas seuls le droit de les satisfaire ; il faut de plus le consentement de la volonté. Le cœur accorde en vain ce que la volonté refuse. L'honnête homme et l'amant s'en abstient, même quand il pourrait l'obtenir. Arracher ce consentement tacite, c'est user de toute la violence permise en amour. Le lire dans les yeux, le voir dans les manières malgré le refus de la bouche, c'est l'art de celui qui sait aimer ; s'il achève alors d'être heureux ; il n'est point brutal, il est honnête ; il n'outrage point la pudeur, il la respecte, il la sert ; il lui laisse l'honneur de défendre encore ce qu'elle eût peut-être abandonné.

déclare. Mais toute femme sans pudeur est coupable, est dépravée; parce qu'elle foule aux pieds un sentiment naturel à son sexe.

Comment peut-on disputer la vérité de ce sentiment? Toute la terre n'en rendît-elle pas l'éclatant témoignage, la seule comparaison des sexes suffirait pour la constater. N'est-ce pas la Nature qui pare les jeunes personnes de ces traits si doux qu'un peu de honte rend plus touchants encore? N'est-ce pas elle qui met dans leurs yeux ce regard timide et tendre auquel on résiste avec tant de peine? N'est-ce pas elle qui donne à leur teint plus d'éclat, et à leur peau plus de finesse, afin qu'une modeste rougeur s'y laisse mieux apercevoir? N'est-ce pas elle qui les rend craintives afin qu'elles fuient, et faibles afin qu'elles cèdent? A quoi bon leur donner un cœur plus sensible à la pitié, moins de vitesse à la course, un corps moins robuste, une stature moins haute, des muscles plus délicats, si elle ne les eût destinées à se laisser vaincre? Assujetties aux incommodités de la grossesse, et aux douleurs de l'enfantement, ce surcroît de travail exigeait-il une diminution de forces? Mais pour les réduire à cet état pénible, il les fallait assez fortes pour ne succomber qu'à leur volonté, et assez faibles pour avoir toujours un prétexte de se rendre. Voilà précisément le point où les a placées la Nature.

Passons du raisonnement à l'expérience. Si la pudeur était un préjugé de la société et de l'éducation, ce sentiment devrait augmenter dans les lieux où l'éducation est plus soignée, et où l'on raffine incessamment sur les lois sociales; il devrait être plus faible

partout où l'on est resté plus près de l'état primitif.
C'est tout le contraire * [125]. Dans nos montagnes les
femmes sont timides et modestes, un mot les fait
rougir, elles n'osent lever les yeux sur les hommes, et
gardent le silence devant eux. Dans les grandes villes
la pudeur est ignoble et basse ; c'est la seule chose dont
une femme bien élevée aurait honte ; et l'honneur
d'avoir fait rougir un honnête homme n'appartient
qu'aux femmes du meilleur air.

L'argument tiré de l'exemple des bêtes ne conclut
point, et n'est pas vrai. L'homme n'est point un chien
ni un loup. Il ne faut qu'établir dans son espèce les
premiers rapports de la société pour donner à ses
sentiments une moralité toujours inconnue aux bêtes.
Les animaux ont un cœur et des passions ; mais la
feinte image de l'honnête et du beau n'entra jamais
que dans le cœur de l'homme.

Malgré cela, où a-t-on pris que l'instinct ne produit
jamais dans les animaux des effets semblables à ceux
que la honte produit parmi les hommes ? Je vois tous
les jours des preuves du contraire. J'en vois se cacher
dans certains besoins, pour dérober aux sens un objet
de dégoût ; je les vois ensuite, au lieu de fuir, s'empres-
ser d'en couvrir les vestiges. Que manque-t-il à ces
soins pour avoir un air de décence et d'honnêteté,
sinon d'être pris par des hommes ? Dans leurs amours,
je vois des caprices, des choix, des refus concertés, qui

----

* Je m'attends à l'objection : Les femmes sauvages n'ont point de
pudeur car elles vont nues. Je réponds que les nôtres en ont encore
moins : car elles s'habillent. Voyez la fin de cet essai, au sujet des
filles de Lacédémone.

tiennent de bien près à la maxime d'irriter la passion
par des obstacles. A l'instant même où j'écris ceci, j'ai
sous les yeux un exemple qui le confirme. Deux jeunes
pigeons, dans l'heureux temps de leurs premières
amours, m'offrent un tableau bien différent de la sotte
brutalité que leur prêtent nos prétendus sages. La
blanche colombe va suivant pas à pas son bien-aimé,
et prend chasse elle-même aussitôt qu'il se retourne.
Reste-t-il dans l'inaction ? De légers coups de bec le
réveillent ; s'il se retire, on le poursuit ; s'il se défend,
un petit vol de six pas l'attire encore ; l'innocence de la
Nature ménage les agaceries et la molle résistance,
avec un art qu'aurait à peine la plus habile coquette.
Non, la folâtre Galatée ne faisait pas mieux, et Virgile
eût pu tirer d'un colombier l'une de ses plus charmantes images.

Quand on pourrait nier qu'un sentiment particulier
de pudeur fût naturel aux femmes, en serait-il moins
vrai que, dans la société, leur partage doit être une vie
domestique et retirée, et qu'on doit les élever dans des
principes qui s'y rapportent ? Si la timidité, la pudeur,
la modestie qui leur sont propres sont des inventions
sociales, il importe à la société que les femmes
acquièrent ces qualités ; il importe de les cultiver en
elles, et toute femme qui les dédaigne offense les
bonnes mœurs. Y a-t-il au monde un spectacle aussi
touchant, aussi respectable que celui d'une mère de
famille entourée de ses enfants, réglant les travaux de
ses domestiques, procurant à son mari une vie heureuse, et gouvernant sagement la maison ? C'est là
qu'elle se montre dans toute la dignité d'une honnête
femme ; c'est là qu'elle impose vraiment du respect, et

que la beauté partage avec honneur les hommages rendus à la vertu. Une maison dont la maîtresse est absente est un corps sans âme qui bientôt tombe en corruption ; une femme hors de sa maison perd son plus grand lustre, et dépouillée de ses vrais ornements, elle se montre avec indécence. Si elle a un mari, que cherche-t-elle parmi les hommes ? Si elle n'en a pas, comment s'expose-t-elle à rebuter, par un maintien peu modeste, celui qui serait tenté de le devenir ? Quoi qu'elle puisse faire, on sent qu'elle n'est pas à sa place en public, et sa beauté même, qui plaît sans intéresser, n'est qu'un tort de plus que le cœur lui reproche. Que cette impression nous vienne de la Nature ou de l'éducation, elle est commune à tous les peuples du monde ; partout on considère les femmes à proportion de leur modestie ; partout on est convaincu qu'en négligeant les manières de leur sexe, elles en négligent les devoirs ; partout on voit qu'alors tournant en effronterie la mâle et ferme assurance de l'homme, elles s'avilissent par cette odieuse imitation, et déshonorent à la fois leur sexe et le nôtre.

Je sais qu'il règne en quelques pays des coutumes contraires ; mais voyez aussi quelles mœurs elles ont fait naître [126] ! Je ne voudrais pas d'autre exemple pour confirmer mes maximes. Appliquons aux mœurs des femmes ce que j'ai dit ci-devant de l'honneur qu'on leur porte. Chez tous les anciens peuples policés elles vivaient très renfermées ; elles se montraient rarement en public ; jamais avec des hommes, elles ne se promenaient point avec eux ; elles n'avaient point la meilleure place au spectacle, elles ne s'y mettaient point en montre *[127] ; il ne leur était pas même permis d'assister à tous, et l'on sait qu'il y avait peine de mort contre celles qui s'oseraient montrer aux Jeux Olympiques.

Dans la maison, elles avaient un appartement particulier où les hommes n'entraient point. Quand leurs maris donnaient à manger, elles se présentaient rarement à table ; les honnêtes femmes en sortaient avant la fin du repas, et les autres n'y paraissaient point au commencement. Il n'y avait aucune assemblée commune pour les deux sexes ; ils ne passaient point la journée ensemble. Ce soin de ne pas se rassasier les uns des autres faisait qu'on s'en revoyait avec plus de plaisir : il est sûr qu'en général la paix domestique était mieux affermie, et qu'il régnait plus d'union entre les époux **[128] qu'il n'en règne aujourd'hui.

Tels étaient les usages des Perses, des Grecs, des Romains, et même des Egyptiens, malgré les mauvaises plaisanteries d'Hérodote qui se réfutent d'elles-mêmes[129]. Si quelquefois les femmes sortaient des bornes de cette modestie, le cri public montrait que c'était une exception. Que n'a-t-on pas dit de la liberté du sexe à Sparte ? On peut comprendre aussi par la *Lysistrata* d'Aristophane, combien l'impudence des Athéniennes était choquante aux yeux des Grecs[130] ; et

* Au théâtre d'Athènes, les femmes occupaient une galerie haute appelée *Cercis,* peu commode pour voir et pour être vues ; mais il paraît par l'aventure de Valérie et de Sylla qu'au Cirque de Rome, elles étaient mêlées avec les hommes.
** On en pourrait attribuer la cause à la facilité du divorce ; mais les Grecs en faisaient peu d'usage, et Rome subsista cinq cents ans avant que personne s'y prévalût de la loi qui le permettait.

dans Rome déjà corrompue, avec quel scandale ne vit-
on point encore les dames romaines se présenter au
tribunal des triumvirs [131] ?

Tout est changé. Depuis que des foules de barbares,
traînant avec eux leurs femmes dans leurs armées,
eurent inondé l'Europe ; la licence des camps, jointe à
la froideur naturelle des climats septentrionaux, qui
rend la réserve moins nécessaire, introduisit une autre
manière de vivre que favorisèrent les livres de chevalerie, où les belles dames passaient leur vie à se faire
enlever par des hommes, en tout bien et en tout
honneur [132]. Comme ces livres étaient les écoles de
galanterie du temps, les idées de liberté qu'ils inspirent
s'introduisirent, surtout dans les Cours et les grandes
villes, où l'on se pique davantage de politesse ; par le
progrès même de cette politesse, elle dut enfin dégénérer en grossièreté. C'est ainsi que la modestie naturelle
au sexe est peu à peu disparue, et que les mœurs des
vivandières se sont transmises aux femmes de qualité.

Mais voulez-vous savoir combien ces usages,
contraires aux idées naturelles, sont choquants pour
qui n'en a pas l'habitude ? Jugez-en par la surprise et
l'embarras des étrangers et provinciaux à l'aspect de
ces manières si nouvelles pour eux. Cet embarras fait
l'éloge des femmes de leur pays, et il est à croire que
celles qui le causent en seraient moins fières, si la
source leur en était mieux connue. Ce n'est point
quelles en imposent, c'est plutôt qu'elles font rougir, et
que la pudeur chassée par la femme de ses discours et
de son maintien, se réfugie dans le cœur de l'homme.

Revenant maintenant à nos comédiennes, je
demande comment un état dont l'unique objet est de

se montrer au public, et qui pis est, de se montrer pour de l'argent, conviendrait à d'honnêtes femmes, et pourrait compatir en elles avec la modestie et les bonnes mœurs ? A-t-on besoin même de disputer sur les différences morales des sexes, pour sentir combien il est difficile que celle qui se met à prix en représentation ne s'y mette bientôt en personne, et ne se laisse jamais tenter de satisfaire des désirs qu'elle prend tant de soin d'exciter ? Quoi ! malgré mille timides précautions, une femme honnête et sage, exposée au moindre danger, a bien de la peine encore à se conserver un cœur à l'épreuve ; et ces jeunes personnes audacieuses, sans autre éducation qu'un système de coquetterie et des rôles amoureux, dans une parure très peu modeste *[133], sans cesse entourées d'une jeunesse ardente et téméraire, au milieu des douces voix de l'amour et du plaisir, résisteront, à leur âge, à leur cœur, aux objets qui les environnent, aux discours qu'on leur tient, aux occasions toujours renaissantes, et à l'or auquel elles sont d'avance à demi vendues ! Il faudrait nous croire une simplicité d'enfant pour vouloir nous en imposer à ce point. Le vice a beau se cacher dans l'obscurité, son empreinte est sur les fronts coupables : l'audace d'une femme est le signe assuré de sa honte : c'est pour avoir trop à rougir qu'elle ne rougit plus ; et si quelquefois la pudeur survit à la chasteté, que doit-on penser de la chasteté, quand la pudeur même est éteinte [134] ?

Supposons, si l'on veut, qu'il y ait eu quelques exceptions ; supposons

---

* Que sera-ce en leur supposant la beauté qu'on a raison d'exiger d'elles ? Voyez les *Entretiens* sur le *Fils naturel*, p. 183

Qu'il en soit jusqu'à trois que l'on pourrait nommer [135].

Je veux bien croire là-dessus ce que je n'ai jamais ni vu ni ouï dire. Appellerons-nous un métier honnête celui qui fait d'une honnête femme un prodige, et qui nous porte à mépriser celles qui l'exercent, à moins de compter sur un miracle continuel? L'immodestie tient si bien à leur état, et elles le sentent si bien elles-mêmes, qu'il n'y en a pas une qui ne se crût ridicule de feindre au moins de prendre pour elle les discours de sagesse et d'honneur qu'elle débite au public. De peur que ces maximes sévères ne fissent un progrès nuisible à son intérêt, l'actrice est toujours la première à parodier son rôle et à détruire son propre ouvrage. Elle quitte, en atteignant la coulisse, la morale du théâtre aussi bien que sa dignité, et si l'on prend des leçons de vertu sur la scène, on les va bien vite oublier dans les foyers [136].

Après ce que j'ai dit ci-devant, je n'ai pas besoin, je crois, d'expliquer encore comment le désordre des actrices entraîne celui des acteurs; surtout dans un métier qui les force à vivre entre eux dans la plus grande familiarité. Je n'ai pas besoin de montrer comment d'un état déshonorant naissent des sentiments déshonnêtes, ni comment les vices divisent ceux que l'intérêt commun devrait réunir. Je ne m'étendrai pas sur mille sujets de discorde et de querelles, que la distribution des rôles, le partage de la recette, le choix des pièces, la jalousie des applaudissements doivent exciter sans cesse, principalement entre les actrices, sans parler des intrigues de galanterie. Il est plus inutile encore que j'expose les effets que l'association du luxe et de la misère, inévitable entre ces gens-là, doit naturellement produire. J'en ai déjà trop dit pour vous et pour les hommes raisonnables ; je n'en dirais jamais assez pour les gens prévenus qui ne veulent pas voir ce que la raison leur montre, mais seulement ce qui convient à leurs passions ou à leurs préjugés.

Si tout cela tient à la profession du comédien, que ferons-nous, Monsieur, pour prévenir des effets inévitables ? Pour moi, je ne vois qu'un seul moyen ; c'est d'ôter la cause. Quand les maux de l'homme lui viennent de sa nature ou d'une manière de vivre qu'il ne peut changer, les médecins les préviennent-ils ? Défendre au comédien d'être vicieux, c'est défendre à l'homme d'être malade.

S'ensuit-il de là qu'il faille mépriser tous les comédiens ? Il s'ensuit, au contraire, qu'un comédien qui a de la modestie, des mœurs, de l'honnêteté est, comme vous l'avez très bien dit, doublement estimable : puisqu'il montre par là que l'amour de la vertu l'emporte en lui sur les passions de l'homme, et sur l'ascendant de sa profession. Le seul tort qu'on lui peut imputer est de l'avoir embrassée ; mais trop souvent un écart de jeunesse décide du sort de la vie, et quand on se sent un vrai talent, qui peut résister à son attrait ? Les grands acteurs portent avec eux leur excuse ; ce sont les mauvais qu'il faut mépriser.

Si j'ai resté si longtemps [137] dans les termes de la proposition générale, ce n'est pas que je n'eusse eu plus d'avantage encore à l'appliquer précisément à la ville de Genève ; mais la répugnance de mettre mes concitoyens sur la scène m'a fait différer autant que je l'ai pu de parler de nous. Il y faut pourtant venir à la fin, et je n'aurais rempli qu'imparfaitement ma tâche, si je ne cherchais, sur notre situation particulière, ce qui résultera de l'établissement d'un théâtre dans notre ville, au cas que votre avis et vos raisons déterminent le gouvernement à l'y souffrir. Je me bornerai à des effets si sensibles qu'ils ne puissent être contestés de personne qui connaisse un peu notre constitution.

Genève est riche, il est vrai ; mais, quoiqu'on n'y voie point ces énormes disproportions de fortune qui appauvrissent tout un pays pour enrichir quelques habitants et sèment la misère autour de l'opulence, il est certain que, si quelques Genevois possèdent d'assez grands biens, plusieurs vivent dans une disette assez dure, et que l'aisance du plus grand nombre vient d'un travail assidu, d'économie et de modération, plutôt que d'une richesse positive [138]. Il y a bien des villes plus pauvres que la nôtre où le bourgeois peut donner beaucoup plus à ses plaisirs, parce que le territoire qui le nourrit ne s'épuise pas, et que son temps n'étant d'aucun prix, il peut le perdre sans préjudice. Il n'en va pas ainsi parmi nous, qui, sans terres pour subsister, n'avons tous que notre industrie. Le peuple genevois ne se soutient qu'à force de travail, et n'a le nécessaire qu'autant qu'il se refuse tout superflu : c'est une des raisons de nos lois somptuaires. Il me semble que ce qui doit d'abord frapper tout étranger entrant dans Genève, c'est l'air de vie et d'activité qu'il y voit régner. Tout s'occupe, tout est en mouvement, tout s'empresse à son travail et à ses affaires. Je ne crois pas que nulle autre aussi petite ville au monde offre un pareil spectacle. Visitez le quartier [139] Saint-Gervais :

toute l'horlogerie de l'Europe y paraît rassemblée. Parcourez le Molard et les rues basses, un appareil de commerce en grand, des monceaux de ballots, de tonneaux confusément jetés, une odeur d'Inde et de droguerie vous font imaginer un port de mer. Aux Pâquis, aux Eaux-Vives, le bruit et l'aspect des fabriques d'indienne et de toile peinte semblent vous transporter à Zurich [140]. La ville se multiplie en quelque sorte par les travaux qui s'y font, et j'ai vu des gens, sur ce premier coup d'œil, en estimer le peuple à cent mille âmes. Les bras, l'emploi du temps, la vigilance, l'austère parcimonie; voilà les trésors du Genevois, voilà avec quoi nous attendons un amusement de gens oisifs, qui, nous ôtant à la fois le temps et l'argent, doublera réellement notre perte.

Genève ne contient pas vingt-quatre mille âmes, vous en convenez. Je vois que Lyon, bien plus riche à proportion, et du moins cinq ou six fois plus peuplé, entretient exactement un théâtre, et que, quand ce théâtre est un Opéra, la ville n'y saurait suffire [141]. Je vois que Paris, la capitale de la France et le gouffre des richesses de ce grand royaume, en entretient trois assez médiocrement, et un quatrième en certains temps de l'année [142]. Supposons ce quatrième * permanent. Je vois que, dans plus de six cent mille habitants [143], ce rendez-vous de l'opulence et de l'oisiveté fournit à

---

* Si je ne compte point le Concert spirituel, c'est qu'au lieu d'être un spectacle ajouté aux autres, il n'en est que le supplément. Je ne compte pas non plus les petits spectacles de la foire : mais aussi je la compte toute l'année, au lieu qu'elle ne dure pas six mois. En recherchant, par comparaison, s'il est possible qu'une troupe subsiste à Genève, je suppose partout des rapports plus favorables à l'affirmative que ne le donnent les faits connus.

peine journellement au spectacle mille ou douze cents spectateurs, tout compensé. Dans le reste du royaume, je vois Bordeaux, Rouen, grands ports de mer ; je vois Lille, Strasbourg, grandes villes de guerre, pleines d'officiers oisifs qui passent leur vie à attendre qu'il soit midi et huit heures, avoir un théâtre de comédie : encore faut-il des taxes involontaires pour le soutenir. Mais combien d'autres villes incomparablement plus grandes que la nôtre, combien de sièges de parlements et de Cours souveraines ne peuvent entretenir une comédie à demeure.

Pour juger si nous sommes en état de mieux faire, prenons un terme de comparaison bien connu, tel, par exemple, que la ville de Paris. Je dis donc que, si plus de six cent mille habitants ne fournissent journellement et l'un dans l'autre aux théâtres de Paris que douze cents spectateurs, moins de vingt-quatre mille habitants n'en fourniront certainement pas plus de quarante-huit à Genève. Encore faut-il déduire les *gratis* de ce nombre, et supposer qu'il n'y a pas proportionnellement moins de désœuvrés à Genève qu'à Paris ; supposition qui me paraît insoutenable.

Or si les Comédiens-Français, pensionnés du Roi, et propriétaires de leur théâtre, ont bien de la peine à se soutenir à Paris avec une assemblée de trois cents spectateurs par représentation * [144], je demande com-

---

* Ceux qui ne vont aux spectacles que les beaux jours où l'assemblée est nombreuse, trouveront cette estimation trop faible ; mais ceux qui, pendant dix ans, les auront suivis, comme moi, bons et mauvais jours, la trouveront sûrement trop forte.

S'il faut donc diminuer le nombre journalier de 300 spectateurs à Paris, il faut diminuer proportionnellement celui de 48 à Genève ; ce qui renforce mes objections.

ment les comédiens de Genève se soutiendront avec
une assemblée de quarante-huit spectateurs pour toute
ressource ? Vous me direz qu'on vit à meilleur compte
à Genève qu'à Paris. Oui, mais les billets d'entrée
coûteront aussi moins à proportion ; et puis, la dépense
de la table n'est rien pour des comédiens. Ce sont les
habits, c'est la parure qui leur coûte ; il faudra faire
venir tout cela de Paris, ou dresser des ouvriers
maladroits. C'est dans les lieux où toutes ces choses
sont communes qu'on les fait à meilleur marché. Vous
direz encore qu'on les assujettira à nos lois somptuaires. Mais c'est en vain qu'on voudrait porter la
réforme sur le théâtre ; jamais Cléopâtre et Xerxès ne
goûteront notre simplicité. L'état des comédiens étant
de paraître, c'est leur ôter le goût de leur métier de les
en empêcher, et je doute que jamais bon acteur
consente à se faire Quakre [145]. Enfin, l'on peut m'objecter que la troupe de Genève, étant bien moins nombreuse que celle de Paris, pourra subsister à bien
moindres frais. D'accord : mais cette différence sera-t-
elle en raison de celle de 48 à 300 ? Ajoutez qu'une
troupe plus nombreuse a aussi l'avantage de pouvoir
jouer plus souvent, au lieu que dans une petite troupe
où les doubles manquent, tous ne sauraient jouer tous
les jours ; la maladie, l'absence d'une seul comédien
fait manquer une représentation, et c'est autant de
perdu pour la recette.

Le Genevois aime excessivement la campagne : on
en peut juger par la quantité de maisons répandues
autour de la ville. L'attrait de la chasse et la beauté des
environs entretiennent ce goût salutaire. Les portes,
fermées avant la nuit, ôtant la liberté de la promenade

au-dehors et les maisons de campagne étant si près, fort peu de gens aisés couchent en ville durant l'été. Chacun ayant passé la journée à ses affaires, part le soir à portes fermantes [146], et va dans sa petite retraite respirer l'air le plus pur, et jouir du plus charmant paysage qui soit sous le ciel. Il y a même beaucoup de citoyens et bourgeois qui y résident toute l'année, et n'ont point d'habitation dans Genève. Tout cela est autant de perdu pour la comédie, et pendant toute la belle saison il ne restera presque, pour l'entretenir, que des gens qui n'y vont jamais. A Paris, c'est tout autre chose : on allie fort bien la comédie avec la campagne ; et tout l'été l'on ne voit, à l'heure où finissent les spectacles, que carrosses sortir des portes. Quant aux gens qui couchent en ville, la liberté d'en sortir à toute heure les tente moins que les incommodités qui l'accompagnent ne les rebutent. On s'ennuie sitôt des promenades publiques, il faut aller chercher si loin la campagne, l'air en est si empesté d'immondices et la vue si peu attrayante, qu'on aime mieux aller s'enfermer au spectacle [147]. Voilà donc encore une différence au désavantage de nos comédiens et une moitié de l'année perdue pour eux. Pensez-vous, Monsieur, qu'ils trouveront aisément sur le reste à remplir un si grand vide ? Pour moi je ne vois aucun autre remède à cela que de changer l'heure où l'on ferme les portes, d'immoler notre sûreté à nos plaisirs, et de laisser une place forte ouverte pendant la nuit *, au milieu de trois

---

* Je sais que toutes nos grandes fortifications sont la chose du monde la plus inutile, et que, quand nous aurions assez de troupes pour les défendre, cela serait fort inutile encore : car sûrement on ne viendra pas nous assiéger. Mais pour n'avoir point de siège à

puissances dont la plus éloignée n'a pas demi-lieue à faire pour arriver à nos glacis[148].

Ce n'est pas tout : il est impossible qu'un établissement si contraire à nos anciennes maximes soit généralement applaudi. Combien de généreux citoyens verront avec indignation ce monument du luxe et de la mollesse s'élever sur les ruines de notre antique simplicité, et menacer de loin la liberté publique ? Pensez-vous qu'ils iront autoriser cette innovation de leur présence, après l'avoir hautement improuvée ? Soyez sûr que plusieurs vont sans scrupule au spectacle à Paris, qui n'y mettront jamais les pieds à Genève : parce que le bien de la patrie leur est plus cher que leur amusement. Où sera l'imprudente mère qui osera mener sa fille à cette dangereuse école, et combien de femmes respectables croiraient se déshonorer en y allant elles-mêmes ? Si quelques personnes s'abstiennent à Paris d'aller au spectacle, c'est uniquement par un principe de religion qui sûrement ne sera pas moins fort parmi nous, et nous aurons de plus les motifs de mœurs, de vertu, de patriotisme qui retiendront encore ceux que la religion ne retiendrait pas *.

---

craindre, nous n'en devons pas moins veiller à nous garantir de toute surprise : rien n'est si facile que d'assembler des gens de guerre à notre voisinage. Nous avons trop appris l'usage qu'on en peut faire, et nous devons songer que les plus mauvais droits hors d'une place se trouvent excellents quand on est dedans.

* Je n'entends point par là qu'on puisse être vertueux sans religion ; j'eus longtemps cette opinion trompeuse, dont je suis trop désabusé. Mais j'entends qu'un croyant peut s'abstenir quelquefois, par des motifs de vertus purement sociales, de certaines actions indifférentes par elles-mêmes et qui n'intéressent point immédiatement la conscience, comme est celle d'aller aux spectacles dans un lieu où il n'est pas bon qu'on les souffre.

J'ai fait voir qu'il est absolument impossible qu'un théâtre de comédie se soutienne à Genève par le seul concours des spectateurs. Il faudra [149] donc de deux choses l'une : ou que les riches se cotisent pour le soutenir, charge onéreuse qu'assurément ils ne seront pas d'humeur à supporter longtemps ; ou que l'Etat s'en mêle et le soutienne à ses propres frais. Mais comment le soutiendra-t-il ? Sera-ce en retranchant, sur les dépenses nécessaires auxquelles suffit à peine son modique revenu, de quoi pourvoir à celle-là ? Ou bien destinera-t-il à cet usage important les sommes que l'économie et l'intégrité de l'administration permet quelquefois de mettre en réserve pour les plus pressants besoins ? Faudra-t-il réformer [150] notre petite garnison et garder nous-mêmes nos portes ? Faudra-t-il réduire les faibles honoraires de nos magistrats, ou nous ôterons-nous pour cela toute ressource au moindre accident imprévu ? Au défaut de ces expédients, je n'en vois plus qu'un qui soit praticable, c'est la voie des taxes et impositions, c'est d'assembler nos citoyens et bourgeois en conseil général dans le temple de Saint-Pierre, et là de leur proposer gravement d'accorder un impôt pour l'établissement de la comédie. A Dieu ne plaise que je croie nos sages et dignes magistrats capables de faire jamais une proposition semblable ; et sur votre propre article, on peut juger assez comment elle serait reçue [151].

Si nous avions le malheur de trouver quelque expédient propre à lever ces difficultés, ce serait tant pis pour nous : car cela ne pourrait se faire qu'à la faveur de quelque vice secret qui, nous affaiblissant encore dans notre petitesse, nous perdrait enfin tôt ou tard. Supposons pourtant qu'un beau zèle du théâtre nous fît faire un pareil miracle ; supposons les comédiens bien établis dans Genève, bien contenus par nos lois, la comédie florissante et fréquentée ; supposons enfin notre ville dans l'état où vous dites qu'ayant des mœurs et des spectacles, elle réunirait les avantages des uns et des autres : avantages au reste qui me semblent peu compatibles, car celui des spectacles n'étant que de suppléer aux mœurs est nul partout où les mœurs existent.

Le premier effet sensible de cet établissement sera, comme je l'ai déjà dit, une révolution dans nos usages, qui en produira nécessairement une dans nos mœurs. Cette révolution sera-t-elle bonne ou mauvaise ? C'est ce qu'il est temps d'examiner.

Il n'y a point d'Etat bien constitué où l'on ne trouve des usages qui tiennent à la forme du gouvernement et servent à la maintenir. Tel était, par exemple, autrefois à Londres celui des coteries, si mal à propos tournées en dérision par les auteurs du *Spectateur* ; à ces coteries, ainsi devenues ridicules, ont succédé les cafés et les mauvais lieux [152]. Je doute que le peuple anglais ait beaucoup gagné au change. Des coteries semblables sont maintenant établies à Genève sous le nom de *cercles*, et j'ai lieu, Monsieur, de juger, par votre article que vous n'avez point observé sans estime le ton de sens et de raison qu'elles y font régner. Cet usage est ancien parmi nous, quoique son nom ne le soit pas. Les coteries existaient dans mon enfance sous le nom de *sociétés* ; mais la forme en était moins bonne et moins régulière. L'exercice des armes qui nous rassemble tous les printemps, les divers prix qu'on tire une partie de l'année, les fêtes militaires que ces prix occasionnent, le goût de la chasse commun à tous les Genevois, réunissant fréquemment les hommes, leur donnaient occasion de former entre eux des sociétés de table, des parties de campagne, et enfin des liaisons d'amitié ; mais ces assemblées n'ayant pour objet que le plaisir et la joie ne se formaient guère qu'au cabaret. Nos discordes civiles, où la nécessité des affaires obligeait de s'assembler plus souvent et de délibérer de sang-froid, firent changer ces sociétés tumultueuses en des rendez-vous plus honnêtes. Ces rendez-vous prirent le nom de cercles, et d'une fort triste cause sont sortis de très bons effets * [153].

Ces cercles sont des sociétés de douze ou quinze personnes qui louent un appartement commode qu'on pourvoit à frais communs de meubles et de provisions nécessaires. C'est dans cet appartement que se rendent tous les après-midi ceux des associés que leurs affaires ou leurs plaisirs ne retiennent point ailleurs. On s'y rassemble, et là, chacun se livrant sans gêne aux amusements de son goût, on joue, on cause, on lit, on boit, on fume. Quelquefois on y soupe, mais rarement : parce que le Genevois est rangé et se plaît à vivre avec sa famille. Souvent aussi l'on va se promener ensemble, et les amusements qu'on se donne sont des exercices propres à rendre et maintenir le corps robuste. Les femmes et les filles, de leur côté, se rassemblent par sociétés, tantôt chez l'une, tantôt chez l'autre. L'objet de cette réunion est un petit jeu de commerce [154], un goûter, et, comme on peut bien

---

* Je parlerai ci-après des inconvénients.

croire, un intarissable babil. Les hommes, sans être
fort sévèrement exclus de ces sociétés, s'y mêlent assez
rarement ; et je penserais plus mal encore de ceux
qu'on y voit toujours que de ceux qu'on n'y voit
jamais.

Tels sont les amusements journaliers de la bourgeoisie de Genève. Sans être dépourvus de plaisir et de
gaieté, ces amusements ont quelque chose de simple et
d'innocent qui convient à des mœurs républicaines ;
mais, dès l'instant qu'il y aura comédie, adieu les
cercles, adieu les sociétés ! Voilà la révolution que j'ai
prédite, tout cela tombe nécessairement ; et si vous
m'objectez l'exemple de Londres cité par moi-même,
où les spectacles établis n'empêchaient point les coteries, je répondrai qu'il y a, par rapport à nous, une
différence extrême : c'est qu'un théâtre, qui n'est
qu'un point dans cette ville immense, sera dans la
nôtre un grand objet qui absorbera tout.

Si vous me demandez ensuite où est le mal que les
cercles soient abolis... Non, Monsieur, cette question
ne viendra pas d'un philosophe. C'est un discours de
femme ou de jeune homme qui traitera nos cercles de
corps de garde, et croira sentir l'odeur du tabac. Il faut
pourtant répondre : car pour cette fois, quoique je
m'adresse à vous, j'écris pour le peuple et sans doute il
y paraît ; mais vous m'y avez forcé.

Je dis premièrement que, si c'est une mauvaise
chose que l'odeur du tabac, c'en est une fort bonne de
rester maître de son bien, et d'être sûr de coucher chez
soi. Mais j'oublie déjà que je n'écris pas pour des
d'Alembert. Il faut m'expliquer d'une autre manière.

Suivons les indications de la Nature, consultons le

bien de la société ; nous trouverons que les deux sexes
doivent se rassembler quelquefois, et vivre ordinairement séparés. Je l'ai dit tantôt par rapport aux
femmes, je le dis maintenant par rapport aux hommes.
Ils se sentent autant et plus qu'elles de leur trop intime
commerce ; elles n'y perdent que leurs mœurs, et nous
y perdons à la fois nos mœurs et notre constitution :
car ce sexe plus faible, hors d'état de prendre notre
manière de vivre trop pénible pour lui, nous force de
prendre la sienne trop molle pour nous ; et ne voulant
plus souffrir de séparation, faute de pouvoir se rendre
hommes, les femmes nous rendent femmes.

Cet inconvénient qui dégrade l'homme, est très
grand partout ; mais c'est surtout dans les Etats
comme le nôtre qu'il importe de le prévenir. Qu'un
monarque gouverne des hommes ou des femmes, cela
lui doit être assez indifférent pourvu qu'il soit obéi ;
mais dans une République, il faut des hommes *.

Les anciens passaient presque leur vie en plein air,
ou vaquant à leurs affaires, ou réglant celles de l'Etat
sur la place publique, ou se promenant à la campagne,
dans les jardins, au bord de la mer, à la pluie, au soleil,
et presque toujours tête nue ** [155]. A tout cela, point de

----

* On me dira qu'il en faut aux rois pour la guerre. Point du tout.
Au lieu de trente mille hommes, ils n'ont, par exemple, qu'à lever
cent mille femmes. Les femmes ne manquent pas de courage : elles
préfèrent l'honneur à la vie ; quand elles se battent, elles se battent
bien. L'inconvénient de leur sexe est de ne pouvoir supporter les
fatigues de la guerre et l'intempérie des saisons. Le secret est donc
d'en avoir toujours le triple de ce qu'il en faut pour se battre, afin de
sacrifier les deux autres tiers aux maladies et à la mortalité.

** Après la bataille gagnée par Cambyse sur Psammétique, on
distinguait parmi les morts les Egyptiens, qui avaient toujours la tête
nue, à l'extrême dureté de leurs crânes : au lieu que les Perses,

femmes ; mais on savait bien les trouver au besoin, et nous ne voyons point par leurs écrits et par les échantillons de leurs conversations qui nous restent, que l'esprit, ni le goût, ni l'amour même, perdissent rien à cette réserve. Pour nous, nous avons pris des manières toutes contraires : lâchement dévoués aux volontés du sexe que nous devrions protéger et non servir, nous avons appris à le mépriser en lui obéissant, à l'outrager par nos soins railleurs ; et chaque femme de Paris rassemble dans son appartement un sérail d'hommes plus femmes qu'elle, qui savent rendre à la beauté toutes sortes d'hommages, hors celui du cœur dont elle est digne. Mais voyez ces mêmes hommes toujours contraints dans ces prisons volontaires, se lever, se rasseoir aller et venir sans cesse à la cheminée, à la fenêtre, prendre et poser cent fois un écran, feuilleter des livres, parcourir des tableaux, tourner, pirouetter par la chambre, tandis que l'idole étendue sans mouvement dans sa chaise longue, n'a d'actif que la langue et les yeux. D'où vient cette différence, si ce n'est que la Nature, qui impose aux femmes cette vie sédentaire et casanière, en prescrit aux hommes une tout opposée, et que cette inquiétude indique en eux un vrai besoin ? Si les Orientaux, que la chaleur du climat fait assez transpirer, font peu d'exercice et ne se promènent point, au moins ils vont s'asseoir en plein air et respirer à leur aise ; au lieu qu'ici les femmes ont grand soin d'étouffer leurs amis dans de bonnes chambres bien fermées.

---

toujours coiffés de leurs grosses tiares, avaient les crânes si tendres qu'on les brisait sans effort. Hérodote lui-même fut, longtemps après, témoin de cette différence.

Si l'on compare la force des hommes anciens à celle
des hommes d'aujourd'hui, on n'y trouve aucune
espèce d'égalité. Nos exercices de l'académie[156] sont
des jeux d'enfants auprès de ceux de l'ancienne
gymnastique : on a quitté la paume, comme trop
fatigante ; on ne peut plus voyager à cheval. Je ne dis
rien de nos troupes. On ne conçoit plus les marches des
armées grecques et romaines : le chemin, le travail, le
fardeau du soldat romain fatigue seulement à le lire, et
accable l'imagination. Le cheval n'était pas permis
aux officiers d'infanterie. Souvent les généraux faisaient à pied les mêmes journées que leurs troupes.
Jamais les deux Caton n'ont autrement voyagé, ni
seuls, ni avec leurs armées. Othon lui-même, l'efféminé
Othon, marchait armé de fer à la tête de la sienne,
allant au-devant de Vitellius. Qu'on trouve à présent
un seul homme de guerre capable d'en faire autant.
Nous sommes déchus en tout. Nos peintres et nos
sculpteurs se plaignent de ne plus trouver de modèles
comparables à ceux de l'antique. Pourquoi cela ?
L'homme a-t-il dégénéré ? L'espèce a-t-elle une décré-
pitude physique, ainsi que l'individu ? Au contraire :
les Barbares du Nord, qui ont, pour ainsi dire, peuplé
l'Europe d'une nouvelle race, étaient plus grands et
plus forts que les Romains qu'ils ont vaincus et
subjugués. Nous devrions donc être plus forts nous-
mêmes qui, pour la plupart, descendons de ces nouveaux venus ; mais les premiers Romains vivaient en
hommes *, et trouvaient dans leurs continuels exer-

---

* Les Romains étaient les hommes les plus petits et les plus
faibles de tous les peuples de l'Italie ; et cette différence était si
grande, dit Tite-Live, qu'elle s'apercevait au premier coup d'œil

cices la vigueur que la Nature leur avait refusée, au
lieu que nous perdons la nôtre dans la vie indolente et
lâche où nous réduit la dépendance du sexe. Si les
Barbares dont je viens de parler vivaient avec les
femmes, ils ne vivaient pas pour cela comme elles ;
c'étaient elles qui avaient le courage de vivre comme
eux, ainsi que faisaient aussi celles de Sparte. La
femme se rendait robuste, et l'homme ne s'énervait
pas [157].

Si ce soin de contrarier la Nature est nuisible au
corps, il l'est encore plus à l'esprit. Imaginez quelle
peut être la trempe de l'âme d'un homme uniquement
occupé de l'importante affaire d'amuser les femmes, et
qui passe sa vie entière à faire pour elles, ce qu'elles
devraient faire pour nous, quand épuisés de travaux
dont elles sont incapables, nos esprits ont besoin de
délassement. Livrés à ces puériles habitudes à quoi
pourrions-nous jamais nous élever de grand ? Nos
talents, nos écrits se sentent de nos frivoles occupations * [158] : agréables, si l'on veut, mais petits et froids

---

dans les troupes des uns et des autres. Cependant l'exercice et la
discipline prévalurent tellement sur la Nature que les faibles firent ce
que ne pouvaient faire les forts, et les vainquirent.
   * Les femmes, en général, n'aiment aucun art, ne se connaissent
à aucun, et n'ont aucun génie. Elles peuvent réussir aux petits
ouvrages qui ne demandent que de la légèreté d'esprit, du goût, de la
grâce, quelquefois même de la philosophie et du raisonnement. Elles
peuvent acquérir de la science, de l'érudition, des talents et tout ce
qui s'aquiert à force de travail. Mais ce feu céleste qui échauffe et
embrase l'âme, ce génie qui consume et dévore, cette brûlante
éloquence, ces transports sublimes qui portent leurs ravissements
jusqu'au fond des cœurs, manqueront toujours aux écrits des
femmes : ils sont tous froids et jolis comme elles ; ils auront tant
d'esprit que vous voudrez, jamais d'âme ; ils seraient cent fois plutôt

comme nos sentiments, ils ont pour tout mérite ce tour
facile qu'on n'a pas grand-peine à donner à des riens.
Ces foules d'ouvrages éphémères qui naissent journellement n'étant faits que pour amuser des femmes, et
n'ayant ni force ni profondeur, volent tous de la toilette
au comptoir [159]. C'est le moyen de récrire incessamment les mêmes, et de les rendre toujours nouveaux.
On m'en citera deux ou trois qui serviront d'exceptions ; mais moi j'en citerai cent mille qui confirmeront
la règle. C'est pour cela que la plupart des productions
de notre âge passeront avec lui, et la postérité croira
qu'on fit bien peu de livres, dans ce même siècle où
l'on en fait tant.

Il ne serait pas difficile de montrer qu'au lieu de
gagner à ces usages, les femmes y perdent. On les flatte
sans les aimer ; on les sert sans les honorer ; elles sont
entourées d'agréables, mais elles n'ont plus d'amants ;
et le pis est que les premiers, sans avoir les sentiments
des autres, n'en usurpent pas moins tous les droits. La
société des deux sexes, devenue trop commune et trop
facile, a produit ces deux effets ; et c'est ainsi que
l'esprit général de la galanterie étouffe à la fois le génie
et l'amour.

Pour moi, j'ai peine à concevoir comment on rend
assez peu d'honneur aux femmes, pour leur oser
adresser sans cesse ces fades propos galants, ces
compliments insultants et moqueurs, auxquels on ne

_____

sensés que passionnés. Elles ne savent ni décrire ni sentir l'amour
même. La seule Sapho, que je sache, et une autre, méritèrent d'être
exceptées. Je parierais tout au monde que les *Lettres portugaises* ont été
écrites par un homme. Or partout où dominent les femmes, leur goût
doit aussi dominer : et voilà ce qui détermine celui de notre siècle.

daigne pas même donner un air de bonne foi ; les
outrager par ces évidents mensonges, n'est-ce pas leur
déclarer assez nettement qu'on ne trouve aucune vérité
obligeante à leur dire ? Que l'amour se fasse illusion
sur les qualités de ce qu'on aime, cela n'arrive que trop
souvent ; mais est-il question d'amour dans tout ce
maussade jargon ? Ceux mêmes qui s'en servent, ne
s'en servent-ils pas également pour toutes les femmes,
et ne seraient-ils pas au désespoir qu'on les crût
sérieusement amoureux d'une seule ? Qu'ils ne s'en
inquiètent pas. Il faudrait avoir d'étranges idées de
l'amour pour les en croire capables, et rien n'est plus
éloigné de son ton que celui de la galanterie. De la
manière que je conçois cette passion terrible, son
trouble, ses égarements, ses palpitations, ses transports, ses brûlantes expressions, son silence plus
énergique, ses inexprimables regards que leur timidité
rend téméraires et qui montrent les désirs par la
crainte, il me semble qu'après un langage aussi
véhément, si l'amant venait à dire une seule fois : *Je
vous aime*, l'amante indignée lui dirait : *Vous ne m'aimez
plus*, et ne le reverrait de sa vie.

Nos cercles conservent encore parmi nous quelque
image des mœurs antiques. Les hommes entre eux,
dispensés de rabaisser leurs idées à la portée des
femmes et d'habiller galamment la raison, peuvent se
livrer à des discours graves et sérieux sans crainte du
ridicule. On ose parler de patrie et de vertu sans passer
pour rabâcheur, on ose être soi-même sans s'asservir
aux maximes d'une caillette. Si le tour de la conversation devient moins poli, les raisons prennent plus de
poids ; on ne se paie point de plaisanterie, ni de

gentillesse. On ne se tire point d'affaire par de bons
mots. On ne se ménage point dans la dispute : chacun,
se sentant attaqué de toutes les forces de son adversaire, est obligé d'employer toutes les siennes pour se
défendre ; c'est ainsi que l'esprit acquiert de la justesse
et de la vigueur. S'il se mêle à tout cela quelque propos
licencieux, il ne faut point trop s'en effaroucher : les
moins grossiers ne sont pas toujours les plus honnêtes,
et ce langage un peu rustaud est préférable encore à ce
style plus recherché dans lequel les deux sexes se
séduisent mutuellement et se familiarisent décemment
avec le vice. La manière de vivre, plus conforme aux
inclinations de l'homme, est aussi mieux assortie à son
tempérament. On ne reste point toute la journée établi
sur une chaise. On se livre à des jeux d'exercice, on va,
on vient, plusieurs cercles se tiennent à la campagne,
d'autres s'y rendent. On a des jardins pour la promenade, des cours spacieuses pour s'exercer, un grand lac
pour nager, tout le pays ouvert pour la chasse ; et il ne
faut pas croire que cette chasse se fasse aussi commodément qu'aux environs de Paris où l'on trouve le
gibier sous ses pieds et où l'on tire à cheval. Enfin ces
honnêtes et innocentes institutions rassemblent tout ce
qui peut contribuer à former dans les mêmes hommes
des amis, des citoyens, des soldats, et par conséquent
tout ce qui convient le mieux à un peuple libre.

On accuse d'un défaut les sociétés des femmes, c'est
de les rendre médisantes et satiriques ; et l'on peut bien
comprendre, en effet, que les anecdotes d'une petite
ville n'échappent pas à ces comités féminins ; on pense
bien aussi que les maris absents y sont peu ménagés, et
que toute femme jolie et fêtée n'a pas beau jeu dans le

cercle de sa voisine. Mais peut-être y a-t-il dans cet inconvénient plus de bien que de mal, et toujours est-il incontestablement moindre que ceux dont il tient la place : car lequel vaut le mieux qu'une femme dise avec ses amies du mal de son mari, ou que, tête à tête avec un homme, elle lui en fasse, qu'elle critique le désordre de sa voisine, ou qu'elle l'imite ? Quoique les Genevoises disent assez librement ce qu'elles savent et quelquefois ce qu'elles conjecturent, elles ont une véritable horreur de la calomnie et l'on ne leur entendra jamais intenter contre autrui des accusations qu'elles croient fausses ; tandis qu'en d'autres pays les femmes, également coupables par leur silence et par leurs discours, cachent de peur de représailles le mal qu'elles savent et publient par vengeance celui qu'elles ont inventé.

Combien de scandales publics ne retient pas la crainte de ces sévères observatrices ? Elles font presque dans notre ville la fonction de censeurs. C'est ainsi que dans les beaux temps de Rome, les citoyens, surveillants les uns des autres, s'accusaient publiquement par zèle pour la justice ; mais quand Rome fut corrompue et qu'il ne resta plus rien à faire pour les bonnes mœurs que de cacher les mauvaises, la haine des vices qui les démasque en devint un. Aux citoyens zélés succédèrent des délateurs infâmes, et au lieu qu'autrefois les bons accusaient les méchants, ils en furent accusés à leur tour. Grâce au Ciel, nous sommes loin d'un terme si funeste. Nous ne sommes point réduits à nous cacher à nos propres yeux, de peur de nous faire horreur. Pour moi, je n'en aurai pas meilleure opinion des femmes, quand elles seront plus circonspectes : on se ménagera davantage, quand on aura plus de raisons de se ménager, et quand chacune aura besoin pour elle-même de la discrétion dont elle donnera l'exemple aux autres.

Qu'on ne s'alarme donc point tant du caquet des sociétés de femmes. Qu'elles médisent tant qu'elles voudront, pourvu qu'elles médisent entre elles. Des femmes véritablement corrompues ne sauraient supporter longtemps cette manière de vivre, et quelque chère que leur pût être la médisance, elles voudraient médire avec des hommes. Quoi qu'on m'ait pu dire à cet égard, je n'ai jamais vu aucune de ces sociétés, sans un secret mouvement d'estime et de respect pour celles qui la composaient. Telle est, me disais-je, la destination de la Nature, qui donne différents goûts aux deux sexes, afin qu'ils vivent séparés et chacun à sa manière *[160]. Ces aimables personnes passent ainsi leurs jours, livrées aux occupations qui leur conviennent, ou à des amusements innocents et simples, très propres à toucher un cœur honnête et à donner bonne opinion d'elles. Je ne sais ce qu'elles ont dit, mais elles ont vécu ensemble ; elles ont pu parler des hommes, mais elles se sont passées d'eux ; et tandis qu'elles critiquaient si sévèrement la conduite des autres, au moins la leur était irréprochable.

Les cercles d'hommes ont aussi leurs inconvénients, sans doute ; quoi d'humain n'a pas les siens ? On joue,

---

* Ce principe, auquel tiennent toutes bonnes mœurs, est développé d'une manière plus claire et plus étendue dans un manuscrit dont je suis dépositaire et que je me propose de publier, s'il me reste assez de temps pour cela, quoique cette annonce ne soit guère propre à lui concilier d'avance la faveur des dames.

on boit, on s'enivre, on passe les nuits ; tout cela peut être vrai, tout cela peut être exagéré. Il y a partout mélange de bien et de mal, mais à diverses mesures. On abuse de tout : axiome trivial, sur lequel on ne doit ni tout rejeter ni tout admettre. La règle pour choisir est simple. Quand le bien surpasse le mal, la chose doit être admise malgré ses inconvénients ; quand le mal surpasse le bien, il la faut rejeter même avec ses avantages. Quand la chose est bonne en elle-même et n'est mauvaise que dans ses abus, quand les abus peuvent être prévenus sans beaucoup de peine, ou tolérés sans grand préjudice, ils peuvent servir de prétexte et non de raison pour abolir un usage utile ; mais ce qui est mauvais en soi sera toujours mauvais *, quoi qu'on fasse pour en tirer un bon usage. Telle est la différence essentielle des cercles aux spectacles.

Les citoyens d'un même Etat, les habitants d'une même ville ne sont point des anachorètes, ils ne sauraient vivre toujours seuls et séparés ; quand ils le pourraient, il ne faudrait pas les y contraindre. Il n'y a que le plus farouche despotisme qui s'alarme à la vue de sept ou huit hommes assemblés, craignant toujours que leurs entretiens ne roulent sur leurs misères.

Or, de toutes les sortes de liaisons qui peuvent rassembler les particuliers dans une ville comme la nôtre, les cercles forment, sans contredit, la plus raisonnable, la plus honnête, et la moins dangereuse : parce qu'elle ne veut ni ne peut se cacher, qu'elle est publique, permise, et que l'ordre et la règle y règnent.

---

* Je parle dans l'ordre moral : car dans l'ordre physique il n'y a rien d'absolument mauvais. Le tout est bien.

Il est même facile à démontrer que les abus qui peuvent en résulter naîtraient également de toutes les autres, ou qu'elles en produiraient de plus grands encore. Avant de songer à détruire un usage établi, on doit avoir bien pesé ceux qui s'introduiront à sa place. Quiconque en pourra proposer un qui soit praticable et duquel ne résulte aucun abus, qu'il le propose, et qu'ensuite les cercles soient abolis : à la bonne heure. En attendant, laissons, s'il le faut, passer la nuit à boire à ceux qui, sans cela, la passeraient peut-être à faire pis.

Toute intempérance est vicieuse, et surtout celle qui nous ôte la plus noble de nos facultés. L'excès du vin dégrade l'homme, aliène au moins sa raison pour un temps et l'abrutit à la longue. Mais enfin, le goût du vin n'est pas un crime, il en fait rarement commettre, il rend l'homme stupide et non pas méchant *. Pour une querelle passagère qu'il cause, il forme cent attachements durables. Généralement parlant, les buveurs ont de la cordialité, de la franchise ; ils sont presque tous bons, droits, justes, fidèles, braves et honnêtes gens, à leur défaut près. En osera-t-on dire autant des vices qu'on substitue à celui-là, ou bien prétend-on faire de toute une ville un peuple d'hommes sans défauts et retenu en toute chose ? Combien de vertus

---

* Ne calomnions point le vice même, n'a-t-il pas assez de sa laideur ? Le vin ne donne pas de la méchanceté, il la décèle. Celui qui tua Clitus dans l'ivresse, fit mourir Philotas de sang-froid. Si l'ivresse a ses fureurs, quelle passion n'a pas les siennes ? La différence est que les autres restent au fond de l'âme et que celle-là s'allume et s'éteint à l'instant. A cet emportement près, qui passe et qu'on évite aisément, soyons sûrs que quiconque fait dans le vin de méchantes actions, couve à jeun de méchants desseins.

apparentes cachent souvent des vices réels ! Le sage est
sobre par tempérance, la fourbe l'est par fausseté.
Dans les pays de mauvaises mœurs, d'intrigues, de
trahisons, d'adultères, on redoute un état d'indiscrétion où le cœur se montre sans qu'on y songe. Partout
les gens qui abhorrent le plus l'ivresse sont ceux qui
ont le plus d'intérêt à s'en garantir. En Suisse, elle est
presque en estime, à Naples, elle est en horreur ; mais
au fond laquelle est le plus à craindre, de l'intempérance du Suisse ou de la réserve de l'Italien ?

Je le répète, il vaudrait mieux être sobre et vrai, non
seulement pour soi, même pour la société : car tout ce
qui est mal en morale est mal encore en politique.
Mais le prédicateur s'arrête au mal personnel, le
magistrat ne voit que les conséquences publiques ; l'un
n'a pour objet que la perfection de l'homme où
l'homme n'atteint point, l'autre que le bien de l'Etat
autant qu'il y peut atteindre ; ainsi tout ce qu'on a
raison de blâmer en chaire ne doit pas être puni par les
lois. Jamais peuple n'a péri par l'excès du vin, tous
périssent par le désordre des femmes. La raison de
cette indifférence est claire : le premier de ces deux
vices détourne des autres, le second les engendre tous.
La diversité des âges y fait encore. Le vin tente moins
la jeunesse et l'abat moins aisément ; un sang ardent
lui donne d'autres désirs ; dans l'âge des passions
toutes s'enflamment au feu d'une seule, la raison
s'altère en naissant, et l'homme encore indompté
devient indisciplinable avant que d'avoir porté le joug
des lois. Mais qu'un sang à demi glacé cherche un
secours qui le ranime, qu'une liqueur bienfaisante

supplée aux esprits qu'il n'a plus * [161] ; quand un
vieillard abuse de ce doux remède, il a déjà rempli ses
devoirs envers sa patrie, il ne la prive que du rebut de
ses ans. Il a tort, sans doute : il cesse avant la mort
d'être citoyen. Mais l'autre ne commence pas même à
l'être : il se rend plutôt l'ennemi public, par la
séduction de ses complices, par l'exemple et l'effet de
ses mœurs corrompues, surtout par la morale pernicieuse qu'il ne manque pas de répandre pour les
autoriser. Il vaudrait mieux qu'il n'eût point existé.

De la passion du jeu naît un plus dangereux abus,
mais qu'on prévient ou réprime aisément. C'est une
affaire de police, dont l'inspection devient plus facile et
mieux séante dans les cercles que dans les maisons
particulières. L'opinion peut beaucoup encore en ce
point ; et sitôt qu'on voudra mettre en honneur les jeux
d'exercice et d'adresse, les cartes, les dés, les jeux de
hasard tomberont infailliblement. Je ne crois pas
même, quoi qu'on en dise, que ces moyens oisifs et
trompeurs de remplir sa bourse, prennent jamais
grand crédit chez un peuple raisonneur et laborieux,
qui connaît trop le prix du temps et de l'argent pour
aimer à les perdre ensemble [162].

Conservons donc les cercles, même avec leurs
défauts : car ces défauts ne sont pas dans les cercles,
mais dans les hommes qui les composent ; et il n'y a
point dans la vie sociale de forme imaginable sous
laquelle ces mêmes défauts ne produisent de plus
nuisibles effets. Encore un coup, ne cherchons point la

---

* Platon dans ses *Lois* permet aux seuls vieillards l'usage du vin,
et même il leur en permet quelquefois l'excès.

chimère de la perfection; mais le mieux possible selon
la nature de l'homme et la constitution de la société.
Il y a tel peuple à qui je dirais : détruisez cercles et
coteries, ôtez toute barrière de bienséance entre les
sexes, remontez, s'il est possible, jusqu'à n'être que
corrompus; mais vous, Genevois, évitez de le devenir,
s'il est temps encore. Craignez le premier pas qu'on ne
fait jamais seul, et songez qu'il est plus aisé de garder
de bonnes mœurs que de mettre un terme aux
mauvaises.

   Deux ans seulement de comédie et tout est boulever-
sé. L'on ne saurait se partager entre tant d'amusements : l'heure des spectacles étant celle des cercles,
les fera dissoudre; il s'en détachera trop de membres;
ceux qui resteront seront trop peu assidus pour être
d'une grande ressource les uns aux autres et laisser
subsister longtemps les associations. Les deux sexes
réunis journellement dans un même lieu; les parties
qui se lieront pour s'y rendre; les manières de vivre
qu'on y verra dépeintes et qu'on s'empressera d'imiter; l'exposition des dames et demoiselles parées tout
de leur mieux et mises en étalage dans des loges
comme sur le devant d'une boutique, en attendant les
acheteurs; l'affluence de la belle jeunesse qui viendra
de son côté s'offrir en montre, et trouvera bien plus
beau de faire des entrechats au théâtre que l'exercice à
Plainpalais; les petits soupers de femmes qui s'arran-
geront en sortant, ne fût-ce qu'avec les actrices; enfin
le mépris des anciens usages qui résultera de l'adop-
tion des nouveaux; tout cela substituera bientôt
l'agréable vie de Paris et les bons airs de France à
notre ancienne simplicité, et je doute un peu que des

Parisiens à Genève y conservent longtemps le goût de notre gouvernement.

Il ne faut point le dissimuler, les intentions sont droites encore; mais les mœurs inclinent déjà visiblement vers la décadence, et nous suivons de loin les traces des mêmes peuples dont nous ne laissons pas de craindre le sort. Par exemple, on m'assure que l'éducation de la jeunesse est généralement beaucoup meilleure qu'elle n'était autrefois; ce qui pourtant ne peut guère se prouver qu'en montrant qu'elle fait de meilleurs citoyens. Il est certain que les enfants font mieux la révérence; qu'ils savent plus galamment donner la main aux dames, et leur dire une infinité de gentillesses pour lesquelles je leur ferais, moi, donner le fouet; qu'ils savent décider, trancher, interroger, couper la parole aux hommes, importuner tout le monde sans modestie et sans discrétion. On me dit que cela les forme; je conviens que cela les forme à être impertinents et c'est, de toutes les choses qu'ils apprennent par cette méthode, la seule qu'ils n'oublient point. Ce n'est pas tout. Pour les retenir auprès des femmes qu'ils sont destinés à désennuyer, on a soin de les élever précisément comme elles : on les garantit du soleil, du vent, de la pluie, de la poussière, afin qu'ils ne puissent jamais rien supporter de tout cela. Ne pouvant les préserver entièrement du contact de l'air, on fait du moins qu'il ne leur arrive qu'après avoir perdu la moitié de son ressort. On les prive de tout exercice, on leur ôte toutes leurs facultés, on les rend ineptes [163] à tout autre usage qu'aux soins auxquels ils sont destinés; et la seule chose que les femmes n'exigent pas de ces vils esclaves est de se consacrer à

leur service à la façon des Orientaux. A cela près, tout
ce qui les distingue d'elles, c'est que la Nature leur en
ayant refusé les grâces, ils y substituent des ridicules.
A mon dernier voyage à Genève, j'ai déjà vu plusieurs
de ces jeunes demoiselles en justaucorps, les dents
blanches, la main potelée, la voix flûtée, un joli
parasol vert à la main, contrefaire assez maladroite-
ment les hommes.

On était plus grossier de mon temps. Les enfants
rustiquement élevés n'avaient point de teint à conserver, et ne craignaient point les injures de l'air auxquelles ils s'étaient aguerris de bonne heure. Les pères
les menaient avec eux à la chasse, en campagne, à tous
leurs exercices, dans toutes les sociétés. Timides et
modestes devant les gens âgés, ils étaient hardis, fiers,
querelleurs entre eux ; ils n'avaient point de frisure à
conserver ; ils se défiaient à la lutte, à la course, aux
coups ; ils se battaient à bon escient, se blessaient
quelquefois, et puis s'embrassaient en pleurant. Ils
revenaient au logis suants, essoufflés, déchirés,
c'étaient de vrais polissons ; mais ces polissons ont fait
des hommes qui ont dans le cœur du zèle pour servir la
patrie et du sang à verser pour elle. Plaise à Dieu qu'on
en puisse dire autant un jour de nos beaux petits
messieurs requinqués, et que ces hommes de quinze
ans ne soient pas des enfants à trente !

Heureusement ils ne sont point tous ainsi. Le plus
grand nombre encore a gardé cette antique rudesse,
conservatrice de la bonne constitution ainsi que des
bonnes mœurs. Ceux mêmes qu'une éducation trop
délicate amollit pour un temps, seront contraints étant
grands de se plier aux habitudes de leurs compatriotes.

Les uns perdront leur âpreté dans le commerce du monde ; les autres gagneront des forces en les exerçant ; tous deviendront, je l'espère, ce que furent leurs ancêtres ou du moins ce que leurs pères sont aujourd'hui. Mais ne nous flattons pas de conserver notre liberté en renonçant aux mœurs qui nous l'ont acquise.

Je reviens à nos comédiens et toujours en leur supposant un succès qui me paraît impossible ; je trouve que ce succès attaquera notre constitution, non seulement d'une manière indirecte en attaquant nos mœurs, mais immédiatement, en rompant l'équilibre qui doit régner entre les diverses parties de l'Etat, pour conserver le corps entier dans son assiette.

Parmi plusieurs raisons que j'en pourrais donner, je me contenterai d'en choisir une qui convient mieux au plus grand nombre ; parce qu'elle se borne à des considérations d'intérêt et d'argent, toujours plus sensibles au vulgaire que des effets moraux dont il n'est pas en état de voir les liaisons avec leurs causes, ni influence sur le destin de l'Etat.

On peut considérer les spectacles, quand ils réussissent, comme une espèce de taxe qui, bien que volontaire, n'en est pas moins onéreuse au peuple : en ce qu'elle lui fournit une continuelle occasion de dépense à laquelle il ne résiste pas. Cette taxe est mauvaise : non seulement parce qu'il n'en revient rien au souverain [164] ; mais surtout parce que la répartition, loin d'être proportionnelle, charge le pauvre au-delà de ses forces et soulage le riche en suppléant aux amusements plus coûteux qu'il se donnerait au défaut de celui-là. Il suffit, pour en convenir, de faire attention que la différence du prix des places n'est, ni ne peut être en proportion de celle des fortunes des gens qui les remplissent. A la Comédie-Française, les premières loges et le théâtre sont à quatre francs pour l'ordinaire et à six quand on tierce ; le parterre est à vingt sols, on a même tenté plusieurs fois de l'augmenter [165]. Or on ne dira pas que le bien des plus riches qui vont au théâtre n'est que le quadruple du bien des plus pauvres qui vont au parterre. Généralement parlant, les premiers sont d'une opulence excessive, et la plupart des autres n'ont rien *. Il en est de ceci comme des impôts sur le blé, sur le vin, sur le sel, sur toute chose nécessaire à la vie, qui ont un air de justice au premier coup d'œil, et sont au fond très iniques : car le pauvre qui ne peut dépenser que pour son nécessaire est forcé de jeter les trois quarts de ce qu'il dépense en impôts, tandis que ce même nécessaire n'étant que la moindre partie de la dépense du riche l'impôt lui est presque insensible ** [166]. De cette manière, celui qui a

---

* Quand on augmenterait la différence du prix des places en proportion de celle des fortunes, on ne rétablirait point pour cela l'équilibre. Ces places inférieures, mises à trop bas prix, seraient abandonnées à la populace, et chacun, pour en occuper de plus honorables, dépenserait toujours au-delà de ses moyens. C'est une observation qu'on peut faire aux spectacles de la foire. La raison de ce désordre est que les premiers rangs sont alors un terme fixe dont les autres se rapprochent toujours, sans qu'on le puisse éloigner. Le pauvre tend sans cesse à s'élever au-dessus de ses vingt sols ; mais le riche, pour le fuir, n'a plus d'asile au-delà de ses quatre francs ; il faut, malgré lui, qu'il se laisse accoster et, si son orgueil en souffre, sa bourse en profite.

** Voilà pourquoi les *imposteurs* de Bodin et autres fripons publics établissent toujours leurs monopoles sur les choses nécessaires à la vie, afin d'affamer doucement le peuple, sans que le riche en murmure. Si le moindre objet de luxe ou de faste était attaqué, tout serait perdu ; mais, pourvu que les grands soient contents, qu'importe que le peuple vive ?

peu paie beaucoup et celui qui a beaucoup paie peu ; je ne vois pas quelle grande justice on trouve à cela.

On me demandera qui force le pauvre d'aller aux spectacles ? Je répondrai, premièrement ceux qui les établissent et lui en donnent la tentation ; en second lieu, sa pauvreté même qui, le condamnant à des travaux continuels, sans espoir de les voir finir, lui rend quelque délassement plus nécessaire pour les supporter. Il ne se tient point malheureux de travailler sans relâche, quand tout le monde en fait de même ; mais n'est-il pas cruel à celui qui travaille de se priver des récréations des gens oisifs ? Il les partage donc ; et ce même amusement, qui fournit un moyen d'économie au riche, affaiblit doublement le pauvre, soit par un surcroît réel de dépenses, soit par moins de zèle au travail, comme je l'ai ci-devant expliqué.

De ces nouvelles réflexions, il suit évidemment, ce me semble, que les spectacles modernes, où l'on n'assiste qu'à prix d'argent, tendent partout à favoriser et augmenter l'inégalité des fortunes, moins sensiblement, il est vrai, dans les capitales que dans une petite ville comme la nôtre. Si j'accorde que cette inégalité, portée jusqu'à certain point, peut avoir ses avantages, certainement vous m'accorderez aussi qu'elle doit avoir des bornes, surtout dans un petit Etat, et surtout dans une République. Dans une monarchie où tous les ordres sont intermédiaires entre le prince et le peuple, il peut être assez indifférent que certains hommes passent de l'un à l'autre : car, comme d'autres les remplacent, ce changement n'interrompt point la progression. Mais dans une démocratie où les sujets et le souverain ne sont que les mêmes hommes considérés sous différents rapports, sitôt que le plus petit nombre l'emporte en richesses sur le plus grand, il faut que l'Etat périsse ou change de forme. Soit que le riche devienne plus riche ou le pauvre plus indigent, la différence des fortunes n'en augmente pas moins d'une manière que de l'autre; et cette différence, portée au-delà de sa mesure, est ce qui détruit l'équilibre dont j'ai parlé.

Jamais dans une monarchie l'opulence d'un particulier ne peut le mettre au-dessus du prince; mais dans une République elle peut aisément le mettre au-dessus des lois. Alors le gouvernement n'a plus de force, et le riche est toujours le vrai souverain. Sur ces maximes incontestables, il reste à considérer si l'inégalité n'a pas atteint parmi nous le dernier terme où elle peut parvenir sans ébranler la République. Je m'en rapporte là-dessus à ceux qui connaissent mieux que moi notre constitution et la répartition de nos richesses. Ce que je sais : c'est que, le temps seul donnant à l'ordre des choses une pente naturelle vers cette inégalité et un progrès successif jusqu'à son dernier terme, c'est une grande imprudence de l'accélérer encore par des établissements qui la favorisent. Le grand Sully, qui nous aimait, nous l'eût bien su dire : spectacles et comédies dans toute petite République et surtout dans Genève, affaiblissement d'Etat.

Si le seul établissement du théâtre nous est si nuisible, quel fruit tirerons-nous des pièces qu'on y représente? Les avantages mêmes qu'elles peuvent procurer aux peuples pour lesquels elles ont été composées nous tourneront à préjudice, en nous donnant pour instruction ce qu'on leur a donné pour censure, ou du moins en dirigeant nos goûts et nos inclinations sur les choses du monde qui nous conviennent le moins. La tragédie nous représentera des tyrans et des héros. Qu'en avons-nous à faire ? Sommes-nous faits pour en avoir ou le devenir ? Elle nous donnera une vaine admiration de la puissance et de la grandeur. De quoi nous servira-t-elle ? Serons-nous plus grands ou plus puissants pour cela ? Que nous importe d'aller étudier sur la scène les devoirs des rois, en négligeant de remplir les nôtres ? La stérile admiration des vertus de théâtre nous dédommagera-t-elle des vertus simples et modestes qui font le bon citoyen ? Au lieu de nous guérir de nos ridicules, la comédie nous portera ceux d'autrui : elle nous persuadera que nous avons tort de mépriser des vices qu'on estime si fort ailleurs. Quelque extravagant que soit un marquis, c'est un marquis enfin. Concevez combien ce titre sonne dans un pays heureux pour n'en point avoir ; et qui sait combien de courtauds croiront se mettre à la mode en imitant les marquis du siècle dernier ? Je ne répéterai point ce que j'ai déjà dit de la bonne foi toujours raillée, du vice adroit toujours triomphant, et de l'exemple continuel des forfaits mis en plaisanterie. Quelles leçons pour un peuple dont tous les sentiments ont encore leur droiture naturelle, qui croit qu'un scélérat est toujours méprisable et qu'un homme de bien ne peut être ridicule ! Quoi ! Platon bannissait Homère de sa République [167] et nous souffrirons Molière dans la nôtre ! Que pourrait-il nous arriver de pis que de ressembler aux gens qu'ils nous peint, même à ceux qu'il nous fait aimer ?

J'en ai dit assez, je crois, sur leur chapitre et je ne

pense guère mieux des héros de Racine, de ces héros si
parés, si doucereux, si tendres, qui, sous un air de
courage et de vertu, ne nous montrent que les modèles
des jeunes gens dont j'ai parlé, livrés à la galanterie, à
la mollesse, à l'amour, à tout ce qui peut efféminer
l'homme et l'attiédir sur le goût de ses véritables
devoirs. Tout le théâtre français ne respire que la
tendresse : c'est la grande vertu à laquelle on y sacrifie
toutes les autres, ou du moins qu'on y rend la plus
chère aux spectateurs. Je ne dis pas qu'on ait tort en
cela, quant à l'objet du poète : je sais que l'homme
sans passions est une chimère ; que l'intérêt du théâtre
n'est fondé que sur les passions ; que le cœur ne
s'intéresse point à celles qui lui sont étrangères, ni à
celles qu'on n'aime pas à voir en autrui, quoiqu'on y
soit sujet soi-même. L'amour de l'humanité, celui de la
patrie, sont les sentiments dont les peintures touchent
le plus ceux qui en sont pénétrés ; mais, quand ces
deux passions sont éteintes, il ne reste que l'amour
proprement dit, pour leur suppléer : parce que son
charme est plus naturel et s'efface plus difficilement du
cœur que celui de toutes les autres. Cependant il n'est
pas également convenable à tous les hommes : c'est
plutôt comme supplément des bons sentiments que
comme bon sentiment lui-même qu'on peut l'admettre ; non qu'il ne soit louable en soi, comme toute
passion bien réglée, mais parce que les excès en sont
dangereux et inévitables.

Le plus méchant des hommes est celui qui s'isole le
plus, qui concentre le plus son cœur en lui-même ; le
meilleur est celui qui partage également ses affections
à tous ses semblables. Il vaut beaucoup mieux aimer

une maîtresse que de s'aimer seul au monde. Mais quiconque aime tendrement ses parents, ses amis, sa patrie, et le genre humain, se dégrade par un attachement désordonné qui nuit bientôt à tous les autres et leur est infailliblement préféré. Sur ce principe, je dis qu'il y a des pays où les mœurs sont si mauvaises qu'on serait trop heureux d'y pouvoir remonter à l'amour ; d'autres où elles sont assez bonnes pour qu'il soit fâcheux d'y descendre, et j'ose croire le mien dans ce dernier cas. J'ajouterai que les objets trop passionnés sont plus dangereux à nous montrer qu'à personne : parce que nous n'avons naturellement que trop de penchant à les aimer. Sous un air flegmatique et froid, le Genevois cache une âme ardente et sensible, plus facile à émouvoir qu'à retenir. Dans ce séjour de la raison, la beauté n'est pas étrangère, ni sans empire ; le levain de la mélancolie y fait souvent fermenter l'amour ; les hommes n'y sont que trop capables de sentir des passions violentes, les femmes, de les inspirer ; et les tristes effets qu'elles y ont quelquefois produits ne montrent que trop le danger de les exciter par des spectacles touchants et tendres [168]. Si les héros de quelques pièces soumettent l'amour au devoir, en admirant leur force, le cœur se prête à leur faiblesse ; on apprend moins à se donner leur courage qu'à se mettre dans le cas d'en avoir besoin. C'est plus d'exercice pour la vertu ; mais qui l'ose exposer à ces combats mérite d'y succomber. L'amour, l'amour même prend son masque pour la surprendre ; il se pare de son enthousiasme ; il usurpe sa force ; il affecte son langage, et quand on s'aperçoit de l'erreur, qu'il est tard pour en revenir ! Que d'hommes bien nés, séduits

par ces apparences, d'amants tendres et généreux
qu'ils étaient d'abord, sont devenus par degrés de vils
corrupteurs, sans mœurs, sans respect pour la foi
conjugale, sans égards pour les droits de la confiance et
de l'amitié ! Heureux qui sait se reconnaître au bord
du précipice et s'empêcher d'y tomber ! Est-ce au
milieu d'une course rapide qu'on doit espérer de
s'arrêter ? Est-ce en s'attendrissant tous les jours qu'on
apprend à surmonter la tendresse ? On triomphe
aisément d'un faible penchant ; mais celui qui connut
le véritable amour et l'a su vaincre, ah ! pardonnons à
ce mortel, s'il existe, d'oser prétendre à la vertu[169] !

Ainsi de quelque manière qu'on envisage les choses,
la même vérité nous frappe toujours. Tout ce que les
pièces de théâtre peuvent avoir d'utile à ceux pour qui
elles ont été faites nous deviendra préjudiciable, jusqu'au goût que nous croirons avoir acquis par elles, et
qui ne sera qu'un faux goût, sans tact, sans délicatesse,
substitué mal à propos parmi nous à la solidité de la
raison. Le goût tient à plusieurs choses : les recherches
d'imitation qu'on voit au théâtre, les comparaisons
qu'on a lieu d'y faire, les réflexions sur l'art de plaire
aux spectateurs, peuvent le faire germer, mais non
suffire à son développement. Il faut de grandes villes, il
faut des beaux-arts et du luxe, il faut un commerce
intime entre les citoyens, il faut une étroite dépendance
les uns des autres, il faut de la galanterie et même de la
débauche, il faut des vices qu'on soit forcé d'embellir,
pour faire chercher à tout des formes agréables, et
réussir à les trouver. Une partie de ces choses nous
manquera toujours, et nous devons trembler d'acquérir l'autre.

Nous aurons des comédiens, mais quels ? Une bonne
troupe viendra-t-elle de but en blanc s'établir dans une
ville de vingt-quatre mille âmes ? Nous en aurons donc
d'abord de mauvais et nous serons d'abord de mauvais
juges. Les formerons-nous, ou s'ils nous formeront ?
Nous aurons de bonnes pièces ; mais, les recevant pour
telles sur la parole d'autrui, nous serons dispensés de
les examiner, et ne gagnerons pas plus à les voir jouer
qu'à les lire. Nous n'en ferons pas moins les connaisseurs, les arbitres du théâtre ; nous n'en voudrons pas
moins décider pour notre argent, et n'en seront que
plus ridicules. On ne l'est point pour manquer de goût,
quand on le méprise ; mais c'est l'être que de s'en
piquer et n'en avoir qu'un mauvais. Et qu'est-ce au fond
que ce goût si vanté ? L'art de se connaître en petites
choses. En vérité, quand on en a une aussi grande à
conserver que la liberté, tout le reste est bien puéril.

Je ne vois qu'un remède à tant d'inconvénients :
c'est que, pour nous approprier les drames de notre
théâtre, nous les composions nous-mêmes, et que nous
ayons des auteurs avant des comédiens. Car il n'est
pas bon qu'on nous montre toutes sortes d'imitations,
mais seulement celles des choses honnêtes, et qui
conviennent à des hommes libres * [170]. Il est sûr que

---

* « *Si quis ergo in nostram urbem venerit, qui animi sapientia in omnes
possit sese vertere formas, et omnia imitari, volueritque poemata sua ostentare,
venerabimur quidem ipsum, ut sacrum, admirabilem, et jucundum : dicemus
autem non esse ejusmodi hominem in republica nostra, neque fas esse ut insit,
mittemusque in aliam urbem, unguento caput ejus perungentes, lanaque
coronantes. Nos autem austeriori minusque jucundo utemur Poeta, fabularum-
que fictore, utilitatis gratia, qui decori nobis rationem exprimat, et quæ dici
debent dicat in his formulis quas a principio pro legibus tulimus, quando cives
erudire agressi sumus.* » Plat., *De Rep.*, *lib.* III.

des pièces tirées comme celles des Grecs des malheurs
passés de la patrie, ou des défauts présents du peuple,
pourraient offrir aux spectateurs des leçons utiles ?
Alors quels seront les héros de nos tragédies ? Des
Berthelier ? des Lévrery [171] ? Ah, dignes citoyens ! Vous
fûtes des héros, sans doute ; mais votre obscurité vous
avilit, vos noms communs déshonorent vos grandes
âmes *, et nous ne sommes plus assez grands nous-
mêmes pour vous savoir admirer. Quels seront nos
tyrans ? Des gentilshommes de la cuillère **, des évêques
de Genève, des comtes de Savoie, des ancêtres d'une
maison avec laquelle nous venons de traiter, et à qui
nous devons du respect ? Cinquante ans plutôt, je ne
répondrais pas que le Diable *** et l'Antéchrist n'y

---

* Philibert Berthelier fut le Caton de notre patrie, avec cette
différence que la liberté publique finit par l'un et commença par
l'autre. Il tenait une belette privée quand il fut arrêté ; il rendit son
épée avec cette fierté qui sied si bien à la vertu malheureuse ; puis il
continua de jouer avec sa belette, sans daigner répondre aux
outrages de ses gardes. Il mourut comme doit mourir un martyr de
la liberté.

Jean Lévrery fut le Favonius de Berthelier ; non pas en imitant
puérilement ses discours et ses manières, mais en mourant volontairement comme lui : sachant bien que l'exemple de sa mort serait
plus utile à son pays que sa vie. Avant d'aller à l'échafaud, il écrivit
sur le mur de sa prison cette épitaphe qu'on avait faite à son
prédécesseur :

Quid mihi mors nocuit ? Virtus post fata virescit :
Nec cruce, nec sævi gladio perit illa Tyranni.

** C'était une confrérie de gentilshommes savoyards qui avaient
fait vœu de brigandage contre la ville de Genève et qui, pour marque
de leur association, portaient une cuillère pendue au cou.

*** J'ai lu dans ma jeunesse une tragédie de l'Escalade, où le
Diable était en effet un des acteurs. On me disait que cette pièce
ayant une fois été représentée, ce personnage en entrant sur la scène
se trouva double, comme si l'original eût été jaloux qu'on eût
l'audace de le contrefaire, et qu'à l'instant l'effroi fit fuir tout le

eussent aussi fait leur rôle [172]. Chez les Grecs, peuple d'ailleurs assez badin, tout était grave et sérieux, sitôt qu'il s'agissait de la patrie ; mais dans ce siècle plaisant où rien n'échappe au ridicule, hormis la puissance, on n'ose parler d'héroïsme que dans les grands Etats, quoiqu'on n'en trouve que dans les petits.

Quant à la comédie, il n'y faut pas songer. Elle causerait chez nous les plus affreux désordres ; elle servirait d'instrument aux factions, aux partis, aux vengances particulières. Notre ville est si petite que les peintures de mœurs les plus générales y dégénéreraient bientôt en satires et personnalités. L'exemple de l'ancienne Athènes, ville incomparablement plus peuplée que Genève, nous offre une leçon frappante : c'est au théâtre qu'on y prépara l'exil de plusieurs grands hommes et la mort de Socrate [173] ; c'est par la fureur du théâtre qu'Athènes périt et ses désastres ne justifièrent que trop le chagrin qu'avait témoigné Solon, aux premières représentations de Thespis [174]. Ce qu'il y a de bien sûr pour nous, c'est qu'il faudra mal augurer de la République, quand on verra les citoyens travestis en beaux esprits, s'occuper à faire des vers français et des pièces de théâtre, talents qui ne sont point les

monde, et finir la représentation. Ce conte est burlesque, et le paraîtra bien plus à Paris qu'à Genève : cependant, qu'on se prête aux suppositions, on trouvera dans cette double apparition un effet théâtral et vraiment effrayant. Je n'imagine qu'un spectacle plus simple et plus terrible encore ; c'est celui de la main sortant du mur et traçant des mots inconnus au festin de Balthazar. Cette seule idée fait frissonner. Il me semble que nos poètes lyriques sont loin de ces inventions sublimes ; ils font, pour épouvanter, un fracas de décorations sans effet. Sur la scène même il ne faut pas tout dire à la vue ; mais ébranler l'imagination.

nôtres et que nous ne posséderons jamais. Mais que
M. de Voltaire daigne nous composer des tragédies sur
le modèle de *La Mort de César,* du premier acte de
Brutus, et, s'il nous faut absolument un théâtre, qu'il
s'engage à le remplir toujours de son génie, et à vivre
autant que ses pièces.

Je serais d'avis qu'on pesât mûrement toutes ces
réflexions, avant de mettre en ligne de compte le goût
de parure et de dissipation que doit produire parmi
notre jeunesse l'exemple des comédiens ; mais enfin cet
exemple aura son effet encore, et si généralement
partout les lois sont insuffisantes pour réprimer des
vices qui naissent de la nature des choses, comme je
crois l'avoir montré, combien plus le feront-elles parmi
nous où le premier signe de leur faiblesse sera l'établissement des comédiens ? Car ce ne seront point eux
proprement qui auront introduit ce goût de dissipation : au contraire, ce même goût les aura prévenus, les
aura introduits eux-mêmes, et ils ne feront que fortifier
un penchant déjà tout formé, qui, les ayant fait
admettre, à plus forte raison les fera maintenir avec
leurs défauts.

Je m'appuie toujours sur la supposition qu'ils sub-
sisteront commodément dans une aussi petite ville, et
je dis que si nous les honorons, comme vous le
prétendez, dans un pays où tous sont à peu près égaux,
ils seront les égaux de tout le monde, et auront de plus
la faveur publique qui leur est naturellement acquise.
Ils ne seront point, comme ailleurs, tenus en respect
par les grands dont ils recherchent la bienveillance et
dont ils craignent la disgrâce. Les magistrats leur en
imposeront : soit. Mais ces magistrats auront été

particuliers; ils auront pu être familiers avec eux; ils auront des enfants qui le seront encore, des femmes qui aimeront le plaisir. Toutes ces liaisons seront des moyens d'indulgence et de protection, auxquels il sera impossible de résister toujours. Bientôt les comédiens, sûrs de l'impunité, la procureront encore à leurs imitateurs; c'est par eux qu'aura commencé le désordre, mais on ne voit plus où il pourra s'arrêter. Les femmes, la jeunesse, les riches, les gens oisifs, tout sera pour eux, tout éludera des lois qui les gênent, tout favorisera leur licence: chacun, cherchant à les satisfaire, croira travailler pour ses plaisirs. Quel homme osera s'opposer à ce torrent, si ce n'est peut-être quelque ancien pasteur rigide qu'on n'écoutera point, et dont le sens et la gravité passeront pour pédanterie chez une jeunesse inconsidérée? Enfin pour peu qu'ils joignent d'art et de manège à leur succès, je ne leur donne pas trente ans pour être les arbitres de l'Etat*. On verra les aspirants aux charges briguer leur faveur pour obtenir les suffrages; les élections se feront dans les loges des actrices, et les chefs d'un peuple libre seront les créatures d'une bande d'histrions. La plume tombe des mains à cette idée. Qu'on l'écarte tant qu'on voudra, qu'on m'accuse d'outrer la prévoyance; je n'ai plus qu'un mot à dire. Quoi qu'il arrive, il faudra que ces gens-là réforment leurs mœurs parmi nous, ou qu'ils corrompent les nôtres. Quand cette

---

* On doit toujours se souvenir que, pour que la comédie se soutienne à Genève, il faut que ce goût y devienne une fureur; s'il n'est que modéré, il faudra qu'elle tombe. La raison veut donc qu'en examinant les effets du théâtre, on les mesure sur une cause capable de le soutenir.

alternative aura cessé de nous effrayer, les comédiens pourront venir ; ils n'auront plus de mal à nous faire.

Voilà, Monsieur, les considérations que j'avais à proposer au public et à vous sur la question qu'il vous a plu d'agiter dans un article où elle était, à mon avis, tout à fait étrangère. Quand mes raisons, moins fortes qu'elles ne me paraissent, n'auraient pas un poids suffisant pour contrebalancer les vôtres, vous conviendrez au moins que, dans un aussi petit État que la République de Genève, toutes innovations sont dangereuses, et qu'il n'en faut jamais faire sans des motifs urgents et graves. Qu'on nous montre donc la pressante nécessité de celle-ci. Où sont les désordres qui nous forcent de recourir à un expédient si suspect ? Tout est-il perdu sans cela ? Notre ville est-elle si grande, le vice et l'oisiveté y ont-ils déjà fait un tel progrès qu'elle ne puisse plus désormais subsister sans spectacles ? Vous nous dites qu'elle en souffre de plus mauvais qui choquent également le goût et les mœurs ; mais il y a bien de la différence entre montrer de mauvaises mœurs et attaquer les bonnes : car ce dernier effet dépend moins des qualités du spectacle que de l'impression qu'il cause. En ce sens, quel rapport entre quelques farces passagères et une comédie à demeure, entre les polissonneries d'un charlatan et les représentations régulières des ouvrages dramatiques, entre des tréteaux de foire élevés pour réjouir la populace et un théâtre estimé où les honnêtes gens penseront s'instruire ? L'un de ces amusements est sans conséquence et reste oublié dès le lendemain ; mais l'autre est une affaire importante qui mérite toute l'attention du gouvernement. Par tout pays il est permis d'amuser les enfants, et peut être enfant qui veut sans beaucoup d'inconvénients. Si ces fades spectacles manquent de goût, tant mieux : on s'en rebutera plus vite ; s'ils sont grossiers, ils seront moins séduisants. Le vice ne s'insinue guère en choquant l'honnêteté, mais en prenant son image ; et les mots sales sont plus contraires à la politesse qu'aux bonnes mœurs. Voilà pourquoi les expressions sont toujours plus recherchées et les oreilles plus scrupuleuses dans les pays plus corrompus. S'aperçoit-on que les entretiens de la halle échauffent beaucoup la jeunesse qui les écoute ? Si [175] font bien les discrets propos du théâtre, et il vaudrait mieux qu'une jeune fille vît cent parades qu'une seule représentation de *L'Oracle* [176].

Au reste, j'avoue que j'aimerais mieux, quant à moi, que nous puissions nous passer entièrement de tous ces tréteaux, et que petits et grands nous sussions tirer nos plaisirs et nos devoirs de notre état et de nous-mêmes ; mais de ce qu'on devrait peut-être chasser les bateleurs, il ne s'ensuit pas qu'il faille appeler les comédiens. Vous avez vu, dans votre propre pays, la ville de Marseille se défendre longtemps d'une pareille innovation, résister même aux ordres réitérés du ministre, et garder encore, dans ce mépris d'un amusement frivole, une image honorable de son ancienne liberté. Quel exemple pour une ville qui n'a point encore perdu la sienne !

Qu'on ne pense pas, surtout, faire un pareil établissement par manière d'essai, sauf à l'abolir quand on en sentira les inconvénients : car ces inconvénients ne se détruisent pas avec le théâtre qui les produit, ils restent quand leur cause est ôtée, et, dès qu'on commence à les sentir, ils sont irrémédiables. Nos mœurs altérées, nos goûts changés ne se rétabliront pas comme ils se seront corrompus; nos plaisirs mêmes, nos innocents plaisirs auront perdu leurs charmes; le spectacle nous en aura dégoûtés pour toujours. L'oisiveté devenue nécessaire, les vides du temps que nous ne saurons plus remplir nous rendront à charge à nous-mêmes; les comédiens en partant nous laisseront l'ennui pour arrhes de leur retour, il nous forcera bientôt à les rappeler ou à faire pis. Nous aurons mal fait d'établir la comédie, nous ferons mal de la laisser subsister, nous ferons mal de la détruire : après la première faute, nous n'aurons plus que le choix de nos maux.

Quoi! ne faut-il donc aucun spectacle dans une République? Au contraire, il en faut beaucoup. C'est dans les Républiques qu'ils sont nés, c'est dans leur sein qu'on les voit briller avec un véritable air de fête. A quels peuples convient-il mieux de s'assembler souvent et de former entre eux les doux liens du plaisir et de la joie, qu'à ceux qui ont tant de raisons de s'aimer et de rester à jamais unis? Nous avons déjà plusieurs de ces fêtes publiques; ayons-en davantage encore, je n'en serai que plus charmé. Mais n'adoptons point ces spectacles exclusifs qui renferment tristement un petit nombre de gens dans un antre obscur; qui les tiennent craintifs et immobiles dans le silence et l'inaction; qui n'offrent aux yeux que cloisons, que pointes de fer, que soldats, qu'affligeantes images de la servitude et de l'inégalité. Non, peuples heureux, ce ne sont pas là vos fêtes! C'est en plein air, c'est sous le ciel qu'il faut vous rassembler et vous livrer au doux sentiment de votre bonheur. Que vos plaisirs ne soient efféminés ni mercenaires, que rien de ce qui sent la contrainte et l'intérêt ne les empoisonne, qu'ils soient libres et généreux comme vous, que le soleil éclaire vos innocents spectacles ; vous en formerez un vous-mêmes, le plus digne qu'il puisse éclairer.

Mais quels seront enfin les objets de ces spectacles ? Qu'y montrera-t-on ? Rien, si l'on veut. Avec la liberté, partout où règne l'affluence, le bien-être y règne aussi. Plantez au milieu d'une place un piquet couronné de fleurs, rassemblez-y le peuple, et vous aurez une fête. Faites mieux encore : donnez les spectateurs en specta-cle ; rendez-les acteurs eux-mêmes ; faites que chacun se voie et s'aime dans les autres, afin que tous en soient mieux unis. Je n'ai pas besoin de renvoyer aux jeux des anciens Grecs : il en est de plus modernes, il en est d'existants encore, et je les trouve précisément parmi nous. Nous avons tous les ans des revues ; des prix publics ; des rois de l'arquebuse, du canon, de la navigation. On ne peut trop multiplier des établisse-ments si utiles * et si agréables ; on ne peut trop avoir

---

* Il ne suffit pas que le peuple ait du pain et vive dans sa condition. Il faut qu'il y vive agréablement : afin qu'il en remplisse mieux les devoirs, qu'il se tourmente moins pour en sortir, et que l'ordre public soit mieux établi. Les bonnes mœurs tiennent plus qu'on ne pense à ce que chacun se plaise dans son état. Le manège et l'esprit d'intrigue viennent d'inquiétude et de mécontentement : tout va mal quand l'un aspire à l'emploi d'un autre. Il faut aimer son métier pour le bien faire. L'assiette de l'État n'est bonne et solide que quand, tous se sentant à leur place, les forces particulières se réunissent et concourent au bien public ; au lieu de s'user l'une contre l'autre, comme elles font dans tout État mal constitué. Cela posé, que doit-on penser de ceux qui voudraient ôter au peuple les fêtes, les plaisirs et toute espèce d'amusement, comme autant de

de semblables rois. Pourquoi ne ferions-nous pas, pour nous rendre dispos et robustes, ce que nous faisons pour nous exercer aux armes ? La République a-t-elle moins besoin d'ouvriers que de soldats ? Pourquoi, sur le modèle des prix militaires, ne fonderions-nous pas d'autres prix de gymnastique, pour la lutte, pour la course, pour le disque, pour divers exercices du corps ? Pourquoi n'animerions-nous pas nos bateliers pour des joutes sur le lac ? Y aurait-il au monde un plus brillant spectacle que de voir, sur ce vaste et superbe bassin, des centaines de bateaux, élégamment équipés, partir à la fois au signal donné, pour aller enlever un drapeau arboré au but, puis servir de cortège au vainqueur revenant en triomphe recevoir le prix mérité. Toutes ces sortes de fêtes ne sont dispendieuses qu'autant qu'on le veut bien, et le seul concours les rend assez magnifiques [177]. Cependant il faut y avoir assisté chez le Genevois, pour comprendre avec quelle ardeur il s'y livre. On ne le reconnaît plus : ce n'est plus ce peuple si rangé qui ne se départ point de ses règles économiques ; ce n'est plus ce long raisonneur qui pèse tout à la balance du jugement, jusqu'à la plaisanterie. Il est vif,

---

distractions qui le détournent de son travail ? Cette maxime est barbare et fausse. Tant pis, si le peuple n'a de temps que pour gagner son pain, il lui en faut encore pour le manger avec joie : autrement il ne le gagnera pas longtemps. Ce Dieu juste et bienfaisant, qui veut qu'il s'occupe, veut aussi qu'il se délasse : la Nature lui impose également l'exercice et le repos, le plaisir et la peine. Le dégoût du travail accable plus les malheureux que le travail même. Voulez-vous donc rendre un peuple actif et laborieux ? Donnez-lui des fêtes, offrez-lui des amusements qui lui fassent aimer son état et l'empêchent d'en envier un plus doux. Des jours ainsi perdus feront mieux valoir tous les autres. Présidez à ses plaisirs pour les rendre honnêtes ; c'est le vrai moyen d'animer ses travaux.

gai, caressant; son cœur est alors dans ses yeux,
comme il est toujours sur ses lèvres; il cherche à
communiquer sa joie et ses plaisirs; il invite, il presse,
il force, il se dispute les survenants. Toutes les sociétés
n'en font qu'une, tout devient commun à tous. Il est
presque indifférent à quelle table on se mette : ce serait
l'image de celles de Lacédémone, s'il n'y régnait un
peu plus de profusion; mais cette profusion même est
alors bien placée, et l'aspect de l'abondance rend plus
touchant celui de la liberté qui la produit.

L'hiver, temps consacré au commerce privé des
amis, convient moins aux fêtes publiques. Il en est
pourtant une espèce dont je voudrais bien qu'on se fît
moins de scrupule, savoir les bals entre de jeunes
personnes à marier[178]. Je n'ai jamais bien connu
pourquoi l'on s'effarouche si fort de la danse et des
assemblées qu'elle occasionne : comme s'il y avait plus
de mal à danser qu'à chanter; que l'un et l'autre de ces
amusements ne fût pas également une inspiration de la
Nature; et que ce fût un crime à ceux qui sont destinés
à s'unir de s'égayer en commun par une honnête
récréation. L'homme et la femme ont été formés l'un
pour l'autre. Dieu veut qu'ils suivent leur destination,
et certainement le premier et le plus saint de tous les
liens de la société est le mariage. Toutes les fausses
religions combattent la Nature; la nôtre seule, qui la
suit et la règle, annonce une institution divine et
convenable à l'homme. Elle ne doit point ajouter sur le
mariage, aux embarras de l'ordre civil, des difficultés
que l'Evangile ne prescrit pas et que tout bon gouvernement condamne; mais qu'on me dise où de jeunes
personnes à marier auront occasion de prendre du

goût l'une pour l'autre, et de se voir avec plus de décence et de circonspection que dans une assemblée où les yeux du public incessamment ouverts sur elles les forcent à la réserve, à la modestie, à s'observer avec le plus grand soin ? En quoi Dieu est-il offensé par un exercice agréable, salutaire, propre à la vivacité des jeunes gens, qui consiste à se présenter l'un à l'autre avec grâce et bienséance, et auquel le spectateur impose une gravité dont on n'oserait sortir un instant ? Peut-on imaginer un moyen plus honnête de ne point tromper autrui, du moins quant à la figure, et de se montrer avec les agréments et les défauts qu'on peut avoir aux gens qui ont intérêt de nous bien connaître avant de s'obliger à nous aimer ? Le devoir de se chérir réciproquement n'emporte-t-il pas celui de se plaire, et n'est-ce pas un soin digne de deux personnes vertueuses et chrétiennes qui cherchent à s'unir, de préparer ainsi leurs cœurs à l'amour mutuel que Dieu leur impose ?

Qu'arrive-t-il dans ces lieux où règne une contrainte éternelle, où l'on punit comme un crime la plus innocente gaieté, où les jeunes gens des deux sexes n'osent jamais s'assembler en public, et où l'indiscrète sévérité d'un pasteur ne sait prêcher au nom de Dieu qu'une gêne servile, et la tristesse, et l'ennui ? On élude une tyrannie insupportable que la nature et la Raison désavouent. Aux plaisirs permis dont on prive une jeunesse enjouée et folâtre, elle en substitue de plus dangereux. Les tête-à-tête adroitement concertés prennent la place des assemblées publiques. A force de se cacher comme si l'on était coupable, on est tenté de le devenir. L'innocente joie aime à s'évaporer au grand

jour; mais le vice est ami des ténèbres, et jamais
l'innocence et le mystère n'habitèrent longtemps
ensemble.

Pour moi, loin de blâmer de si simples amusements,
je voudrais au contraire qu'ils fussent publiquement
autorisés, et qu'on y prévînt tout désordre particulier
en les convertissant en bals solennels et périodiques,
ouverts indistinctement à toute la jeunesse à marier. Je
voudrais qu'un magistrat*, nommé par le conseil, ne
dédaignât pas de présider à ces bals. Je voudrais que
les pères et mères y assistassent, pour veiller sur leurs
enfants, pour être témoins de leur grâce et de leur
adresse, des applaudissements qu'ils auraient mérités,
et jouir ainsi du plus doux spectacle qui puisse toucher
un cœur paternel. Je voudrais qu'en général toute
personne mariée y fût admise au nombre des spectateurs et des juges, sans qu'il fût permis à aucune de
profaner la dignité conjugale en dansant elle-même :
car à quelle fin honnête pourrait-elle se donner ainsi en
montre au public ? Je voudrais qu'on formât dans la
salle une enceinte commode et honorable, destinée aux
gens âgés de l'un et de l'autre sexe, qui ayant déjà
donné des citoyens à la patrie, verraient encore leurs
petits-enfants se préparer à le devenir. Je voudrais que

---

* A chaque corps de métier, à chacune des sociétés publiques
dont est composé notre Etat, préside un de ces magistrats, sous le
nom de *Seigneur-Commis*. Ils assistent à toutes les assemblées et même
aux festins. Leur présence n'empêche point une honnête familiarité
entre les membres de l'association ; mais elle maintient tout le
monde dans le respect qu'on doit porter aux lois, aux mœurs, à la
décence, même au sein de la joie et du plaisir. Cette institution est
très belle, et forme un des grands liens qui unissent le peuple à ses
chefs.

nul n'entrât ni ne sortît sans saluer ce parquet, et que tous les couples de jeunes gens vinssent, avant de commencer leur danse et après l'avoir finie, y faire une profonde révérence, pour s'accoutumer de bonne heure à respecter la vieillesse. Je ne doute pas que cette agréable réunion des deux termes de la vie humaine ne donnât à cette assemblée un certain coup d'œil attendrissant, et qu'on ne vît quelquefois couler dans le parquet des larmes de joie et de souvenir, capables, peut-être, d'en arracher à un spectateur sensible. Je voudrais que tous les ans, au dernier bal, la jeune personne qui, durant les précédents, se serait comportée le plus honnêtement, le plus modestement, et aurait plu davantage à tout le monde au jugement du parquet, fût honorée d'une couronne par la main du *Seigneur-Commis* *, et du titre de reine du bal qu'elle porterait toute l'année. Je voudrais qu'à la clôture de la même assemblée on la reconduisît en cortège, que le père et la mère fussent félicités et remerciés d'avoir une fille si bien née et de l'élever si bien. Enfin je voudrais que, si elle venait à se marier dans le cours de l'an, la Seigneurie lui fît un présent, ou lui accordât quelque distinction publique, afin que cet honneur fût une chose assez sérieuse pour ne pouvoir jamais devenir un sujet de plaisanterie [179].

Il est vrai qu'on aurait souvent à craindre un peu de partialité, si l'âge des juges ne laissait toute la préférence au mérite; et quand la beauté modeste serait quelquefois favorisée, quel en serait le grand inconvénient? Ayant plus d'assauts à soutenir, n'a-t-elle pas

* Voyez la note précédente.

besoin d'être plus encouragée ? N'est-elle pas un don de la Nature, ainsi que les talents ? Où est le mal qu'elle obtienne quelques honneurs qui l'excitent à s'en rendre digne et puissent contenter l'amour-propre, sans offenser la vertu ?

En perfectionnant ce projet dans les mêmes vues, sous un air de galanterie et d'amusement, on donnerait à ces fêtes plusieurs fins utiles qui en feraient un objet important de police et de bonnes mœurs. La jeunesse, ayant des rendez-vous sûrs et honnêtes, serait moins tentée d'en chercher de plus dangereux. Chaque sexe se livrerait plus patiemment, dans les intervalles, aux occupations et aux plaisirs qui lui sont propres, et s'en consolerait plus aisément d'être privé du commerce continuel de l'autre. Les particuliers de tout état auraient la ressource d'un spectacle agréable, surtout aux pères et mères. Les soins pour la parure de leurs filles seraient pour les femmes un objet d'amusement qui ferait diversion à beaucoup d'autres ; et cette parure, ayant un objet innocent et louable, serait là tout à fait à sa place. Ces occasions de s'assembler pour s'unir, et d'arranger des établissements, seraient des moyens fréquents de rapprocher des familles divisées et d'affermir la paix, si nécessaire dans notre Etat. Sans altérer l'autorité des pères, les inclinations des enfants seraient un peu plus en liberté ; le premier choix dépendrait un peu plus de leur cœur ; les convenances d'âge, d'humeur, de goût, de caractère seraient un peu plus consultées ; on donnerait moins à celles d'état et de biens qui font des nœuds mal assortis, quand on les suit aux dépens des autres. Les liaisons devenant plus faciles, les mariages seraient plus fréquents ; ces mariages, moins circonscrits par les mêmes conditions, préviendraient les partis, tempéreraient l'excessive inégalité, maintiendraient mieux le corps du peuple dans l'esprit de sa constitution ; ces bals ainsi dirigés ressembleraient moins à un spectacle public qu'à l'assemblée d'une grande famille, et du sein de la joie et des plaisirs naîtraient la conservation, la concorde, et la prospérité de la République * [180].

* Il me paraît plaisant d'imaginer quelquefois les jugements que plusieurs porteront de mes goûts sur mes écrits. Sur celui-ci l'on ne manquera pas de dire : cet homme est fou de la danse, je m'ennuie à voir danser : il ne peut souffrir la comédie, j'aime la comédie à la passion : il a de l'aversion pour les femmes, je ne serai que trop bien justifié là-dessus : il est mécontent des comédiens, j'ai tout sujet de m'en louer et l'amitié du seul d'entre eux que j'ai connu particulièrement ne peut qu'honorer un honnête homme. Même jugement sur les poètes dont je suis forcé de censurer les pièces : ceux qui sont morts ne seront pas de mon goût, et je serai piqué contre les vivants. La vérité est que Racine me charme et que je n'ai jamais manqué volontairement une représentation de Molière. Si j'ai moins parlé de Corneille, c'est qu'ayant peu fréquenté ses pièces et manquant de livres, il ne m'est pas assez resté dans la mémoire pour le citer. Quant à l'auteur d'*Atrée* et de *Catilina,* je ne l'ai jamais vu qu'une fois et ce fut pour en recevoir un service. J'estime son génie et respecte sa vieillesse ; mais, quelque honneur que je porte à sa personne, je ne dois que justice à ses pièces, et je ne sais point acquitter mes dettes aux dépens du bien public et de la vérité. Si mes écrits m'inspirent quelque fierté, c'est par la pureté d'intention qui les dicte, c'est par un désintéressement dont peu d'auteurs m'ont donné l'exemple, et que fort peu voudront imiter. Jamais vue particulière ne souilla le désir d'être utile aux autres qui m'a mis la plume à la main, et j'ai presque toujours écrit contre mon propre intérêt. *Vitam impendere vero :* voilà la devise que j'ai choisie et donc je me sens digne. Lecteurs, je puis me tromper moi-même, mais non pas vous tromper volontairement ; craignez mes erreurs et non ma mauvaise foi. L'amour du bien public est la seule passion qui me fait parler au public ; je sais alors m'oublier moi-même, et, si quelqu'un m'offense, je me tais sur son compte de peur que la colère ne me rende injuste. Cette maxime est bonne à mes ennemis, en ce qu'ils me nuisent à

Sur ces idées, il serait aisé d'établir à peu de frais et sans danger plus de spectacles qu'il n'en faudrait pour rendre le séjour de notre ville agréable et riant, même aux étrangers qui, ne trouvant rien de pareil ailleurs, y viendraient au moins pour voir une chose unique. Quoiqu'à dire le vrai, sur beaucoup de fortes raisons, je regarde ce concours comme un inconvénient bien plus que comme un avantage ; et je suis persuadé, quant à moi, que jamais étranger n'entra dans Genève, qu'il n'y ait fait plus de mal que de bien.

Mais savez-vous, Monsieur, qui l'on devrait s'efforcer d'attirer et de retenir dans nos murs ? Les Genevois mêmes qui, avec un sincère amour pour leur pays, ont tous une si grande inclination pour les voyages qu'il n'y a point de contrée où l'on n'en trouve de répandus. La moitié de nos citoyens, épars dans le reste de l'Europe et du monde, vivent et meurent loin de la patrie ; et je me citerais moi-même avec plus de douleur, si j'y étais moins inutile. Je sais que nous sommes forcés d'aller chercher au loin les ressources que notre terrain nous refuse, et que nous pourrions difficilement subsister, si nous nous y tenions renfermés ; mais au moins que ce bannissement ne soit pas éternel pour tous. Que ceux dont le Ciel a béni les

leur aise et sans crainte de représailles, aux lecteurs qui ne craignent pas que ma haine leur en impose, et surtout à moi qui, restant en paix tandis qu'on m'outrage, n'ai du moins que le mal qu'on me fait et non celui que j'éprouverais encore à le rendre. Sainte et pure vérité à qui j'ai consacré ma vie, non jamais mes passions ne souilleront le sincère amour que j'ai pour toi ; l'intérêt ni la crainte ne sauraient altérer l'hommage que j'aime à t'offrir, et ma plume ne te refusera jamais rien que ce qu'elle craint d'accorder à la vengeance !

travaux viennent, comme l'abeille, en rapporter le fruit dans la ruche ; réjouir leurs concitoyens du spectacle de leur fortune ; animer l'émulation des jeunes gens ; enrichir leur pays de leur richesse ; et jouir modestement chez eux des biens honnêtement acquis chez les autres. Sera-ce avec des théâtres, toujours moins parfaits chez nous qu'ailleurs, qu'on les y fera revenir ? Quitteront ils la comédie de Paris ou de Londres pour aller revoir celle de Genève ? Non, non, Monsieur, ce n'est pas ainsi qu'on les peut ramener. Il faut que chacun sente qu'il ne saurait trouver ailleurs ce qu'il a laissé dans son pays ; il faut qu'un charme invincible le rappelle au séjour qu'il n'aurait point dû quitter ; il faut que le souvenir de leurs premiers exercices, de leurs premiers spectacles, de leurs premiers plaisirs, reste profondément gravé dans leurs cœurs ; il faut que les douces impressions faites durant la jeunesse demeurent et se renforcent dans un âge avancé, tandis que mille autres s'effacent ; il faut qu'au milieu de la pompe des grands Etats et de leur triste magnificence, une voix secrète leur crie incessamment au fond de l'âme : Ah ! où sont les jeux et les fêtes de ma jeunesse ? Où est la concorde des citoyens ? Où est la fraternité publique ? Où est la pure joie et la véritable allégresse ? Où sont la paix, la liberté, l'équité, l'innocence ? Allons rechercher tout cela. Mon Dieu ! avec le cœur du Genevois, avec une ville aussi riante, un pays aussi charmant, un gouvernement aussi juste, des plaisirs si vrais et si purs, et tout ce qu'il faut pour savoir les goûter, à quoi tient-il que nous n'adorions tous la patrie ?

Ainsi rappelait ses citoyens, par des fêtes modestes

et des jeux sans éclat, cette Sparte que je n'aurais jamais assez citée pour l'exemple que nous devrions en tirer ; ainsi dans Athènes parmi les beaux-arts, ainsi dans Suse au sein du luxe et de la mollesse, le Spartiate ennuyé soupirait après ses grossiers festins et ses fatigants exercices. C'est à Sparte que, dans une laborieuse oisiveté, tout était plaisir et spectacle ; c'est là que les plus rudes travaux passaient pour des récréations, et que les moindres délassements formaient une instruction publique ; c'est là que les citoyens, continuellement assemblés, consacraient la vie entière à des amusements qui faisaient la grande affaire de l'Etat, et à des jeux dont on ne se délassait qu'à la guerre [181].

J'entends déjà les plaisants me demander si, parmi tant de merveilleuses instructions, je ne veux point aussi, dans nos fêtes genevoises, introduire les danses des jeunes Lacédémoniennes ? Je réponds que je voudrais bien nous croire les yeux et les cœurs assez chastes pour supporter un tel spectacle, et que de jeunes personnes dans cet état fussent à Genève comme à Sparte couvertes de l'honnêteté publique ; mais, quelque estime que je fasse de mes compatriotes, je sais trop combien il y a loin d'eux aux Lacédémoniens, et je ne leur propose des institutions de ceux-ci que celles dont ils ne sont pas encore incapables. Si le sage Plutarque s'est chargé de justifier l'usage en question, pourquoi faut-il que je m'en charge après lui ? Tout est dit, en avouant que cet usage ne convenait qu'aux élèves de Lycurgue ; que leur vie frugale et laborieuse, leurs mœurs pures et sévères, la force d'âme qui leur était propre, pouvaient seules rendre innocent sous leurs yeux, un spectacle si choquant pour tout peuple qui n'est qu'honnête.

Mais pense-t-on qu'au fond l'adroite parure de nos femmes ait moins son danger qu'une nudité absolue, dont l'habitude tournerait bientôt les premiers effets en indifférence et peut-être en dégoût ? Ne sait-on pas que les statues et les tableaux n'offensent les yeux que quand un mélange de vêtements rend les nudités obscènes ? Le pouvoir immédiat des sens est faible et borné : c'est par l'entremise de l'imagination qu'ils font leurs plus grands ravages ; c'est elle qui prend soin d'irriter les désirs, en prêtant à leurs objets encore plus d'attraits que ne leur en donna la Nature ; c'est elle qui découvre à l'œil avec scandale ce qu'il ne voit pas seulement comme nu, mais comme devant être habillé. Il n'y a point de vêtement si modeste au travers duquel un regard enflammé par l'imagination n'aille porter les désirs. Une jeune Chinoise, avançant un bout de pied couvert et chaussé, fera plus de ravage à Pékin que n'eût fait la plus belle fille du monde dansant toute nue au bas du Taygète. Mais quand on s'habille avec autant d'art et si peu d'exactitude [182] que les femmes font aujourd'hui, quand on ne montre moins que pour faire désirer davantage, quand l'obstacle qu'on oppose aux yeux ne sert qu'à mieux irriter l'imagination, quand on ne cache une partie de l'objet que pour parer celle qu'on expose.

Heu ! male tum mites defendit pampinus uvas [183].

Terminons ces nombreuses digressions. Grâce au Ciel voici la dernière : je suis à la fin de cet écrit. Je donnais les fêtes de Lacédémone pour modèle de celles que je voudrais voir parmi nous. Ce n'est pas seulement par leur objet, mais aussi par leur simplicité que je les trouve recommandables : sans pompe, sans luxe, sans appareil, tout y respirait, avec un charme secret de patriotisme qui les rendait intéressantes, un certain esprit martial convenable à des hommes libres * ; sans

---

* Je me souviens d'avoir été frappé dans mon enfance d'un spectacle assez simple, et dont pourtant l'impression m'est toujours restée, malgré le temps et la diversité des objets. Le régiment de Saint-Gervais avait fait l'exercice, et, selon la coutume, on avait soupé par compagnies ; la plupart de ceux qui les composaient se rassemblèrent après le souper dans la place de Saint-Gervais, et se mirent à danser tous ensemble, officiers et soldats, autour de la fontaine, sur le bassin de laquelle étaient montés les tambours, les fifres, et ceux qui portaient les flambeaux. Une danse de gens égayés par un long repas semblerait n'offrir rien de fort intéressant à voir ; cependant, l'accord de cinq ou six cents hommes en uniforme, se tenant tous par la main, et formant une longue bande qui serpentait en cadence et sans confusion, avec mille tours et retours, mille espèces d'évolutions figurées, le choix des airs qui les animaient, le bruit des tambours, l'éclat des flambeaux, un certain appareil militaire au sein du plaisir, tout cela formait une sensation très vive qu'on ne pouvait supporter de sang-froid. Il était tard, les femmes étaient couchées, toutes se relevèrent. Bientôt les fenêtres furent pleines de spectatrices qui donnaient un nouveau zèle aux acteurs ; elles ne purent tenir longtemps à leurs fenêtres, elle descendirent ; les maîtresses venaient voir leurs maris, les servantes apportaient du vin, les enfants même éveillés par le bruit accoururent demi-vêtus entre les pères et les mères. La danse fut suspendue ; ce ne furent qu'embrassements, ris, santés, caresses. Il résulta de tout cela un attendrissement général que je ne saurais peindre, mais que, dans l'allégresse universelle, on éprouve assez naturellement au milieu de tout ce qui nous est cher. Mon père, en m'embrassant, fut saisi d'un tressaillement que je crois sentir et partager encore. Jean-Jacques, me disait-il, aime ton pays. Vois-tu ces bons Genevois ; ils sont tous amis, ils sont tous frères ; la joie et la concorde règne au milieu d'eux. Tu es Genevois : tu verras un jour d'autres peuples ; mais, quand tu voyagerais autant que ton père, tu ne trouveras jamais leur pareil.

On voulut recommencer la danse, il n'y eut plus moyen : on ne

affaires et sans plaisirs, au moins de ce qui porte ces
noms parmi nous, ils passaient, dans cette douce
uniformité, la journée, sans la trouver trop longue, et
la vie, sans la trouver trop courte. Ils s'en retournaient
chaque soir, gais et dispos, prendre leur frugal repas,
contents de leur patrie, de leurs concitoyens, et d'eux-
mêmes. Si l'on demande quelque exemple de ces
divertissements publics, en voici un rapporté par
Plutarque[104]. Il y avait, dit-il, toujours trois danses ou
autant de bandes, selon la différence des âges ; et ces
danses se faisaient au chant de chaque bande. Celle
des vieillards commençait la première, en chantant le
couplet suivant.

> *Nous avons été jadis,*
> *Jeunes, vaillants, et hardis.*

Suivait celle des hommes qui chantaient à leur tour, en
frappant de leurs armes en cadence.

> *Nous le sommes maintenant,*
> *A l'épreuve à tout-venant.*

---

savait plus ce qu'on faisait, toutes les têtes étaient tournées d'une
ivresse plus douce que celle du vin. Après avoir resté quelque temps
encore à rire et à causer sur la place, il fallut se séparer, chacun se
retira paisiblement avec sa famille ; et voilà comment ces aimables et
prudentes femmes ramenèrent leurs maris, non pas en troublant
leurs plaisirs, mais en allant les partager. Je sens bien que ce
spectacle, dont je fus si touché, serait sans attrait pour mille autres :
il faut des yeux faits pour le voir, et un cœur fait pour le sentir. Non,
il n'y a de pure joie que la joie publique, et les vrais sentiments de la
Nature ne règnent que sur le peuple. Ah ! Dignité, fille de l'orgueil et
mère de l'ennui, jamais tes tristes esclaves eurent-ils un pareil
moment en leur vie ?

Ensuite venaient les enfants qui leur répondaient, en
chantant de toute leur force.

> *Et nous bientôt le serons,*
> *Qui tous vous surpasserons.*

Voilà, Monsieur, les spectacles qu'il faut à des
Républiques. Quant à celui dont votre article *Genève*
m'a forcé de traiter dans cet essai, si jamais l'intérêt
particulier vient à bout de l'établir dans nos murs, j'en
prévois les tristes effets ; j'en ai montré quelques-uns,
j'en pourrais montrer davantage ; mais c'est trop
craindre un malheur imaginaire que la vigilance de
nos magistrats saura prévenir. Je ne prétends point
instruire des hommes plus sages que moi. Il me suffit
d'en avoir dit assez pour consoler la jeunesse de mon
pays d'être privée d'un amusement qui coûterait si
cher à la patrie. J'exhorte cette heureuse jeunesse à
profiter de l'avis qui termine votre article [185]. Puisse-
t-elle connaître et mériter son sort ! Puisse-t-elle sentir
toujours combien le solide bonheur est préférable aux
vains plaisirs qui le détruisent ! Puisse-t-elle transmet-
tre à ses descendants les vertus, la liberté, la paix
qu'elle tient de ses pères ! C'est le dernier vœu par
lequel je finis mes écrits, c'est celui par lequel finira ma
vie [186].

Dossier

BIOGRAPHIE

1712 — 28 juin. Naissance, à Genève, de Jean-Jacques Rousseau, dans une famille protestante d'origine française, d'Issac Rousseau, citoyen, et de Suzanne Bernard, citoyenne.
7 juillet. Mort de sa mère.

1713 — 5 octobre. Naissance de Diderot.

1720 — Jean-Jacques lit des romans avec son père.

1722 — Issac Rousseau s'enfuit de Genève à la suite d'une querelle. Jean-Jacques en pension à la campagne (à Bossey) chez le pasteur Lambercier.

1725 — Rentré à Genève en 1724, Rousseau entre en apprentissage chez un graveur.

1728 — Il s'enfuit de Genève. Est envoyé chez Mme de Warens à Annecy. Va au séminaire de Turin pour être converti au catholicisme. Laquais chez Mme de Vercellis. Secrétaire chez le comte de Gouvon.

1729-1730 — Après divers emplois et diverses aventures, il quitte Turin, retrouve Mme de Warens, séjourne à Annecy, Lyon, Fribourg, Lausanne, poursuit ses vagabondages à Neuchâtel, Berne et Soleure.

1731-1732 — Premier voyage à Paris ; à la fin de l'année il rejoint sa protectrice à Chambéry, et trouve au cadastre de Savoie un emploi qu'il ne gardera que huit mois. Il commence à donner des leçons de musique.

1735-1740 — Longs séjours aux Charmettes chez Mme de Warens ; il y complète son instruction.

1740-1741 — Rousseau est précepteur, à Lyon, des fils de M. de Mably, prévôt général du Lyonnais.

1742 — Vient à Paris, présente à l'Académie des sciences un projet de nouvelle notation musicale.

1743 — Rousseau fait la connaissance de Mme Dupin et se lie avec son gendre Francueil. En juin, il devient secrétaire du comte de Montaigu, nommé ambassadeur à Venise, et part avec lui en juillet.

1744 — Il se brouille avec Montaigu et revient à Paris.

1745 — Il se lie avec Thérèse Levasseur, lingère, âgée de 23 ans ; il fait représenter *Les Muses galantes*, retouche *Les Fêtes de Ramire* de Rameau et Voltaire, avec qui il est alors en bons termes.

1746 — Il abandonne le premier de ses cinq enfants, qui iront tous à l'hospice des Enfants-Trouvés. Secrétaire de Mme Dupin, il séjourne à Chenonceaux avec elle et compose de petites pièces de théâtre.

1748 — Montesquieu publie *L'Esprit des lois*.

1749 — Rousseau chargé des articles sur la musique dans l'*Encyclopédie*. Diderot emprisonné à Vincennes. Composition du *Discours sur les sciences et les arts*. Buffon publie le premier volume de l'*Histoire naturelle*.

1750 — 23 août. L'Académie de Dijon couronne le *Discours sur les sciences et les arts,* qui est publié à la fin de l'année ou dans les premiers jours de 1751.

1751 — Polémique autour du Premier *Discours*. Il entreprend sa « réforme morale » et gagne sa vie en copiant de la musique. Voltaire publie *Le Siècle de Louis XIV*. Sortie du premier tome de l'*Encyclopédie*.

1752 — Son opéra comique *Le Devin du village* est joué devant le roi. Il refuse une pension royale. Echec de sa comédie *Narcisse*, qu'il publie avec une importante préface.

1753 — Compose le *Discours sur l'inégalité*. « Querelle des Bouffons » à propos de la musique italienne. Publie sa *Lettre sur la musique française*.

1754 — Genève, par Lyon et Chambéry. Retour au calvinisme. Travaux littéraires divers.

1755 — Publication en Hollande du *Discours sur l'inégalité*. Mort de Montesquieu. Voltaire s'installe aux Délices, près de Genève. Tremblement de terre de Lisbonne.

1756 — Rousseau, avec Thérèse et la mère de celle-ci, s'installe à l'Ermitage, à la lisière de la forêt de Montmorency, dans la propriété de Mme d'Epinay, chez qui il avait séjourné au mois de septembre précédent. Travaille à des extraits de l'abbé de Saint-Pierre. *Lettre à Voltaire sur la providence.* Commence à écrire *La Nouvelle Héloïse.* Voltaire publie l'*Essai sur les mœurs.* Début de la guerre de Sept Ans.

1757 — Passion pour Mme d'Houdetot, pour laquelle il écrit des *Lettres morales.* Rupture avec Grimm et Mme d'Epinay. S'installe à Montmorency chez le maréchal de Luxem-bourg, dans la maison dite de Mont-Louis. D'Alembert publie l'article *Genève* dans le tome VII de l'*Encyclopédie.*

1758 — *Lettre à d'Alembert sur les spectacles.* Rupture avec L   .. *La Nouvelle Héloïse* est achevée.

1759-1760 — Montmorency. Rousseau travaille à *Emile* et au *Contrat social.*

1761 — Janvier. Arrivée à Paris de l'édition de *La Nouvelle Héloïse* ; le succès est immense.

1762 — Ecrit quatre lettres autobiographiques à M. de Males-herbes. Publie *Du Contrat social* et *Emile.* Le Parlement de Paris condamne *Emile.* Décrété de prise de corps, il gagne la Suisse. A Genève aussi, il est décrété de prise de corps et ses ouvrages sont brûlés. Le gouvernement de Berne lui interdit son territoire. Il se réfugie à Môtiers, sur le territoire de Neuchâtel, principauté prussienne. Relations avec Mylord Maréchal, le gouverneur de la principauté. Mort de Mme de Warens. Mandement de Christophe de Beaumont, archevêque de Paris, contre *Emile.*

1763 — Rousseau renonce à son titre de citoyen de Genève, qui lui avait été rendu en 1754.

1764 — Botanique. A Genève paraît un libelle anonyme, *Sentiment des citoyens,* que Rousseau attribue au pasteur Vernes (alors qu'il est de Voltaire) et où l'on révèle qu'il a abandonné ses enfants. Rousseau décide d'écrire ses *Confessions,* dont il compose le premier préambule.

1765 — Ses *Lettres écrites de la montagne,* qui répondent aux *Lettres écrites de la campagne* de Tronchin, sont brûlées à La Haye et Paris. Les pasteurs ameutent les paysans contre lui. Il se réfugie à l'île Saint-Pierre, dans le lac de Bienne. Le gouvernement de Berne l'en chasse. Il gagne l'Angleterre où il est invité par Hume.

1766 — Il se brouille bientôt avec Hume et se réfugie à Wooton, où il rédige les premiers livres des *Confessions*. Poussé par les philosophes parisiens, Hume rend publique la rupture.

1767 — 21 mai. Rousseau quitte l'Angleterre. Il se réfugie à Trye, chez le prince de Conti, sous le pseudonyme de Jean-Joseph Renou.

1768 — Vie errante. Grenoble, Bourgoin. Il épouse Thérèse Levasseur.

1769-1770 — Par Lyon, Dijon, Montbard, Auxerre, il regagne Paris et s'établit rue Plâtrière. Il a repris et probablement achevé ses *Confessions*, dont il commence à donner des lectures.

1772-1775 — Rousseau a repris son métier de copiste et garde son intérêt pour la musique. Il s'occupe encore de botanique. Enfin, pour échapper au « complot » des philosophes, il écrit *Rousseau juge de Jean-Jacques*.

1776 — Il tente de déposer son manuscrit des *Dialogues* sur le grand autel de Notre-Dame, distribue dans les rues un tract *A tout Français aimant encore la justice et la vérité*, commence à écrire ses *Rêveries du promeneur solitaire*.

1778 — Il est accueilli à Ermenonville chez le marquis de Girardin. Le 30 mai, mort de Voltaire. Le 2 juillet Rousseau meurt subitement.

Préférence a été donnée aux textes originaux, seuls connus des contemporains, admirateurs ou adversaires. Pour le *Discours sur les sciences et les arts* et les contributions de Rousseau à la polémique qui s'ensuivit, on a suivi l'édition de François Bouchardy dans la Pléiade (t. III), à laquelle on renvoie pour l'histoire du texte, due à Bernard Gagnebin (p. 1853-1859) ; les autres pièces de la polémique que nous avons choisies (l'ensemble complet a été donné par Michel Launay dans *L'Intégrale*) ont été revues sur les textes originaux. La *Lettre à d'Alembert* a été éditée par Max Fuchs en 1948 d'après l'originale in 8° de 1758 (voir son Introduction, p. XLIV-XLVIII, avec indication de la pagination et surtout des « corrections » et « additions » ajoutées en fin de volume (p. 265) dans un « Avis de l'imprimeur », qui y joint quelques *Errata*. Ces modifications (presque toutes celles de l'auteur ne portent que sur les 37 premières pages) ont été adoptées dans notre texte, avec indication, en note, du premier texte, quand il ne s'agit pas de coquilles. Léon Fontaine avait suivi la *Collection des Œuvres complètes* publiée à Genève de 1780 à 1789 pour la *Lettre*, qui est de 1781, en donnant les variantes des éditions précédentes.

Les textes ont été modernisés pour ce qui est de la graphie, qui est celle des bonnes éditions « hollandaises » de l'époque (Marc-Michel Rey, d'Amsterdam, éditait alors Fénelon, Terrasson, Polignac et les *Mémoires de Trévoux* aussi bien que Crébillon, Voltaire, Diderot et Mirabeau). Signalons seulement que les noms propres et les titres ont eux aussi reçu leur « orthographe » actuelle, par exemple « Misantrope » et « Pigal ». La majuscule initiale, qui ornait beaucoup de termes abstraits ou généraux, n'a été gardée qu'à *Nature*. Quelques accords grammaticaux ont été régularisés, mais *ne* n'a pas été ajouté après *avant que*.

Le respect de la *ponctuation* originale, élément du style, s'impose
dans des textes d'allure souvent oratoire : la modifier serait attenter
à l'éloquence de Rousseau. Il suffit que le lecteur soit prévenu de la
valeur qu'avait alors le signe « deux-points » ; intermédiaire entre le
point et le point-virgule, il servait le plus souvent à scander la phrase
périodique, à marquer la durée d'un arrêt de la voix que la
ponctuation moderne ne peut plus indiquer. Rousseau, sachons-le,
était attentif à la ponctuation ; il était, par exemple, personnellement
hostile aux points que nous appelons « de suspension », qui
servaient alors à séparer les répliques du dialogue, et il n'en a laissé
presque aucun dans nos textes ; mais peut-être n'avait-il imaginé
aucun vrai dialogue dans le *Discours* et la *Lettre*.

Moderniser la *graphie* des mots ne suffit pas ; il faut parfois en
expliquer le sens ancien de même que l'origine des citations et des
idées. Notre tâche a été facilitée par l'annotation de Léon Fontaine,
bon connaisseur du français classique, par celle de Renate Petermann et Peter-Volker Springborn dans le recueil de Martin Fontius, par les relevés dus à Léo et Michel Launay du vocabulaire
de Rousseau (voir notre *Bibliographie* pour tous ces ouvrages),
et enfin par le savoir de Jean Deprun, que je remercie amicalement.
Au reste, les sources exactes sont loin d'avoir été toutes identifiées ;
Rousseau masque souvent sous les noms des auteurs antiques les
extraits qu'il emprunte à ses prédécesseurs des deux siècles précédents. Bien entendu, je me suis gardé de tout commentaire
appréciatif, et surtout des réflexions condescendantes dont la mode
n'est pas éteinte. D'aucuns devraient mieux lire leur auteur : « En
voulant censurer les écrits de nos maîtres, notre étourderie nous y
fait relever mille fautes qui sont des beautés pour les hommes de
jugement » (note sur le *Mahomet* de Voltaire). Seule ma préface s'est
voulue personnelle, comme celles de Jacques Roger et Michel
Launay.

Pour alléger l'annotation, des textes-documents ont été groupés
dans le dossier. Le lecteur est supposé, naturellement, avoir sous la
main les *Confessions*.

BIBLIOGRAPHIE

ŒUVRES DE ROUSSEAU

Œuvres complètes, Paris, Gallimard, Bibliothèque de la Pléiade, 4 vol. parus, 1959-1969 : I, Œuvres autobiographiques ; II, *Nouvelle Héloïse*, Théâtre, Poésie, Essais littéraires ; III, Œuvres politiques ; IV, *Emile*, Education, Morale, Botanique (édition désignée dans notre commentaire par *Pléiade*).

Correspondance générale, édition Dufour-Plan, Genève, 20 vol. 1924-1936, plus une Table par B. Gagnebin (abréviation *Corr. géné.*).

Correspondance complète, édition R. A. Leigh, Genève et Banbury, 1965 et suiv.

Les Confessions, édition B. Gagnebin, M. Raymond, Catherine Koenig, Paris, Gallimard, Folio, 2 vol. 1977.

Œuvres complètes, édition J. Fabre, M. Launay, Paris, Le Seuil, coll. l'Intégrale, 1967-1971 (le tome III, Œuvres philosophiques et politiques, 1735-1762, contient les textes de la polémique du *Discours sur les sciences et les arts*).

ÉDITIONS SÉPARÉES

Discours sur les sciences et les arts
— édition critique, New York, 1946, par George R. Havens.
— édition Garnier-Flammarion, Paris, 1971 (avec le second Discours), introduction de Jacques Roger.
— édition Perennial Library (Harper and Row), New York, 1986

(avec la polémique comme dans la Pléiade, le second *Discours* et l'*Essai sur l'origine des langues*), traduction, annotation précise et index utile, par Victor Gourevitch.

Lettre à d'Alembert sur les spectacles
— édition Garnier, Paris, 1889, texte établi d'après l'édition de 1781, avec des variantes, des notes, 100 p. d'introduction et 50 p. de documents annexes, dont l'article *Genève* (réédité en 1926 dans les « Classiques Garnier ») par Léon Fontaine.
— édition Droz, Lille et Genève, 1948, collection des « Textes littéraires français », édition critique par Max Fuchs.
— édition Garnier-Flammarion, Paris 1967, avec introduction de Michel Launay.
— édition *Du contrat social et autres œuvres politiques*, Paris 1980, « Classiques Garnier », avec introduction de Jean Ehrard.

ÉTUDES

Les sources n'ont pas été données dans des éditions particulières, sauf pour Montaigne, dont les références sont à Folio, édition de P. Michel, 3 vol. 1973. L'ensemble des ouvrages du XVIIIᵉ siècle relatifs à Rousseau sont relevés dans Pierre M. Conlon, *Ouvrages français relatifs à Jean-Jacques Rousseau, 1751-1799*, Genève, Droz, 1981. Parmi les adversaires de Rousseau, nous avons cité *La Religion vengée*, périodique anonyme (principaux rédacteurs l'avocat J. Soret et le père H. Hayer) publié de 1757 à 1763 (voir le vol. XI, p. 354-355).

Les études consacrées à Rousseau sont extrêmement nombreuses. Elles vont des grands ouvrages parus depuis 1950 aux articles publiés dans les *Annales de la Société J.-J. Rousseau*, dans les revues scientifiques (en particulier à propos du bicentenaire de 1978), et parfois groupés dans des recueils issus de colloques. Signalons :

Reappraisals of Rousseau (mélanges Leigh), Manchester University Press, 1980, dont nous citons : J. S. Spink, « Rousseau and the problems of composition » (p. 164).

Jean-Jacques Rousseau et la crise contemporaine de la conscience, colloque de Chantilly, Paris, Beauchesne, 1980.

J.-J. Rousseau et la société du XVIIIᵉ siècle, Revue de l'Université d'Ottawa, janvier 1981.

Pour les études antérieures, consulter la *Bibliographie* de J. Sénelier, Paris, P.U.F. 1950 et la thèse de M. Launay, *J.-J. Rousseau, écrivain politique*, Grenoble, 1971.

Pour la *Lettre à d'Alembert* se reporter à la bibliographie de Patrick Coleman (voir *infra*).

Les grands ouvrages plus récents de R. Trousson, M. Duchet et J.-L. Lecercle sont indiqués dans le livre très complet et riche malgré sa taille de J.-L. Lecercle, *Jean-Jacques Rousseau, modernité d'un classique*, Paris, Larousse, 1973.

On y ajoutera, pour J. Starobinski, sa contribution (citée) au colloque de Chantilly signalé plus haut, et sa préface à l'œuvre majeure d'Ernst Cassirer, publiée en 1932 et traduite seulement en 1987 : *Le Problème Jean-Jacques Rousseau*, Paris, Hachette (trad. par M. B. de Launay).

Etudes consacrées aux ouvrages contenus dans ce volume :

James F. Hamilton, *Rousseau's theory of literature*, York, 1979.

Maurice Cranston, *Jean-Jacques. The early life and work*, 1712-1754, Londres, 1983.

Etudes particulières consacrées à la *Lettre à d'Alembert* :

Margaret Moffat, *Rousseau et la querelle du théâtre au XVIIIᵉ siècle*, Genève, 1930, rééd. 1970.

Patrick Coleman, *Rousseau's Political imagination, Rule and Representation in the* « Lettre à d'Alembert », Genève, Droz, 1984.

Sur Genève :

J. S. Spink, *J.-J. Rousseau et Genève*, Paris, 1933.

Monique Vernes, « La ville dépravée », dans *La Ville au XVIIIᵉ siècle*, Aix-en-Provence, 1975.

M. Rudes, « Una patria difficile. Ginevra nella corrispondenza di J.-J. Rousseau » (1754-1758), *Il Lettore di provincia*, Ravenne, 1984.

Du roi Stanislas : *Inédits*, éd. Taveneaux-Versini, Nancy, 1984.

Sur la femme :

Paul Hoffman, *La Femme dans la pensée des lumières*, Paris, Ophrys, 1977.

Colette Piau-Gillot, « Le Discours de Jean-Jacques Rousseau sur les femmes, et sa réception critique », dans *Dix-Huitième siècle*, n° 13, 1981 (nous citons la p. 332).

François Poullain de La Barre est l'auteur de *De l'égalité des deux sexes*, paru en 1673 (converti au protestantisme, il fut reçu bourgeois de Genève en 1716).

Sur les spectacles :

Robert Niklaus, « Diderot et Rousseau. Pour et contre le théâtre », dans *Diderot Studies*, IV, 1963.

John Lough, *Paris Theatre Audiences in the Seventeenth and Eighteenth Centuries,* Oxford University Press, 1957-1972.

Theater und Aufklärung, textes édités et commentés par Renate Petermann et Peter-Volker Springborn, introduction de Martin Fontius, Berlin, 1979 (recueil très utile, comprenant la *Lettre à d'Alembert* et la réponse de celui-ci, avec beaucoup d'autres textes importants).

Das französische Theater des 18. Jahrunderts, éd. Dietmar Rieger, Darmstadt, 1984 (recueil d'études sur le théâtre).

Jean Duvignaud, *Spectacle et société,* Paris, Denoël, 1970.

Richard Demarcy, *Eléments d'une sociologie du spectacle,* Paris, 1973.

Jean-Claude Bonnet « Jean-Jacques et les spectacles », *Le Cahier de l'Odéon,* n° 3, 1978.

Sur le vocabulaire de Rousseau :

Léo et Michel Launay, *Le Vocabulaire littéraire de J.-J. Rousseau* Paris, Champion, et Genève, Slatkine, 1979.

N.B. Nous avons renoncé, faute de place, à renvoyer dans les notes aux nombreux passages de Voltaire qui marquent les points de départ de la réflexion de Rousseau. Sur les académies et les gens de lettres, par exemple, le *Discours* réplique aux *Lettres philosophiques*, et, parmi celles-ci, c'est dans la 23e, avant la préface de *Brutus*, qu'est exaltée, entre autres comédiennes, l'Anglaise Anne Oldfield (1683-1730) citée nommément dans une note de la *Lettre* (p. 234).

Discours sur les sciences et les arts

1747 — Rédaction par Rousseau du premier et unique numéro d'une « feuille périodique », projet conçu avec Diderot, *Le Persifleur*.

1749 — *Octobre.* Rousseau va voir Diderot incarcéré à Vincennes. En chemin, il lit dans le *Mercure* le sujet choisi par l'Académie de Dijon pour le prix de morale de 1750 : « A l'instant de cette lecture je vis un autre univers, et je devins un autre homme » (*Confessions*, livre VIII ; Folio, t. II, p. 94). Il écrit immédiatement la « prosopopée » de Fabricius. Diderot l'encourage à concourir, et, selon Marmontel et Morellet, lui aurait déconseillé de répondre par une affirmation.

1750 — *Mars.* Envoi du texte.
9 juillet. Le *Discours* est couronné.
20 juillet. Rousseau envoie des remerciements à l'Académie. Malgré les censeurs officiels, Malesherbes permet la publication et Diderot s'occupe de l'impression.
Novembre. Raynal résume le *Discours* dans le *Mercure*.

1751 — *Janvier.* Publication, au plus tard le 8, peut-être en décembre 1750, du *Discours*, « chez Barillot à Genève ». Grand succès. Compte rendu rapide dans le *Mercure*. L'Académie française propose comme sujet : « L'amour des lettres inspire la vertu. »
Février-mars. Rousseau quitte Francueil et décide de vivre de ses copies de partitions musicales.
Juin. Dans le *Mercure*, *Observations* sur le *Discours* et réponse de Rousseau. Bordes son ancien ami, prononce, devant

l'Académie de Lyon, un *Discours sur les avantages des sciences et des arts.*

Août. L'abbé Courtois, professeur de rhétorique à Dijon, remporte le prix de l'Académie française avec son discours lu solennellement et publié en octobre.

Septembre. Dans le *Mercure*, sous l'anonymat, *Réponse au Discours*, par le roi Stanislas, duc de Lorraine, père de la reine de France.

Octobre. Publication chez Pissot des *Observations* de Rousseau sur la *Réponse* de Stanislas. Dans le *Mercure*, *Réfutation du Discours* par le chanoine Gautier, professeur de mathématiques et d'histoire, membre de l'Académie de Nancy.

Novembre. Annonce des *Observations* dans le *Mercure*. Publication de la *Lettre de J.-J. Rousseau de Genève à M. Grimm sur la réfutation de son Discours par M. Gautier.*

Décembre. Le *Mercure* publie le Discours lu en juin à Lyon par Bordes.

1752 — *Avril.* Publication de la *Dernière réponse de J.-J. Rousseau de Genève,* concernant le discours de Bordes.

Printemps-été. *Réfutation du Discours* [...] *par un académicien qui lui a refusé son suffrage,* en fait par Claude Lecat, de l'Académie des sciences de Rouen.

Lettre de J.-J. Rousseau de Genève sur une nouvelle réfutation de son discours.

Rousseau compose *Le Devin du village,* qui est joué et chanté avec succès à Fontainebleau devant le roi. Mais il refuse d'être présenté à celui-ci, qui désirait lui offrir une pension.

Echec, au Théâtre-Français, de *Narcisse ou l'amant de lui-même,* comédie antérieurement écrite par Rousseau.

1753. — *Printemps.* Publication de *Narcisse* pour lequel Rousseau a écrit une *Préface* où il se justifie et clôt la querelle.

Septembre. Réponse de Bordes à la *Dernière Réponse.* Projet d'une réplique, mais Rousseau n'écrit que la préface.

Novembre. Le *Mercure* annonce le sujet proposé par l'Académie de Dijon pour 1754 : « Quelle est l'origine de l'inégalité parmi les hommes, et si elle est autorisée par la loi naturelle ? »

Ayant pris parti pour la musique italienne dans sa *Lettre sur la musique française,* Rousseau est pendu en effigie par l'orchestre de l'Opéra.

1754 — Le *Discours sur l'origine de l'inégalité,* refusé par l'Académie de Dijon, est dédié à la république de Genève, où

Rousseau, arrivé en fin juin, est réintégré dans l'Eglise et dans ses droits de citoyen.

1755 — Le second *Discours* est imprimé à Amsterdam et vendu à Paris, chez Pissot, avec l'autorisation de Malesherbes. Violentes attaques de Voltaire.

ANALYSE

La division du *Discours* en deux parties ne correspond pas aux termes, ambigus, de *sciences* et *arts,* mais à deux façons de traiter le sujet : une espèce de philosophie de l'histoire dégageant des rapports réguliers, et une analyse du processus de corruption des mœurs par la culture.

Dans la *première partie,* Rousseau feint d'abord de soutenir la thèse favorable au *rétablissement* des sciences et des arts (malgré une addition défavorable, voir les notes), mais passe rapidement au réquisitoire : les mœurs contemporaines sont dominées par l'hypocrisie, la prétendue politesse ; « la dépravation est réelle ».

Il ne s'agit pas d'un cas isolé dans l'histoire. L'Egypte, la Grèce, Rome, Constantinople, la Chine nous montrent des peuples corrompus par « les sciences et les arts ». Rares sont ceux qui y échappent : de nos jours les petites républiques, et surtout la Sparte antique, opposée à Athènes.

En témoignent les *sages,* que Rousseau fait parler : Socrate, Caton et Fabricius.

Bien que le passé ne soit pas le présent, on peut conclure qu'il ne fallait pas « sortir de l'heureuse ignorance où la sagesse éternelle nous avait placés ».

Dans la *seconde partie,* Rousseau essaie de trouver l'origine et de retracer le développement de la « dépravation ». L'objet de la connaissance est vain, son usage dangereux. L'oisiveté avilit. Surtout, le *luxe* est le grand mal : il détruit les Etats, et rabaisse les artistes, comme de nos jours.

La perte de l'innocence et de la vertu des « premiers temps » a chassé les dieux, détruit les « vertus militaires » : l'intrépidité ne suffit pas à des « guerriers » non endurcis, oisifs et sédentaires.

Les « vertus morales » disparaissent aussi : effet d'une mauvaise éducation, du privilège accordé au talent. Le sage lui-même s'amollit. Les vrais bons citoyens sont les derniers habitants des campagnes.

Rendons hommage au « grand monarque » fondateur des Académies qui contrôlent les mœurs. Mais c'est la preuve qu'il fallait les réformer. De fausses philosophies nous égarent. L'imprimerie, ce fléau, a répandu l'impiété : « Dieu tout-puissant, [...] rends-nous l'ignorance, l'innocence et la pauvreté ! »

Quelles mesures faut-il donc prendre ? Restreindre la diffusion des connaissances, diriger vers les « arts utiles » les incapables, et « permettre à quelques hommes de se livrer à l'étude des sciences et des arts ». Les rois prendront pour conseillers ces « savants du premier ordre », qui enseigneront aux peuples la sagesse. Quant aux hommes « vulgaires », qu'ils restent obscurs, et cherchent le bonheur dans la vertu.

NOTES

Page 39.

1. *Par un citoyen de Genève :* cette mention a été supprimée par la suite. En face de la page de titre se voyait un « frontispice » dont Rousseau parlera dans une note au début de la seconde partie ; il est reproduit dans l'*Album Rousseau* (Gallimard, 1976), n° 92, p. 66. Seul le nom du graveur, Bacquoy, y était inscrit, mais le dessin était du peintre Pierre, et Rousseau le trouvait « très mal » (*Correspondance générale*, t. III, p. 246).

La citation latine qui suit est tirée des *Tristes* (X, 37), écrits par Ovide exilé au bord de la mer Noire, où il mourut : « C'est moi qui suis ici le barbare, parce que ces gens ne me comprennent pas. » Le mot de *barbare* reviendra plus loin (p. 50, 52, 118 ; voir aussi p. 158). La même épigraphe sera reprise pour les *Dialogues*.

Page 41.

2. Le *sage* sera le leitmotiv du Discours, mais Rousseau adresse ici ses remerciements à ceux qui l'ont couronné, avant d'attaquer la politesse.

Page 42.

3. L'organe des jésuites écrira : « Quelques traits décèlent la première éducation reçue dans une république [...] traits qui n'étaient pas dans l'exemplaire manuscrit remis à l'Académie. » On

ignore quelles furent ces *additions*. Nous tenterons d'en identifier quelques-unes.

4. Rousseau ajoutera plus tard un autre « Avertissement » évoquant les *misères* qu'avec la *célébrité* il avait dues à son *Discours*.

Page 43.

5. « Nous sommes trompés par l'apparence du bien », avait dit Horace dans son *Art poétique* (v. 25).

6. Le sujet du concours ne comportait pas « où à corrompre ».

7. L'Europe comptait mainte académie, comme celle de Berlin, et la Bourgogne maintes personnalités, tels Bouhier, De Brosses, Buffon.

Page 44.

8. *Constitution* : « en philosophie, signifie assemblage de plusieurs parties pour faire la composition d'un tout » (Trévoux).

Page 45.

9. La gradation imaginée par Rousseau est *naturelle* en tant que logique : par *lettres* il entend lire et écrire, par *sciences* les connaissances acquises par la lecture, par *penser* le contenu des écrits.

10. Le *corps* est la vie concrète des hommes en société. L'opposition *font/sont* a donné lieu à des coquilles. Ce paragraphe peut être une addition « républicaine » qui jure avec le début élogieux du discours, et qu'accentue la note qui l'accompagne, empruntée à Pline l'Ancien (l. VI, ch. XXV) et inspirée de La Bruyère (*Les Caractères, Des grands*).

11. La *police* est l'organisation d'une société, écrite ou non. Le paragraphe suivant parlera au contraire de *politesse*, qui est d'une autre étymologie.

Page 47.

12. Une note à la *Dernière Réponse*, destinée aux « philosophes », rectifiera l'idée : « quoique l'homme soit naturellement bon, comme je le crois, et comme j'ai le bonheur de le sentir... » (*O.C.*, p. 80).

13. *Société* : la société des gens du monde et des gens de lettres.

Page 48.

14. Au sens banal : « habitude ou affectation de douter de tout » (Trévoux).

15. Qui sont ces *sages du temps* ? La formule est aussi générale que la citation de Montaigne (III, VIII, « De l'art de conférer » ; Folio, t. III, p. 186). Dans la suite, Rousseau semble se dissocier de

Genève, par l'emploi de *nos, nous,* le terme *européennes,* l'allusion à un *étranger* analogue au Persan de Montesquieu.

Page 49.

16. Rousseau fait appel maintenant à l'histoire à la façon du Montesquieu de *Grandeur et décadence des Romains.* On pourra trouver des précisions historiques dans les notes de François Bouchardy.

Page 50.

17. *Enerver :* « faire perdre aux nerfs [au sens de muscles] leur force... ; en moral amollir, affaiblir... L'oisiveté et les plaisirs énervent le courage » (Trévoux). La question du *luxe* sera traitée dans la Seconde Partie ; associé à *arts,* ce terme désigne la civilisation matérielle raffinée.

18. D'après Tacite (*Annales,* XVI, 18), Pétrone, qui sera cité plus loin, fut qualifié d'*arbiter elegantiarum.*

Page 52.

19. Le « roman de philosophie » est la *Cyropédie* de Xénophon. Les Scythes avaient été exaltés par Quinte-Curce (*Vie d'Alexandre*). Rousseau met une « harangue philosophique dans la bouche de ces barbares », dit Voltaire (*Essai sur les mœurs,* éd. Pomeau, t. I, p. 50) qui leur consacrera une tragédie. « Les Scythes grossiers ont joui d'un bonheur que les peuples de Grèce n'ont point connu » (article Scythes ; Diderot, *Œuvres complètes,* VIII, 310). La « plume » est celle de Tacite, auteur de la *Germanie,* que Diderot appelait le Rembrandt de la littérature (éd. Assézat-Tourneux, XII, 110).

20. Les Suisses ne sont pas nommés, mais très reconnaissables : ce sont « des hommes antiques dans les temps modernes » (*La Nouvelle Héloïse,* O.C., II, 601). La note les rapproche des bons « sauvages », vantés par Montaigne (I, XXI, « Des cannibales », Folio, t. I, p. 306-307 ; la dernière phrase est celle de cet essai, p. 317). Y a-t-il eu addition ? Dans la phrase suivante, *ceux-ci* n'est pas clair ; on peut même penser qu'à l'origine on passait directement des Germains à Sparte.

21. Montaigne reste ici l'inspirateur : « Nous les pouvons donc bien appeler barbares, eu égard aux règles de la raison, mais non pas eu égard à nous, qui les surpassons en toute sorte de barbarie » (I, XXXI, « Des cannibales » ; t. I, p. 311) ; c'est l'idée qu'expose l'épigraphe du *Discours.* La note emprunte aussi aux *Essais* le geste « éclairé » du roi Ferdinand d'Espagne (III, XIII, « De l'expérience » ; t. III, p. 355 ; voir les notes de P. Michel).

Page 53.

22. La doctrine, c'est la thèse de l'épuration des mœurs par la culture. *Opprobre* : cause de honte en tant que démenti. *Le tyran* dont il va être question est Pisistrate.

23. *Malheureux* parce que condamné à mort. Ce ne sont pas les propos de Socrate (il n'a rien écrit) que rapporte Rousseau mais ceux que Platon lui prête dans l'*Apologie,* et Xénophon dans les *Mémorables.* Il est *premier* parce que « philosophe par excellence », dira Diderot (article « Socratique », *O.C.*, t. VIII, p. 313).

Page 54.

24. Emploi absolu de *rien moins* (nullement tels) différent de *rien moins que* (« Rousseau n'est rien moins qu'un méchant homme », dira Marmontel).

25. L'*oracle* de Delphes, qui répondit au père de Socrate inquiet de l'éducation de son fils : « Laisse-le faire. »

Page 55.

26. *Neveux* : petits-enfants, descendants (latinisme).

27. Les sources sont comme souvent Plutarque, et ici Tite-Live (discours de Caton contre la loi Oppia ; livre XXXIV).

28. *Dialectique* : « Logique, ou l'art de raisonner avec justesse, science qui perfectionne le raisonnement » (Trévoux).

29. Zénon est le maître des stoïciens, Arcésilas celui des sceptiques. La phrase suivante, traduite de Sénèque (*A Lucilius*, lettre 95) est citée en latin par Montaigne (I, XXV ; t. I, p. 214).

30. *Fabricius* : consul romain et célèbre exemple de vertu qui, en 281 avant notre ère, refusa l'offre que lui faisait le médecin du roi d'Epire Pyrrhus d'empoisonner son maître. Socrate a été évoqué devant ses contemporains, Fabricius l'est à l'époque de Néron, comme s'il ressuscitait trois siècles après sa mort.

Page 56.

31. Néron jouait de la flûte après avoir mis le feu à Rome, enrichie des *dépouilles* de Carthage (Suétone, *Vie de Néron*, § 20).

32. *Cinéas* : ambassadeur de Pyrrhus, en 279, auprès du Sénat romain, qu'il ne sut amadouer et traita d'assemblée de rois.

Page 57.

33. « Il en a coûté la vie à Socrate pour avoir dit précisément les mêmes choses que moi. [...] J'ai bien peur d'avoir fait trop d'honneur à mon siècle en avançant que Socrate n'y eût point bu la ciguë » (*Dernière réponse*). Dans un manuscrit postérieur, Rousseau

ajoute : « On remarque que je disais cela dès l'année 1752. »
Allusion probable aux exécutions des années 1760 (Calas, La
Barre), en France, « parmi nous ».

34. *Contrariété* : « combat, opposition entre des choses contraires »
(Trévoux). Le mot qui a prévalu pour exprimer cette notion est celui
de contradiction, déjà utilisé à l'époque.

Page 58.

35. *Progrès* : « mouvement en avant [...] Se dit aussi en général de
toute sorte d'avancement, d'accroissement, d'augmentation, soit en
bien, soit en mal » (Trévoux).

Induction : « L'induction est fondée sur ce principe de logique, que
ce qui se peut affirmer ou non de chaque individu d'une espèce, ou
de chaque espèce d'un genre, peut être affirmé ou nié de toute
l'espèce ou de tout le genre » (Trévoux).

36. Prométhée avait été puni par Zeus pour avoir volé le feu parce
que selon Dion Chrysostome c'est « l'origine et le début de la
mollesse de l'homme et de son goût pour le luxe » (traduction de
R. Trousson, dans *Le Thème de Prométhée dans la littérature européenne*,
t. I, p. 211). Dans la note, où Rousseau d'abord le rapproche du dieu
Teuth, inventeur de l'écriture à qui le pharaon Thamos objectait
que les hommes n'en seraient pas plus sages, Prométhée est mis en
scène d'après une anecdote due à Plutarque, où ce n'est pas lui mais
le satyre qui prononce les derniers mots. Rousseau renvoie au
frontispice de son livre où on lit : « Satyre, tu ne le connais pas ; Voy.
note p. 24 » et, en plus gros : « Accede ad ignem hunc, calesces plus
jam scitis. Terent. » (*Eunuque*, v. 85 : Approche de ce feu, tu sentiras
plus la chaleur que vous n'en avez l'expérience).

Nous traduisons la version de Rousseau. Dans le texte de Térence
publié dans la collection Budé comme dans l'édition Teubner, le
vers se lit : *Accede ad ignem hunc, iam calesces plus satis* sans aucune
variante (*plus* non suivi de *quam* est courant, en particulier devant les
noms de nombre ; mais le texte a dû sembler erroné). J. Marouzeau
traduit : « Approche de ce brasier : tu auras plus que de juste », sans
tenir compte de *iam*. Le brasier est une femme (Thaïs) que
Parménon encourage Phédria à approcher (Virgile dit : *meus ignis
Amyntas* dans la 3ᵉ Bucolique, v. 66).

37. Par « recherches philosophiques », Rousseau veut dire une
réflexion théorique portant sur l'*origine*. On aimait alors l'*Histoire
philosophique*, expression fréquemment rencontrée dans les titres
d'ouvrages.

Page 59.

38. Passage inspiré de Montaigne (I, xxv ; t. I, p. 214), qui parle aussi de jurisprudence. Voltaire tentait alors de renouveler la conception de l'histoire avec son *Essai sur les mœurs*.

39. L'*investigation,* au sens étymologique, est une recherche qui suit des traces. L'image se retrouvera, en 1753, dans la neuvième pensée de l'*Interprétation de la nature* de Diderot (*O.C.,* t. IX, p. 34, n. 26).

40. Le mot *criterium,* du latin scolastique, ne sera francisé qu'à la fin du siècle. La note fait allusion à l'actualité scientifique : en décembre 1749 fut lu devant les académiciens de Dijon un discours sur l'électricité et le tonnerre.

Page 60.

41. *Raison :* « se dit aussi pour proportion, rapport... En termes d'arithmétique et de géométrie est le rapport d'une quantité à une autre » (Trévoux).

42. Allusion probable aux pensions accordées par le roi. En contrepartie, Rousseau fera plus loin l'éloge des académies.

Page 61.

43. Stanislas, comme on le verra plus loin, retournera contre Rousseau l'accusation de paradoxe.

44. Allusion à l' « école économique », inspirée par l'*Essai politique sur le commerce* (1734) où J. F. Melon avait défendu le luxe (voir Diderot, *O.C.,* t. XVIII, p. 100) avant Voltaire.

45. Les *lois somptuaires,* mesures contre le luxe, ont été préconisées par Platon. Edictées sans grand succès chez les Romains et en France par François Ier et Henri IV, elles ont fourni à Montaigne un Essai (I, xliii ; t. I, p. 380). Rousseau n'oublie pas que Calvin en avait ordonné auparavant à Genève, et que l'Anglais Hume les avait critiquées récemment dans son *Essai sur le luxe.*

Page 62.

46. Thèse des « mercantilistes », auxquels s'opposèrent les « physiocrates ». Les « nouveaux politiques » s'inspiraient de Bernard de Mandeville, pour sa *Fable des abeilles* parue en 1723 (d'Alembert traitera Genève, à la fin de son article, de « république des abeilles »), mais aussi d'un autre Anglais antérieur, William Petty, auteur d'un *Essai sur l'arithmétique politique* cité par Montesquieu en 1748 (*Esprit des lois,* III, 8) pour l'évaluation de l'homme à Alger. Les deux phrases et le paragraphe suivants, qui réintroduisent des exemples historiques, nous semblent une addition.

47. Carthage et Rome, au cours des guerres puniques.

48. Les « pêcheurs de hareng » sont les Hollandais, peuple « républicain » et protestant comme les Suisses, qui doivent aussi leur indépendance à leur vertu militaire.

Page 63.

49. Les *artistes* sont ici les littérateurs ; plus loin les *savants* sont les vulgarisateurs des sciences.

50. Eloignée à la fois de la galanterie et de la misogynie, la thèse, qui annonce le livre V d'*Emile*, est développée dans la note. Elle sous-tend l'éloge des femmes de Genève dont « le chaste pouvoir exercé seulement dans l'union conjugale ne se fait sentir que pour la gloire de l'Etat et le bonheur public » (fragment publié dans les *Annales Jean-Jacques Rousseau*, t. I, p. 204).

51. L'*harmonie* est la musique instrumentale ou chorale ; on sait que les français d'alors ne la goûtaient guère (voir G. Snyders, *Le Goût musical en France aux XVIIe et XVIIIe siècles*, Paris, 1968, p. 41).

Page 64.

52. Appelé de son vrai nom (en 1750 ses *Mensonges improvisés* paraissent encore, en Hollande, avec comme nom d'auteur « Monsieur Arrouet de Voltaire »), Voltaire est critiqué ici pour ses premières œuvres lyriques et dramatiques, abstraction faite de ses *Lettres philosophiques* et de ses ouvrages d'histoire.

53. *Vis-à-vis* : « Sorte de voiture en forme de berline, mais où il n'y a qu'une seule place dans chaque fond » (Académie, 1740) ; sur ces peintures lascives, voir *La Nouvelle Héloïse* (*O.C.*, t. II, p. 531). — Carle Van Loo ne semble jamais être tombé dans le défaut prédit par Rousseau, sinon en peignant *La Chaste Suzanne !* Pierre, peintre de renom malgré le mal que dit de lui Diderot, était assez riche pour n'avoir pas à « prostituer son pinceau ».

54. *Magots* : « Gros singes difformes... hommes laids comme des singes. On a marié cette fille à un vilain magot, à un gros magot » (Trévoux). Mais le magot que l'illustre Pigalle serait supposé restaurer est de toute évidence une sculpture chinoise.

55. La suite des idées oppose à la décoration, due aux beaux-arts, la beauté naturelle. L'image d'un bord de lac hante les « regrets » du citoyen de Genève.

Page 65.

56. Le chapiteau corinthien est orné de feuilles d'acanthe, et non de scènes, contrairement à ceux du Moyen Age, qu'avaient martelés les calvinistes.

57. Il s'agit des cabinets des amateurs de sciences naturelles, comme celui où Rousseau aidait Francueil, qui en oubliait ses devoirs de gentilhomme.

58. L' « homme de sens » est Montaigne, cité d'assez près (sauf par la traduction de *librairies* en *bibliothèques*) pour la fin de son Essai « Du pédantisme » (I, XXV; t. I, p. 218). L'idée a déjà été énoncée dans la Première Partie, à propos de l'Antiquité (p. 49-51).

Page 67.

59. Diatribe inspirée de Montaigne, « Des armes des Parthes » (II, IX, t. II, p. 00-111)

60. Malgré le pluriel (*d'autres*), il s'agit du latin au collège. La mise en garde s'adresse aux parents, comme plus tard dans *Émile.*

Page 68.

61. La note renvoie à la huitième des *Pensées philosophiques* de Diderot : « Il y a des gens dont il ne faut pas dire qu'ils craignent Dieu ; mais bien qu'ils en ont peur » (*O.C.*, t. II, p. 20).

62. Ce *sage* est encore Montaigne (« De l'instruction des enfants », I, XXV).

63. La note reprend d'assez près un passage de l'Essai « Du pédantisme » (I, XXV; t. I, p. 215-216) : en tête, cependant, est placée la phrase sur Lycurgue (p. 216), et Rousseau indique qu'il ajoute une phrase à la fin de son second paragraphe.

Page 70.

64. Le mot *renouvellement,* employé une seule fois, plus faible que *rétablissement,* suggère un phénomène naturel : « le renouvellement de l'année » (Trévoux).

65. Les paysans fournissent le blé, les paysannes servent de nourrices. Les *citoyens* vivent dans les montagnes que Rousseau a traversées plusieurs fois.

66. Voltaire composait alors son *Siècle de Louis XIV* à la gloire du monarque protecteur des lettres et fondateur des académies.

67. L'éloge des académiciens chargés de la morale laisse de côté les académies consacrées aux sciences, et surtout aux techniques, dans l'esprit de Colbert.

Page 72.

68. « L'un » : Berkeley. « L'autre » : Spinoza. « Celui-ci » : La Mettrie. « Celui-là » : Hobbes (le quatrième et le second seront nommés plus loin). Le résumé de leurs thèses est fort sommaire.

69. Démocrite avait eu Leucippe pour maître, et pour disciple

Diagoras, appelé aussi l'athée. Littré a noté que *périr* s'est employé longtemps avec *être*.

70. La condamnation de l'imprimerie est classique, de même que l'évocation en note du sultan Achmet et du calife Omar. Rousseau leur associe Grégoire le Grand, déjà attaqué, après Bayle, par Diderot dans la 44ᵉ de ses *Pensées philosophiques*.

Page 74.

71. Le plus connu de ces « compilateurs » ou vulgarisateurs avait été l'abbé Pluche, auteur du *Spectacle de la nature*. Il ne s'agit pas, évidemment, de l'*Encyclopédie*.

72. *Verulam :* François Bacon, élevé à la pairie sous ce nom. Le mot *maître* est ici pris en deux sens.

Page 75.

73. *Etat :* condition sociale (par exemple le « tiers-état »). « Le prince de l'éloquence » est Cicéron.

74. Au sens étymologique, *vulgaires* n'est pas alors péjoratif (on emploie plutôt grossier ou trivial).

Page 76.

75. Montaigne, s'inspirant de Plutarque, avait dit de Sparte : « A Athènes on apprenait à bien dire, et ici à bien faire » (« Du pédantisme », I, xxv ; t. I, p. 217).

Discours préliminaire de l'*Encyclopédie*

Page 77.

1. Nous donnons ici la partie terminale du *Discours préliminaire* proprement dit (il est suivi d'une présentation du « Dictionnaire »), qu'on lit après le tableau des grands penseurs, écrivains et artistes de la première moitié du siècle. Elle comprend le paragraphe où d'Alembert répond, en juin 1751, à Rousseau, qui répliquera, en octobre de la même année, dans ses *Observations* sur la *Réponse* attribuée au roi Stanislas (voir plus loin, nos notes 15 et 33 à ce texte), en reconnaissant que d'Alembert avait « vu loin », c'est-à-dire dégagé l'essentiel.

Ces pages me semblent plus une annexe, un post-scriptum, qu'une conclusion. Aussi suis-je beaucoup moins tenté que le regretté Victor Goldschmidt de chercher des homologies précises dans le détail des deux *Discours*. De tels rapprochements peuvent se faire avec maint texte de cette époque, bien qu'ils soient précieux pour peindre une mentalité collective, et, dans le cas présent, pour souligner les affinités de Rousseau et de d'Alembert. On a vu dans la préface quels sont leurs points principaux d'accord et de désaccord.

Notre texte a été revu sur le tome I de l'*Encyclopédie* (il occupe presque toute la page XXXIII) ; la graphie a été modernisée (on a corrigé aussi l'accord sur « lancé »), et respectée la ponctuation de l'auteur, dont le rythme oral a été détruit souvent par les éditeurs postérieurs, à partir de 1821.

Page 78.

2. Le *bel esprit* (« culture des belles-lettres, de la littérature », dira encore Littré) est *l'amour des lettres,* amour malsain reproché à l'Oronte du *Misanthrope*. D'Alembert écrit dans l'*Eloge* de Terrasson : « Le faux bel esprit tient de plus près qu'on ne croit à la barbarie. »

Page 79.

3. La note (de dernière minute ?) qui identifie le « philosophe » précise aussi le concours qu'il apporte à l'*Encyclopédie :* les articles de musique pour le tome I.

Observations
(*Mercure de France,* juin 1751)

Page 80.

1. Les *Observations sur le discours qui a été couronné à Dijon* parurent dans la livraison de juin 1751 du *Mercure de France,* second volume, p. 94-98. Le texte, donné in extenso, a été revu sur l'original et modernisé pour la graphie, non pour la ponctuation.

2. Allusion au dernier paragraphe de la *Préface* de Rousseau. Raynal, en bon journaliste, semble avoir fait la synthèse des remarques reçues de ses lecteurs, et peut-être de celles des censeurs officiels. Raynal rédigeait aussi des *Nouvelles littéraires* manuscrites et confidentielles, mais c'est seulement le 18 octobre, après avoir publié dans le *Mercure* la *Réponse* du roi Stanislas, qu'il y donnera son avis sur la querelle.

3. *Faire main basse :* « passer au fil de l'épée » (*Académie,* 1740).

Page 81.

4. La *presse* est ici la machine des imprimeurs.

Page 82.

5. L'*académicien* auteur d'une *Réfutation* est sans doute le chanoine Gautier. Raynal publiera ce texte en octobre. Voir la chronologie du *Discours*, p. 326.

Réponse de J.-J. Rousseau aux *Observations*
(*Mercure de France*, juin 1751)

Page 82.

1. Ce texte a reçu ensuite le titre de « Lettre à M. l'abbé Raynal, auteur du *Mercure de France* ». Directeur du périodique depuis assez peu de temps, lié avec Diderot et Grimm comme avec Rousseau, Raynal communiqua à celui-ci les *Observations* avant de les publier, et put ainsi y joindre la *Réponse*, qui ne reçut pas de signature et ne fut pas relevée dans la table de la livraison, où on trouve seulement une « Lettre de M. Rousseau de Genève » au sujet d'un nouveau mode de musique.

Page 83.

2. Les *distinctions* concernent tel ou tel savant ou artiste, telle ou telle catégorie d'entre eux.
3. Allusion possible à une remarque des censeurs. Mais plus loin censeurs et lecteurs seront associés.
4. La note de Rousseau renvoie à l'édition originale. Voir notre page 61.

Page 84.

5. L'énoncé du sujet, bien que ramassé, est ici exact. On a vu que Rousseau avait ajouté : « ou à corrompre ».
6. Il s'agit sans doute des *Observations* par lesquelles Rousseau répondra à la *Réponse* de Stanislas qu'on va lire.
7. *Tel que,* au sens de *quel que,* est d'usage courant dans le français classique.

Réponse au Discours attribuée au roi de Pologne Stanislas
(*Mercure de France,* septembre 1751)

Page 85.

1. Titre complet : « Réponse au Discours qui a remporté le prix
de l'Académie de Dijon, sur cette question : *Si le rétablissement des
sciences et des arts a contribué à épurer les mœurs,* par un citoyen de
Genève. » Le texte figure dans le *Mercure de France* de septembre
1751, p. 63-84. Il est donné ici in extenso, modernisé pour la graphie,
non pour la ponctuation (on a maintenu quelques capitales après le
signe deux-points).

2. Reproché ironiquement aussi à Rousseau, l'anonymat
n'empêche pas le ton personnel. La *Réponse* est attribuée au roi
Stanislas Leczinski, mais il écrivait mal le français, et fut, dit-on,
aidé par son confesseur, le jésuite Menoux, et son secrétaire
Solignac. Raynal avait écrit cependant de l'auteur : « Aussi capable
d'éclairer que de gouverner les peuples, aussi attentif à leur procurer
l'abondance des biens nécessaires à la vie que les lumières et les
connaissances qui forment à la vertu. »

Page 86.

3. Ces affirmations de sympathie étaient sincères, selon Rousseau
lui-même, qui croit savoir que le roi souhaitait le recruter dans son
Académie (*Confessions, O.C.,* t. I, p. 366 et 520).

4. Malgré cette division en deux parties, l'ordre du *Discours* n'est
pas suivi, non plus que l'importance donnée aux questions.

Page 88.

5. Allusion moqueuse aux efforts de Rousseau pour s'instruire.

Page 89.

6. Le *faux brave* est-il Rousseau ?

Page 90.

7. Tout ce passage sur les « sauvages » semble bien dû au père
Joseph de Menoux, supérieur des missionnaires de Nancy, comme
l'apologie de la religion chrétienne qui va suivre (Menoux publiera
en 1760 *L'Incrédulité combattue par le simple bon sens,* dont se gaussera
Voltaire). L'importance donnée aux questions religieuses est hors de
proportion avec leur place dans le *Discours.*

Page 93.

8. Les *arts* et les *artistes* sont ici ceux des « arts mécaniques », que le *Discours*, contrairement à l'*Encyclopédie,* ignorait presque entièrement. La défense des savants et artisans modestes fait songer à une apologie des religieux érudits.

Page 94.

9. Ce portrait semble bien être celui de Jean-Jacques dans la société mondaine. Il y répliquera avec amertume (p. 100-102).

Page 95.

10. On sent ici l'expérience d'un prince qui a connu la guerre, en Pologne. Voir la n. 36 à la p. 119.

Page 96.

11. Il s'agit de la *révélation* au sens religieux du mot, que contredisent parfois les résultats scientifiques.

Observations de J.-J. Rousseau sur la *Réponse* de Stanislas
(septembre-octobre 1751)

Page 96.

1. Les *Observations de Jean-Jacques Rousseau de Genève sur la réponse qui a été faite à son discours* furent publiées en brochure par Pissot et annoncées dans le *Mercure* en octobre, un mois après qu'y eut paru la *Réponse.* Raynal en parlera dans les *Nouvelles littéraires* du 18 octobre : « M. Rousseau ayant soutenu que les sciences et les arts avaient corrompu les hommes, le roi de Pologne l'a réfuté. Son discours est superficiel et diffus ; la réponse que vient d'y faire M. Rousseau, de Genève, est pleine d'une force très singulière, que cet écrivain doit bien pour le moins autant à son humeur qu'à son génie. Sa misanthropie le jette souvent dans des déclamations vagues, et ne lui a pas permis de voir, ce me semble, que l'état de la question n'était pas établi. Veut-il ou ne veut-il pas abolir tout à fait les sciences afin de rendre les hommes plus vertueux ? C'est ce que je n'ai jamais pu comprendre en lisant le second ouvrage qu'il a publié sur cette matière » (*Correspondance littéraire* de Grimm, éd. Tourneux, t. II, p. 105-106). Rousseau a affirmé ne pas avoir soumis son texte à Stanislas, alors que l'y poussaient la prudence aussi bien que le respect dû au beau-père de Louis XV : la première phrase souligne la différence sociale qui les sépare.

Page 97.

2. Tel est le plan, non des *Observations*, mais des cinq paragraphes qui suivent.

Page 99.

3. *Faire à la question :* contribuer à la résoudre. La phrase précédente, embarrassée, annonce d'abord une réplique à des remarques « personnelles ». Certaines (4 paragraphes) ont piqué Rousseau. D'autres (5 paragraphes) concernent ses contradictions.

4. La note, où Stanislas peut sembler concerné, recourt au *panégyrique de Trajan* de Pline le Jeune et à l'*Histoire d'Alexandre* de Quinte-Curce. L'idée générale a été développée par Montaigne dans « De l'inégalité qui est entre nous » (I, XLII). A la fin de la note, Rousseau ajoutera par la suite une phrase sur l'empereur Julien extraite de cet Essai (Folio, t. I, p. 378).

5. C'est la première phrase de Stanislas. La note peut avoir été renforcée par le fait que l'Académie française couronna un de ses adversaires, le père Courtois, qui était professeur à Dijon.

Page 100.

6. Réponse aux « personnalités » (plus haut, p. 85). Voir aussi les *Confessions*, livre III (Folio, t. I, p. 158 et suiv.). Rousseau ne dit pas *contradiction* mais *contrariété*.

7. La note, dont la fin annonce la « réforme », sera éclairée dans les *Confessions*, livre II (t. I, p. 98) et livre III (t. I, p. 155 et suiv.). Le mot *métier* a le sens général, classique, de comportement.

8. Allusion aux réponses successives à Gautier, Lecat, Bordes. Les *Observations* sont au centre d'un ensemble.

Page 101.

9. C'est saint Augustin qui, rappelant l'*Exode,* avait conseillé aux défenseurs du christianisme d'utiliser la sagesse païenne (*De doctrina christiana*, II, XL).

Page 102.

10. *Réplique :* « en terme de Palais, réponse à ce qui a été répondu par la partie adverse » (Trévoux). Allusion claire à la distance sociale qui sépare le roi du citoyen. Les trois paragraphes suivants répondent à la Première partie de la *Réponse*.

11. C'est le titre même de l'ouvrage très répandu de l'abbé Pluche (1732-1742).

Page 103.

12. Alphonse X, roi de Castille, avait osé dire que si le Créateur l'avait consulté, il lui aurait été de bon conseil. Ce *mot impie* avait été

commenté par Bayle (article « Castille » de son *Dictionnaire*). Dans la suite, toutes les citations en italique proviennent de la *Réponse*.

Page 104.

13. L'innocence est originelle, naturelle. Rousseau reviendra souvent sur le *guide intérieur*, la conscience, opposée à l'intérêt égoïste, qu'il faut écouter et ne pas contrarier par l'éducation.

14. Par *peuple* Rousseau semble bien ne *citer* que Genève, et non tous les « Suisses ».

15. Bien qu'il emploie à tort dans sa note le mot de *Préface*, Rousseau renvoie au *Discours préliminaire* de l'*Encyclopédie*, et seulement à quatre lignes du passage qu'on a lu plus haut (p. 79) : « nous le prierons d'examiner si la plupart des maux qu'il attribue aux sciences et aux arts ne sont point dus à des causes toutes différentes, dont l'énumération serait ici aussi longue que délicate. » Le « me dit-on ici » qui suit renvoie à la *Réponse* de Stanislas, et suggère qu'elle a donné dans la phrase citée l'*énumération*, rapide, des *causes* évoquées par d'Alembert.

Page 105.

16. Il s'agit de la longue attaque portant sur l'authenticité du christianisme affiché dans le *Discours*. Rousseau va y répliquer, lui aussi longuement, avec des preuves historiques (que nous ne commenterons pas) soigneusement recherchées par lui dans Agrippa (voir les notes de F. Bouchardy, et les *Confessions,* Folio, t. I, p. 99).

Page 107.

17. Addition postérieure : « Les simples se faisaient chrétiens, il est vrai ; mais les savants se moquaient d'eux, et l'on sait avec quel mépris saint Paul lui-même fut reçu des Athéniens. »

Page 108.

18. Comme l'addition précédente, la longue note ajoutée marque une prise de position contre des philosophes tels que La Mettrie et Dumarsais : la condamnation de la doctrine *intérieure* pouvait aussi toucher Diderot. Traduction du passage de Diogène Laërce (*Vie d'Aristippe*) : « Il écarta l'amitié parce qu'elle n'était favorable ni aux ignorants ni aux savants... Il disait qu'il est raisonnable que l'homme prudent ne s'expose pas aux dangers par patriotisme ; qu'il n'aille pas renoncer en effet à cette prudence pour le profit d'imbéciles. Il professait que le sage, quand c'est opportun, peut s'adonner au vol, à l'adultère comme au sacrilège. Rien, en vérité, n'est honteux de sa nature. Il fallait extirper selon lui une opinion née dans l'opinion populaire des sots et des naïfs... le sage

franchement pouvait se rendre chez les courtisanes sans pour autant devenir suspect. »

Page 110.

19. L' « illustre pape » est Grégoire le Grand, déjà cité à la fin de la dernière note du *Discours* (voir notre note 70). Sur l' « introduction de l'ancienne philosophie », voir la note 9 ci-dessus. Rousseau n'a pas, dans ce passage, une opinion très sûre.

Page 111.

20. Rousseau ajoutera plus tard une note empruntée à l'*Apologie de Raimond Sebond* de Montaigne.

Page 112.

21. Même si l'on tient compte des six pages consacrées dans la Première partie à la réplique concernant la religion, la seconde sera aussi longue. Elle reprend les questions successives traitées dans la *Réponse :* le luxe, le portrait des savants, l'hypocrisie, la politesse.

22. Annonce elliptique de la thèse du second *Discours*.

Page 113.

23. Il ne s'agit pas de l'*ordre* des *citoyens* de Genève, différent des autres, mais des états, ou conditions sociales, entre lesquels se répartissent les membres d'une nation.

24. Le *point* de broderie enrichit les manchettes de toile. *Colifichets :* « ornements déplacés qui n'ont point de convenance entre eux, ni de rapport avec les lieux où ils sont placés » (Trévoux).

25. *A force ouverte :* les armes à la main.

Page 114.

26. *Scandaleux :* « qui porte au péché ou qui nous y sollicite » ; « qui choque les mœurs » (Trévoux).

27. C'est la maxime 218 de La Rochefoucauld, dont le nom sera cité dans une note ajoutée dans une édition postérieure.

28. Certains éditeurs ont été tentés d'imprimer, non pas *sainement* mais « saintement ». La thèse de la prédestination est, a-t-on remarqué, contraire à l'idée de conversion. Les grands scélérats devaient plus tard intéresser l'auteur de *Jacques le fataliste*.

Page 115.

29. Sur ces jeunes mondains mal élevés, voir *Le Petit-Maître* de Marivaux.

30. *Antécédent :* « en termes de logique, première proposition de

cette sorte d'argument qu'on appelle enthymème, qui consiste dans une proposition dont on tire une conséquence » (Trévoux).

31. Les mots qui séparent les deux occurrences du mot *choses* ont été omis, même par de bons éditeurs *(L'intégrale,* Pléiade).

Page 116.

32. Rousseau insère ici ce qu'on appelait en rhétorique un *distinguo.* A la fin de sa note, il ajoutera plus tard : « Voyez le Timon de M. de Voltaire. » *Timon,* publié en 1756 dans les *Mélanges* avec le titre de « Sur le paradoxe que les sciences ont nui aux mœurs » est un des premiers exemples de « facéties ».

Page 118.

33. La note, cette fois encore, renvoie au *Discours préliminaire.* Elle traduit l'admiration réciproque des deux hommes et souligne la perspicacité de d'Alembert, qui a vu l'essentiel du problème. *De plus :* en plus.

34. Le mot alternative marque ici un simple changement. Il avait aussi le sens d'alternance dans le vocabulaire ecclésiastique.

35. Rousseau réplique ici à Stanislas.

Page 119.

36. Stanislas a été présenté comme un premier exemple de roi-citoyen, mais Rousseau feint en terminant de ne pas savoir à qui il a répondu.

Préface de *Narcisse*
1753

Page 120.

1. La comédie *Narcisse ou l'amant de lui-même* fut éditée en 1753, après avoir été jouée par les Comédiens-Français en décembre 1752. Rousseau reconnaîtra dans ses *Confessions* avoir menti en prétendant qu'il l'avait écrite à 18 ans, mais elle datait d'avant 1740 et surtout il est vrai que la préface n'a pas de rapport direct avec elle (voir la notice de J. Scherer, *O. C.,* t. II, p. 1858-1862). Elle clôt la polémique ouverte par le *Discours* et Fréron en put dire avec malignité : « Il paraît qu'il n'a publié sa comédie que pour avoir occasion de répéter dans une longue préface ce qu'il a déjà dit tant de fois » *(Lettres sur quelques écrits de ce temps,* 1753, IX, p. 64-65). Notre texte est celui de la Pléiade, modernisé. Nous avons corrigé la coquille *loquentiae* (pour *eloquentiae*) dans la citation de Salluste,

p. 123 (voir la note bibliographique de B. Gagnebin, Pléiade, p. 980).

2. La note, empreinte d'une irritation qui paraît récente, fait allusion aux discours prononcés à Leipzig le 5 septembre 1752, sous la présidence de Gottsched, pour venger la science des attaques de Rousseau. Son ami Grimm avait dû lui traduire quelques passages de ces « quatre sermons allemands ».

Page 122.

3. *Déprimer :* rabaisser.

Page 125.

4. *Le Méchant,* comédie de Gresset, avait été joué en 1747 avec grand succès, et l'auteur, entré à l'Académie française, y recevra en 1754 d'Alembert. Mais il reniera ensuite ses œuvres mondaines pour se convertir et sera l'ennemi des encyclopédistes. Le personnage du *Méchant* veut rompre le mariage d'un ami pour se substituer à lui et l'on peut se demander si Rousseau n'y a pas pensé en imaginant plus tard que Diderot l'avait traité de « méchant » dans *Le Fils naturel,* au moment où il voulait séduire Mme d'Houdetot.

Page 126.

5. Seul philosophe qui n'ait pas été encore attaqué nommément dans les textes précédents, Mandeville est l'auteur anglais de la *Fable des abeilles* (1705), lue bien avant d'être traduite (1740). Considérant comme La Rochefoucauld que la « voix de la nature » est l'intérêt, il avait imaginé un apologue : tant qu'elles sont friponnes, les abeilles participent au bonheur collectif, mais devenues honnêtes, elles périclitent. Mandeville avait inspiré Melon, l'apôtre du luxe.

Page 128.

6. Emprunt à Montaigne, « De la physionomie » (III, XII ; t. III, p. 322). La note montre que Rousseau était au courant des affaires de la Corse, pour laquelle il écrira un *Projet de constitution.* Voir l'introduction de Sven Stelling-Michaud dans les *Œuvres complètes*

7. *Presse :* voir la note 4 aux *Observations* du *Mercure*

Page 130.

8. Opposition classique *homme de bien/honnête homme,* fondée sur le double sens d'*honnête* (*honestus*) ; l'honneur peut n'être que la marque d'une supériorité sociale.

Page 131.

9. L'opposition *réfléchir/penser* restreint le second terme au sens d'un exercice banal du comportement, la réflexion désignant un

niveau supérieur, « philosophique » de l'esprit (voir le livre IV d'*Emile*).

10. Rousseau applique au « Sauvage » le passage fameux du chant II des *Géorgiques* où Virgile exalte le bonheur du sage retiré à la campagne (voir notre note 65 au *Discours*), mais il omet le vers central 497 (lié à l'actualité tout comme l'allusion aux frères qui se disputaient la royauté chez les Parthes). Traduction : « Celui-là, ni les faisceaux du peuple ni la pourpre des rois ne le touchent, ni la discorde qui met en branle des frères déloyaux [...] Ni les affaires de Rome ni les royaumes destinés à périr. Pas plus qu'il ne s'apitoie sur celui qui est démuni il ne jalouse celui qui possède. »

Page 134.

11. Ici, et plus loin avec le mot *revers*, *Narcisse* est présenté comme un échec. Or il n'en fut rien, y compris dans les recettes et si l'on en croit Mouhy : « L'auteur la retire après la seconde représentation, l'ayant jugée lui-même bien plus sévèrement que le public. » Fréron semble voir clair en écrivant : « La passion de M. Rousseau n'est pas d'être applaudi, mais d'être sifflé » (voir l'*Introduction* de Jacques Schérer dans Pléiade, II, LXXXVII-LXXXIX).

12. Rousseau a analysé ses *langueurs* (mot du vocabulaire médical, proche du terme *vapeurs*) au livre VI des *Confessions* (Folio, t. I, p. 290-292).

Page 135.

13. Le contentement de soi proclamé comme une fin convient au second titre de *Narcisse*, *L'Amant de lui-même*. On parle de nos jours d'égocentrisme.

Lettre à d'Alembert

CHRONOLOGIE

1754 — *11 juin-10 octobre*. Rousseau à Genève.

1755 — *10 février*. Voltaire achète les Délices, y installe un théâtre où sa *Zaïre* est jouée devant presque tout le Conseil de Genève.
31 juillet. Le consistoire de Genève fait opposition au théâtre de Voltaire.
Août. D'Alembert à Genève, aux Délices; il consulte les pasteurs.

1756 — *Avril*. Rousseau étant installé à l'Ermitage, Diderot vient l'y voir. Première édition des *Œuvres* de Voltaire comprenant *Sur le paradoxe que les sciences ont nui aux mœurs*, texte intitulé plus tard *Timon*.

1757 — *Février*. Publication du *Fils naturel* de Diderot.
Mars. Début de la querelle avec Diderot.
Octobre. Tome VII de l'*Encyclopédie*, avec l'article de d'Alembert.
5 décembre. Dernière visite de Diderot.
Rousseau à Montlouis.
20 décembre. Il reçoit le tome VII.

1758 — *8 février*. Les pasteurs de Genève condamnent l'article de d'Alembert.
Février-mars. Rousseau rédige la *Lettre à d'Alembert*.
20 mars. Il rédige la Préface.
25 juin. Il avertit d'Alembert, qui répond le 27.
8 juillet. Malesherbes, « directeur de la librairie », communique à d'Alembert les épreuves de la *Lettre*, imprimée en Hollande.

22 juillet. D'Alembert donne son approbation. Le tirage est terminé aussitôt et une « permission tacite » de vente accordée.

Août. Diderot rédige la *Note sur la désunion de Diderot et de Jean-Jacques Rousseau,* non publiée. D'Alembert compose son *Essai sur les éléments de philosophie,* publié en 1759.

22 septembre. Les premiers exemplaires de la *Lettre à d'Alembert* arrivent à Paris de La Haye ; ils sont mis en vente le 2 octobre.

Novembre. Mise en vente du *Père de famille* de Diderot, Marmontel critique la *Lettre* dans le *Mercure de France.* Diverses répliques de Bastide, Nolivos Saint-Cyr, Oursel, Ximenès, prolongées au début de 1759 par celles de Beaurieu, Dancourt, Villeret.

1759 — *23 janvier.* Le Parlement condamne l'*Encyclopédie.*

9 février. Voltaire achète Ferney.

8 mars. Révocation du privilège de l'*Encyclopédie.*

20 mars. Première représentation de *La Parodie du Parnasse,* où Favart montre Rousseau à quatre pattes. Comédies analogues par Teisserenc et Poinsinet.

1759-1760 — *Candide* est condamné par le consistoire de Genève, qui interdit le théâtre sur son territoire.

1760 — Publication à Amsterdam de la réponse de d'Alembert à Rousseau. Diverses répliques de Le Bœuf.

2 mai. Premières représentations des *Philosophes* de Palissot, qui ne ménage que Voltaire.

1764-1768 — Echec des Français pour établir un théâtre à Genève.

ANALYSE

La « Préface », assez courte, écrite sans doute après coup et, comme les notes, d'après les remarques d'un tiers, transcrit le passage de l'article *Genève* qui suggère l'établissement d'un théâtre dans cette ville, met au point les rapports de Rousseau avec d'Alembert, les raisons qui l'ont poussé à lui répondre, fait allusion aussi à la rupture avec Diderot, et conclut comme le testament d'un solitaire...

La structure générale de la *Lettre* est assez nette, mais sa démarche, parfois louvoyante, a déjà conduit certains commentateurs à guider le lecteur par des « plans » ; bien mieux, Léon

Fontaine a numéroté les paragraphes. Sans transcrire ces chiffres,
nous utiliserons le procédé pour calculer le rapport des différentes
parties.

Sur 225 paragraphes au total, après un avant-propos, de dix, où il
croit bon de préciser son opinion sur la religion de Genève et surtout
de défendre ses pasteurs contre l'imputation de « socinianisme »,
Rousseau répartit sa « lettre » en trois ensemble, de longueur
décroissante (environ 76, 70 et 68 paragraphes), dont les deux
premiers énoncent des principes généraux que le troisième applique
au cas particulier de Genève.

La première partie traite de la nocivité pour les mœurs de ce que
nous appelons le contenu ou la leçon des pièces de théâtre (on disait
encore la « comédie », au sens large du terme) : d'abord sur le plan
général, psychologique, en dégageant des conclusions de principe,
puis en les montrant appliquées dans le théâtre français de la grande
époque, enfin en analysant les ressorts nouveaux suscités par le
public contemporain.

Le premier sous-ensemble (vingt paragraphes environ) expose
l'immoralité des textes dramatiques : c'est là une riposte aux
apologistes qui avaient voulu répliquer aux condamnations des
théologiens, mais sans tenir compte des motifs théologiques. Le
théâtre est incapable d'améliorer les mœurs de tous et de chacun, de
rendre la vertu aimable et le vice odieux ; la pitié qu'il déclenche
traduit l'hypocrisie et l'égoïsme ; le ridicule n'écrase que les honnêtes
gens. Le seul but des auteurs est de plaire, eussent-ils du génie.

C'est au seul théâtre français, dont l'éloge est assorti d'une
condamnation préalable, que sont ensuite empruntés des « exemples » qui constituent le sous-ensemble central, le plus long de la
première partie. Sur environ 36 paragraphes, huit sont d'abord
consacrés à la tragédie, de Racine à Voltaire, mais vingt-six mettent
au-devant de la scène Molière et son *Misanthrope* : l'intérêt caracté-
riel que Jean-Jacques porte à Alceste et l'ingéniosité de ses
commentaires ont fait longtemps privilégier ces pages, où s'est
souvent bornée, au tiers du texte, la lecture des pédagogues.

La suite et fin de la première partie ne manque cependant pas de
valeur : moins longue (une vingtaine de paragraphes) elle complète
aussi bien les « exemples » de la grande époque qu'elle tire des
conclusions d'un examen des pièces contemporaines. Il s'en dégage
l'idée d'une décadence due à l'accentuation des leçons de mauvaise
conduite, et surtout au recours, comme ressort de l'action, à
l'amour. La cause en est attribuée à la prédominance prise par les
femmes dans le public et la société à Paris, corroborée par le
privilège accordé à la jeunesse. L'amour ne peut que faire prévaloir
au théâtre les plus dangereuses leçons. Ceux des Genevois qui « ne

désapprouvent pas les spectacles en eux-mêmes ont donc tort » (fin du 87ᵉ paragraphe).

*

Or il est des dangers qui ne tiennent pas au contenu des pièces représentées, mais aux nécessités matérielles de leur représentation : un théâtre (au sens matériel du terme), celui qu'il s'agit d' « établir » dans une cité qui s'en est passée jusqu'ici, et une troupe de « comédiens ». C'est aux effets immoraux qu'il faut en prévoir qu'est consacrée la seconde partie de la *Lettre*, moins longue que la première (70 au lieu de 76 paragraphes, mais seulement les trois quarts en nombre de pages). Elle est structurée elle aussi, quoique moins nettement, en trois sous-ensembles de longueur croissante.

Une quinzaine de paragraphes sont d'abord consacrés aux effets pervers de l'existence d'un théâtre permanent sur la vie d'un peuple. Si dans les grandes villes la délinquance peut en être diminuée, les petites, telle Genève, en pâtissent ou en pâtiront : l'adjonction d'une distraction dans la vie quotidienne nuit au travail ; elle stérilise la créativité. La démonstration est cherchée dans une « supposition ». Il existe une communauté presque idéale, industrieuse, restée simple : les « Montagnons » du Jura neuchâtelois : un théâtre les corromprait, pour leur malheur. Réservons cela aux peuples déjà corrompus.

Mais qui dit théâtre, « comédie », dit « comédiens ». Il est sûr que leurs mœurs dissolues contamineront leur public et toute la cité. D'Alembert, prévoyant l'objection, avait préconisé « des lois sévères et bien exécutées » pour régler leur conduite : c'est à réfuter cet argument préalable que sont consacrés quelque vingt paragraphes, qui traitent de l'impossibilité de changer les mœurs par des lois. A preuve l'échec, dans la France monarchique, du tribunal des maréchaux : il n'a pu éteindre la coutume du duel, qui autorise tous les vices. L'opinion publique ne se dirige pas d'en haut ; si elle a gardé quelque peu les marques d'une pureté originelle, entérinée tout au plus par des lois primitives, tout changement la dénature, et donc l'établissement d'un théâtre.

On peut maintenant en revenir, dans les trente derniers paragraphes de la seconde partie, à l'influence nuisible sur les mœurs de l'exemple offert, dans leur conduite hors scène, par les comédiens. Leur condamnation pour « infamie » est totale, en dix paragraphes, malgré quelques atténuations puisées dans l'histoire ancienne. Au reste, leur « talent » consiste à tromper, et, même s'ils n'en profitent pas pour, dans leur vie personnelle, mentir, voler, séduire, il annule en eux l'homme véritable. Le pire est atteint par le « désordre des actrices ».

C'est ici qu'intervient une nouvelle « digression » générale (plus de quinze paragraphes) où l'on passe de la conduite des comédiennes à la moralité féminine : « Il n'y a point de bonnes mœurs pour les femmes hors d'une vie retirée et domestique. » C'est la pudeur, aussi naturelle que le désir, qui « donne du prix » au véritable amour, alors qu'elle est dénaturée dans la grande ville. D'où le « spectacle » de la famille idéale, où la femme ne se « déshonore » pas en imitant son mari : ce modèle antique a été détruit par les « barbares », et remplacé par celui que la chevalerie française a légué à la galanterie mondaine, si choquant pour les étrangers et les provinciaux.

On peut en revenir aux actrices en concluant qu'aucune ne pouvant être « honnête » et leur désordre « entraînant celui des acteurs », on ne peut supprimer ce « vice » qu'avec sa cause, la « profession de comédien ».

*

Le moment est enfin venu d'examiner le cas de Genève et des Genevois, cas particulier dans l'ensemble des considérations précédentes, cas prioritaire puisqu'il a fourni le sujet même de la *Lettre*. La troisième grande partie de celle-ci lui est donc consacrée, moins longue à première vue, malgré ses éléments précis et originaux, que les précédentes, mais atteignant finalement la même ampleur en débouchant sur la question générale du théâtre dans les républiques.

Une dizaine de paragraphes préalables présentent des objections de fait à l'établissement d'un théâtre permanent : les Genevois sont pris par le travail et les affaires, leur nombre est insuffisant pour fournir un public permanent, d'autant qu'ils sont souvent hors de la ville, sont hostiles par principe, et reculeront devant la dépense.

Mais il faut surtout prévoir les effets que produirait sur leurs manières de vivre la fréquentation du théâtre. Ils s'assemblent jusqu'à présent en « sociétés », « coteries », « cercles » analogues aux clubs anglais, que le théâtre tuera. Un long développement (vingt-trois paragraphes), noyau de toute la partie consacrée à Genève, est un plaidoyer pour ses usages : critique des salons mondains de Paris dominés par les femmes, amollissant et abêtissant les hommes ; exaltation des sociétés d'hommes « libres » et aussi des « comités féminins » dont le « caquet » a du moins une valeur critique ; rejet des griefs d'ivrognerie et de jeu imputés à un « peuple raisonneur et laborieux ». « Conservons donc les cercles », que les spectacles détruiraient, alors que, chez les jeunes filles et les enfants, les « mœurs inclinent déjà visiblement vers la décadence ».

D'autres perspectives sont encore plus à craindre, car elles touchent à l' « équilibre social ». Près de vingt paragraphes rassemblent des thèmes déjà traités pour donner au plaidoyer toute sa force. Dans une république, le prix des spectacles favorise l'inégalité ; les sujets traités exalteront la tyrannie, le « vice adroit triomphant », les passions. Autant que Molière, il faut bannir Racine, car la « tendresse » est contraire à l'amour de l'humanité et de la patrie, et bien que l'amour n'ait qu'une valeur relative, rappelons-nous que les Genevois ne sont que « trop capables de sentir des passions violentes ». Réservons donc le théâtre aux villes déjà corrompues, car Genève, où la comédie pousserait aux « vengeances particulières », mériterait tout au plus des tragédies très spéciales de Voltaire ! Au reste, la présence des comédiens y pousserait encore davantage la jeunesse à « la parure et la dissipation », et le danger qu'ils représentent est inéluctable..., à moins qu'ils ne se réforment parmi nous. Non, il vaut mieux que les Genevois se contentent des parades de bateleurs. Toute innovation est dangereuse, parce que irréversible, pour une petite république.

Quels sont alors, pour conclure, les spectacles qui conviendraient à une république ? On peut les imaginer d'après la Genève d'autrefois. En une quinzaine de paragraphes sont évoquées d'abord les fêtes populaires, les revues, les réunions joyeuses de l'été. A l'hiver conviennent les bals, qu'on peut admettre s'ils sont honnêtes : ils assemblent les jeunes gens, suscitent des mariages, que la cité célèbre, car ils sont assortis et vertueux. Il suffit de se méfier des étrangers, et si possible, à l'occasion de ces rencontres, ramener chez eux les Genevois éparpillés dans le monde : ce serait une fête à la mode de Sparte, de celles où ne choquait pas la nudité honnête des jeunes filles et où chantaient leur vaillance vieillards, adultes et enfants. Rousseau traduit en vers leurs hymnes, concluant poétiquement sa *Lettre* sur son souhait : Que les magistrats et la jeunesse m'entendent !

GENÈVE, D'ALEMBERT ET ROUSSEAU

L'ARTICLE GENÈVE

Après quelques mots sur la situation de la ville, « à l'endroit où finit le lac qui porte aujourd'hui son nom, et qu'on appelait autrefois *lac Léman* », d'Alembert résume son histoire depuis l'époque romaine, soulignant qu'elle « secoua insensiblement le joug » de l'empire germanique, puis se libéra de l'Eglise de Rome. Sans doute a-t-elle eu tort d'appeler le pape l'*antéchrist* : « cette expression que le fanatisme de la liberté et de la nouveauté s'est permise dans un siècle encore à demi-barbare, nous paraît peu digne aujourd'hui d'une ville aussi philosophe. »

Appelé à Genève, Calvin, « homme de lettres du premier ordre », « jurisconsulte habile et théologien aussi éclairé qu'un hérétique peut l'être », dressa « le code fondamental de la république » et réforma les mœurs. « Le superflu des biens ecclésiastiques, qui servait avant la réforme à nourrir le luxe des évêques et de leurs subalternes, fut appliqué à la fondation d'un hôpital, d'un collège et d'une académie ; mais les guerres que Genève eut à soutenir pendant près de soixante ans, empêchèrent les arts et le commerce d'y fleurir autant que les sciences. »

Genève fut en effet assaillie de tous côtés, mais particulièrement par les ducs de Savoie, dont elle n'hésita pas à prendre les généraux qui l'avaient attaquée sans déclaration de guerre.

« C'est une chose très singulière, qu'une ville qui compte à peine vingt-quatre mille habitants, et dont le territoire morcelé ne contient pas trente villages, ne laisse pas d'être un Etat souverain, et une des villes les plus florissantes de l'Europe. Riche par sa liberté et par son commerce, elle voit souvent autour d'elle tout en feu sans jamais s'en ressentir ; les événements qui agitent l'Europe ne sont pour elle qu'un spectacle dont elle jouit sans y prendre part : attachée à la France par ses traités et par son commerce, aux Anglais par son commerce et par la religion, et trop sage pour prendre d'ailleurs aucune part aux guerres que ces deux nations puissantes se font l'une à l'autre, elle prononce avec impartialité sur la justice de ces guerres, et juge tous les souverains de l'Europe, sans les flatter, sans les blesser, sans les craindre. »

Suit un exposé de la structure politique de Genève, avec ses quatre « ordres de personnes » *:* « les *citoyens* qui sont fils de bourgeois et nés dans la ville : eux seuls peuvent parvenir à la magistrature ; les *bourgeois,* qui sont fils de bourgeois ou de citoyens, mais nés en pays étranger, ou qui étant étrangers ont acquis le droit de bourgeoisie que le magistrat peut conférer ; ils peuvent être du conseil-général, et même du grand conseil, appelé *des deux cents.* Les *habitants* sont des étrangers, qui ont permission du magistrat de demeurer dans la ville, et qui n'y sont rien autre chose. Enfin les *natifs* sont les fils des habitants ; ils ont quelques privilèges de plus que leurs pères, mais ils sont exclus du gouvernement. »

D'Alembert décrit ensuite le fonctionnement des organismes

dirigeants, syndics, petit conseil, grand conseil, et conclut : « le gouvernement de Genève a tous les avantages et aucun des inconvénients de la démocratie ; tout est sous la direction des syndics, tout émane du petit conseil pour la délibération, et tout retourne à lui pour l'exécution. »

L'article continue par une description sommaire de la jurisprudence et de la police, souligne l'existence de lois somptuaires et la fréquence des « mariages heureux ». C'est à ce moment que d'Alembert en vient à la « comédie », dans un texte cité tout au long par Rousseau : une colonne ou demi-page, sur huit au total, est consacrée à la proposition d' « établir » le théâtre à Genève (nous donnons les rares variantes de ce texte en note de la *Lettre*).

. Une colonne à peine est ensuite consacrée aux autres aspects de la vie intellectuelle : académie, bibliothèque, médecine (moderne et pratiquant l'inoculation), métiers divers (surtout l'horlogerie) et hôpitaux. Mais le dernier quart de l'article, celui qui devait susciter le plus de réactions, porte sur la « religion de Genève », *de* « constitution » presbytérienne, et surtout sur les croyances différentes des pasteurs, fort revenus du fanatisme de Calvin. S'inspirant de Voltaire et de ses propres contacts avec eux, d'Alembert va jusqu'à affirmer que « plusieurs pasteurs de Genève n'ont d'autre religion qu'un socinianisme parfait, rejetant tout ce qu'on appelle *mystères*, et s'imaginent que le premier principe d'une religion véritable est de ne rien proposer à croire qui heurte la raison ». Et il conclut ainsi : « Nous ne donnerons peut-être pas d'aussi grands articles aux plus vastes monarchies ; mais aux yeux du philosophe, la république des abeilles n'est pas moins intéressante que l'histoire des grands Empires, et ce n'est peut-être que dans les petits Etats qu'on peut trouver le modèle d'une parfaite administration politique. Si la religion ne nous permet pas de penser que les Genevois aient efficacement travaillé à leur bonheur dans l'autre monde, la raison nous oblige à croire qu'ils sont à peu près aussi heureux qu'on le peut être dans celui-ci.

> *O fortunatos nimium, sua si bona norint !* »

L'article *Genève,* entre autres réactions et avant celle de Rousseau, suscita celle des autorités spirituelles de la ville concernée. Elle fut rédigée, après quelques hésitations, par une commission spéciale, et publiée sous le titre : *Extrait des registres de la vénérable Compagnie des Pasteurs et Professeurs de l'Eglise et de l'Académie de Genève, du 10 février 1758.* Texte important, puisque d'Alembert jugera bon de le joindre au sien (*Œuvres complètes*, t. IV, p. 425-431), et dont Rousseau eut connaissance pendant la rédaction de sa *Lettre*. Il paraît donc utile d'en donner quelques « extraits ».

« De pareilles imputations sont d'autant plus dangereuses et plus capables de nous faire tort dans toute la chrétienté, qu'elles se trouvent dans un livre fort répandu, qui d'ailleurs parle favorablement de notre ville, de ses mœurs, de son gouvernement, et même de son clergé et de sa constitution ecclésiastique. Il est triste pour nous que le point le plus important soit celui sur lequel on se montre le plus mal informé. »

Les pasteurs, rappellent « l'intégrité de notre foi » et ajoutent : « Il est vrai que nous estimons et que nous cultivons la philosophie. Mais ce n'est point cette philosophie licencieuse et sophistique dont on voit aujourd'hui tant d'écarts. C'est une philosophie solide, qui, loin d'affaiblir la foi, conduit les plus sages à être aussi les plus religieux. Si nous prêchons beaucoup la morale, nous n'insistons pas moins sur le dogme. » [...]

« Si on loue en nous un esprit de modération et de tolérance, on ne doit pas le prendre pour une marque d'indifférence ou de relâchement. Grâce à Dieu, il a un tout autre principe. Cet esprit est celui de l'Evangile, qui s'allie très bien avec le zèle. [...] La charité chrétienne nous éloigne absolument des voies de contrainte, et nous fait supporter sans peine quelque diversité d'opinions qui n'atteint pas l'essentiel, comme il y en eut de tout temps dans les églises même les plus pures. » [...]

« Si l'un de nos principes est de *ne rien proposer à croire qui heurte la raison,* ce n'est point là, comme on le suppose, un caractère de socinianisme. Ce principe est commun à tous les protestants ; et ils s'en servent pour rejeter des doctrines absurdes, telles qu'il ne s'en trouve point dans l'Ecriture sainte bien entendu. Mais ce principe ne va pas jusqu'à nous faire *rejeter tout ce qu'on appelle* MYSTÈRES, puisque c'est le nom que nous donnons à des vérités d'un ordre surnaturel, que la seule raison humaine ne découvre pas, ou qu'elle ne saurait comprendre parfaitement, qui n'ont pourtant rien d'impossible en elles-mêmes, et que Dieu nous a révélées. »

LA RÉPONSE DE D'ALEMBERT

De même que le *Discours sur les sciences et les arts,* la *Lettre à d'Alembert sur les spectacles* s'inscrit dans un ensemble polémique, dont les principaux éléments sont relevés dans notre *Chronologie,* et la totalité, hormis les articles des périodiques, dans la bibliographie de P.-M. Conlon. L'ouvrage étant arrivé à Paris à la fin de septembre 1758, le *Mercure de France* de novembre en publia une critique détaillée due à

Marmontel, dont les premières lignes donnent le ton : « Celui qui a regardé les belles-lettres comme une cause de la corruption des mœurs, celui qui, pour notre bien, eût voulu nous mener paître, n'a pas dû approuver qu'on envoyât ses concitoyens à une école de politesse et de goût. »

Marmontel publia toute sa *Réponse* l'année suivante et la joignit en 1761 à ses fameux *Contes moraux* : c'est une réfutation à la mode de l'époque, presque phrase après phrase, au long de 159 pages ; M. Fontius a eu raison de la placer dans son recueil *Theater und Aufklärung* après la *Lettre à d'Alembert* et la réponse de celui-ci, comme exemple de cette étroitesse d'esprit que Rousseau avait stigmatisée dans le premier *Discours*.

Les années 1758 et 1759 virent fleurir maintes brochures sous des plumes aujourd'hui oubliées (sauf peut-être celle de Ximenès, auteur tragique raté mais lié à Voltaire). L'attaque fut portée sur la scène, dans la comédie *Diogène à Carouge* (Carouge est la banlieue de Genève, dépendant du roi de Sardaigne, où s'était installé momentanément un théâtre), et surtout dans un opéra-comique de Favart, *La Parodie du Parnasse*, où Rousseau figure en Crispin marchant comme un quadrupède...

La réponse de d'Alembert est fort différente ; on a eu tort d'y voir quelques remarques ironiques, des injures blessantes. Les idées de Rousseau y sont prises au sérieux, et ce dernier renonce à répliquer. C'était en raison des circonstances (les directeurs de l'*Encyclopédie* traversaient une année terrible) et aussi par considération pour d'Alembert, dont il avait rappelé dans sa *Lettre* qu'ils avaient vu ensemble *Bérénice*. Au reste, d'Alembert avait été informé très tôt de la publication par l'auteur et lui avait immédiatement répondu : « Bien loin, Monsieur, d'être offensé de ce que vous avez pu écrire contre mon article *Genève*, je suis au contraire très flatté de l'honneur que vous m'avez fait ; j'ai beaucoup d'empressement de vous lire et de profiter de vos observations » (*Corr. géné.*, n°ˢ 513 et 514). Nous avons tenté, dans la préface de ce volume, de marquer les points communs des deux tempéraments et des deux pensées. Rappelons ici que, pas plus après la *Lettre* sur le théâtre à Genève qu'après le *Discours sur les sciences et les arts*, ils ne rompirent vraiment ; sans entretenir des relations personnelles, ils portèrent sur les ouvrages l'un de l'autre des jugements courtois. Celui de d'Alembert sur *La Nouvelle Héloïse* (resté inédit jusqu'en 1799) est même fort élogieux ; inversement, une note du *Contrat social* souligne la valeur documentaire de l'article *Genève* : « Nul autre auteur français, que je sache, n'a compris le vrai sens du mot *citoyen* » (Pléiade, III, 362).

En 1762 paraît aussi *Emile*. Une lettre de sympathie est adressée par d'Alembert (*Corr. géné.* t. VII, p. 296) à celui qui vient de s'exiler pour fuir l'arrestation, et le *Jugement* qu'il porte sur l'ouvrage, profond, mesuré, d'une objectivité remarquable, mérite d'être lu. « C'est pour s'être mis à son aise comme lui que Diogène a dit beaucoup de choses plus dignes d'être retenues qu'aucun philosophe de l'antiquité, quoiqu'il ne fût peut être pas le plus grand des philosophes. Il est vrai que quand tout le monde se serait fait Diogène comme Rousseau, il faudrait parcourir bien des tonneaux avant de rencontrer un Diogène tel que celui-ci » (*O.C.*, t. IV, p. 464).

D'Alembert ne rejetait même pas, dans *Emile*, la « Profession de foi du vicaire savoyard » et l'on ne doit pas s'étonner que, bien qu'il ignore ce *Jugement*, Rousseau fasse appel à lui en 1764 comme garant de sa « religion » dans la première des *Lettres écrites de la montagne* (Pléiade, III, p. 696), que dans la quatrième il nomme parmi ses grandes œuvres « ma lettre à M. d'Alembert » et que dans la septième il aille jusqu'à ratifier l'*Encyclopédie* : pour les étrangers, le tableau de la constitution genevoise « se trouve déjà tracé suffisamment dans l'article *Genève* de M. d'Alembert » (Pléiade, III, 823). Le pasteur Vernet n'a donc pas tort, en 1766, d'appeler Rousseau « un fameux humoriste qui [...] ayant pris notre défense contre M. d'Alembert en 1758, prend aujourd'hui celle de M. d'Alembert contre nous ».

Enfin, même à l'époque où les philosophes vivaient dans la crainte des *Confessions*, d'Alembert n'hésitera pas à insérer publiquement, devant l'Académie française, dans son *Eloge* de l'abbé de Saint-Pierre qu'ils admiraient tous les deux, une allusion élogieuse à l'*Extrait du projet de paix perpétuelle* élaboré jadis par Rousseau.

Lettre à J.-J. Rousseau, citoyen de Genève*.

La lettre que vous m'avez fait l'honneur de m'adresser, monsieur, sur l'article Genève *de l'*Encyclopédie, *a eu tout le succès que vous deviez en attendre. En intéressant les philosophes par les vérités répandues dans votre ouvrage, et les gens de goût par l'éloquence et la chaleur de votre style, vous avez encore su plaire à la multitude par le mépris même que vous témoignez pour elle, et que vous eussiez peut-être marqué davantage en affectant moins de le montrer.*

Je ne me propose pas de répondre précisément à votre lettre, mais de

---

* J.-J. Rousseau n'étant pas du nombre de ceux qui ne méritent que le mépris et le silence, d'Alembert a cru devoir défendre l'article *Genève*, non par une réponse en forme, mais par quelques réflexions qu'on soumet au jugement des lecteurs.

m'entretenir avec vous sur ce qui en fait le sujet, et de vous communiquer mes réflexions bonnes ou mauvaises ; il serait trop dangereux de lutter contre une plume telle que la vôtre, et je ne cherche point à écrire des choses brillantes, mais des choses vraies.

Une autre raison m'engage à ne pas demeurer dans le silence ; c'est la reconnaissance que je vous dois des égards avec lesquels vous m'avez combattu. Sur ce point seul je me flatte de ne vous point céder. Vous avez donné aux gens de lettres un exemple digne de vous, et qu'ils imiteront peut-être enfin, quand ils connaîtront mieux leurs vrais intérêts. Si la satire et l'injure n'étaient pas aujourd'hui le ton favori de la critique, elle serait plus honorable à ceux qui l'excercent et plus utile à ceux qui en sont l'objet. On ne craindrait point de s'avilir en y répondant ; on ne songerait qu'à s'éclairer avec une candeur et une estime réciproque ; la vérité serait connue, et personne ne serait offensé ; car c'est moins la vérité qui blesse, que la manière de la dire.

Vous avez eu dans votre lettre trois objets principaux ; d'attaquer les spectacles pris en eux-mêmes ; de montrer que quand la morale pourrait les tolérer, la constitution de Genève ne lui permettrait pas d'en avoir ; de justifier enfin les pasteurs de votre Eglise sur les sentiments que je leur ai attribués en matière de religion. Je suivrai ces trois objets avec vous, et je m'arrêterai d'abord sur le premier, comme sur celui qui intéresse le plus grand nombre des lecteurs. Malgré l'étendue de la matière, je tâcherai d'être le plus court qu'il me sera possible ; il n'appartient qu'à vous d'être long et d'être lu, et je ne dois pas me flatter d'être aussi heureux en écarts.

Le caractère de votre philosophie, monsieur, est d'être ferme et inexorable dans sa marche. Vos principes posés, les conséquences sont ce qu'elles peuvent ; tant pis pour nous si elles sont fâcheuses ; mais à quelque point qu'elles le soient, elles ne vous le paraissent jamais assez pour vous forcer à revenir sur les principes. Bien loin de craindre les objections qu'on peut faire contre vos paradoxes, vous prévenez ces objections en y répondant par des paradoxes nouveaux. Il me semble voir en vous, la comparaison ne vous offensera pas sans doute, ce chef intrépide des réformateurs, qui pour se défendre d'une hérésie en avançait une plus grave, qui commença par attaquer les indulgences, et finit par abolir la messe. Vous avez prétendu que la culture des sciences et des arts est nuisible aux mœurs ; on pouvait vous objecter, que dans une société policée, cette culture est du moins nécessaire jusqu'à un certain point, et vous prier d'en fixer les bornes ; vous vous êtes tiré d'embarras en coupant le nœud, et vous n'avez cru pouvoir nous rendre heureux et parfaits, qu'en nous réduisant à l'état de bêtes. Pour prouver ce que tant d'opéras français avaient si bien prouvé avant vous, que nous n'avons point de musique, vous avez déclaré que nous ne pouvions en avoir, et que si nous en avions une, ce serait tant pis pour nous. Enfin, dans la vue d'inspirer plus efficacement à vos compatriotes l'horreur de la comédie, vous la représentez comme une des plus pernicieuses inventions des hommes ; et pour me servir de vos propres termes, comme un divertissement plus barbare que les combats des gladiateurs.

Vous procédez avec ordre, et ne portez pas d'abord les grands coups. A ne regarder les spectacles que comme un amusement, cette raison seule vous paraît suffire pour les condamner. La vie est si courte, dites-vous, et le temps si précieux! Qui en doute, monsieur? mais en même temps la vie est si malheureuse, et le plaisir si rare! pourquoi envier aux hommes, destinés presque uniquement par la nature à pleurer et à mourir, quelques délassements passagers, qui les aident à supporter l'amertume ou l'insipidité de leur existence? Si les spectacles, considérés sous ce point de vue, ont un défaut à mes yeux, c'est d'être pour nous une distraction trop légère et un amusement trop faible, précisément par cette raison qu'ils se présentent trop à nous sous la seule idée d'amusement, et d'amusement nécessaire à notre oisiveté. L'illusion se trouvant rarement dans les représentations théâtrales, nous ne les voyons que comme un jeu qui nous laisse presque entièrement à nous. D'ailleurs le plaisir superficiel et momentané qu'elles peuvent produire, est encore affaibli par la nature de ce plaisir même, qui tout imparfait qu'il est, a l'inconvénient d'être trop recherché et, si on peut parler de la sorte, appelé de trop loin. Il a fallu, ce me semble, pour imaginer un pareil genre de divertissement, que les hommes en eussent auparavant essayé et usé de bien des espèces; quelqu'un qui s'ennuyait cruellement, c'était vraisemblablement un prince, doit avoir eu la première idée de cet amusement raffiné, qui consiste à représenter sur des planches les infortunes et les travers de nos semblables, pour nous consoler ou nous guérir des nôtres, et à nous rendre spectateurs de la vie, d'acteurs que nous y sommes, pour nous en adoucir le poids et les malheurs. Cette réflexion triste vient quelquefois troubler le plaisir que je goûte au théâtre; à travers les impressions agréables de la scène, j'aperçois de temps en temps malgré moi, et avec une sorte de chagrin, l'empreinte fâcheuse de son origine; surtout dans ces moments de repos, où l'action suspendue et refroidie laissant l'imagination tranquille, ne montre plus que la représentation au lieu de la chose, et l'acteur au lieu du personnage. Telle est, monsieur, la triste destinée de l'homme jusque dans les plaisirs même; moins il peut s'en passer, moins il les goûte; et plus il y met de soins et d'étude, moins leur impression est sensible. Pour nous en convaincre par un exemple encore plus frappant que celui du théâtre, jetons les yeux sur ces maisons décorées par la vanité et par l'opulence, que le vulgaire croit un séjour de délices, et où les raffinements d'un luxe recherché brillent de toutes parts; elles ne rappellent que trop souvent au riche blasé qui les a fait construire l'image importune de l'ennui qui a rendu ces raffinements nécessaires.

Quoi qu'il en soit, monsieur, nous avons trop besoin de plaisirs, pour nous rendre difficiles sur le nombre ou sur le choix. Sans doute tous nos divertissements forcés et factices, inventés et mis en usage par l'oisiveté, sont bien au-dessous des plaisirs si purs et si simples que devraient nous offrir les devoirs de citoyen, d'ami, d'époux, de fils et de père: mais rendez-nous donc, si vous le pouvez, ces devoirs moins pénibles et moins tristes; ou souffrez qu'après les avoir remplis de notre mieux, nous nous consolions de notre mieux aussi des chagrins qui les accompagnent. Rendez les peuples plus heureux, et par conséquent les citoyens moins rares, les amis plus sensibles et plus constants, les pères plus justes, les enfants plus tendres, les femmes plus fidèles et plus vraies ; nous ne chercherons point alors d'autres plaisirs que ceux qu'on goûte au sein de l'amitié, de la patrie, de la nature et de l'amour. Mais il y a longtemps, vous le savez, que le siècle d'Astrée n'existe plus que dans les fables, si même il a jamais existé ailleurs. Solon disait qu'il avait donné aux Athéniens, non les meilleures lois en elles-mêmes, mais les meilleures qu'ils pussent observer. Il en est ainsi des devoirs qu'une saine philosophie prescrit aux hommes, et des plaisirs qu'elle leur permet. Elle doit nous supposer et nous prendre tels que nous sommes, pleins de passions et de faiblesses, mécontents de nous-mêmes et des autres, réunissant à un penchant naturel pour l'oisiveté, l'inquiétude et l'activité dans les désirs. Que reste-t-il à faire à la philosophie, que de pallier à nos yeux, par les distractions qu'elle nous offre, l'agitation qui nous tourmente ou la langueur qui nous consume ? Peu de personnes ont, comme vous, monsieur, la force de chercher leur bonheur dans la triste et uniforme tranquillité de la solitude. Mais cette ressource ne vous manquerait-elle jamais à vous-même ? n'éprouvez-vous jamais au sein du repos, et quelquefois du travail, ces moments de dégoût et d'ennui qui rendent nécessaires les délassements ou les distractions ? la société serait d'ailleurs trop malheureuse, si tous ceux qui peuvent se suffire ainsi que vous s'en bannissaient par un exil volontaire. Le sage en fuyant les hommes, c'est-à-dire en évitant de s'y livrer, car c'est la seule manière dont il doit les fuir, leur est au moins redevable de ses instructions et de son exemple ; c'est au milieu de ses semblables que l'Etre suprême lui a marqué son séjour, et il n'est pas plus permis aux philosophes qu'aux rois d'être hors de chez eux.

Je reviens aux plaisirs du théâtre. Vous avez laissé avec raison aux déclamateurs de la chaire cet argument si rebattu contre les spectacles, qu'ils sont contraires à l'esprit du christianisme, qui nous oblige de nous mortifier sans cesse. On s'interdirait sur ce principe les délassements que la religion condamne le moins. Les solitaires austères de Port-Royal, grands prédicateurs de la mortification chrétienne, et par cette raison grands adversaires de la comédie, ne se refusaient pas dans leur solitude, comme l'a remarqué Racine, le plaisir de faire des sabots, et celui de tourner les jésuites en ridicule.

Il semble donc que les spectacles, à ne les considérer encore que du côté de l'amusement, peuvent être accordés aux hommes, du moins comme un jouet qu'on donne à des enfants qui souffrent. Mais ce n'est pas seulement un jouet qu'on a prétendu leur donner, ce sont des leçons utiles déguisées sous l'apparence du plaisir. Non seulement on a voulu distraire de leurs peines ces enfants adultes, on a voulu que ce théâtre, où ils ne vont en apparence que pour rire ou pour pleurer, devînt pour eux, presque sans qu'ils s'en aperçussent, une école de mœurs et de vertu. Voilà, monsieur, de quoi vous croyez le théâtre incapable ; vous lui attribuez même un effet absolument contraire, et vous prétendez le prouver.

Je conviens d'abord avec vous que les écrivains dramatiques ont pour but principal de plaire, et que celui d'être utiles est tout au plus le second ; mais qu'importe, s'ils sont en effet utiles, que ce soit leur premier ou leur second objet? soyons de bonne foi, monsieur, avec nous-mêmes, et convenons que les auteurs de théâtre n'ont rien en cela qui les distingue des autres. L'estime publique est le but principal de tout écrivain; et la première vérité qu'il veut apprendre à ses lecteurs, c'est qu'il est digne de cette estime. En vain affecterait-il de la dédaigner dans ses ouvrages; l'indifférence se tait, et ne fait point tant de bruit; les injures même dites à une nation ne sont quelquefois qu'un moyen plus piquant de se rappeler à son souvenir. Et le fameux cynique de la Grèce eût bientôt quitté ce tonneau d'où il bravait les préjugés et les rois, si les Athéniens eussent passé leur chemin sans le regarder et sans l'entendre. La vraie philosophie ne consiste point à fouler aux pieds la gloire, et encore moins à le dire, mais à n'en pas faire dépendre son bonheur, même en tâchant de la mériter.

On n'écrit donc, monsieur, que pour être lu, et on ne veut être lu que pour être estimé; j'ajoute, pour être estimé de la multitude, de cette multitude même, dont on fait d'ailleurs, et avec raison, si peu de cas. Une voix secrète et importune nous crie, que ce qui est beau, grand et vrai, plaît à tout le monde, et que ce qui n'obtient pas le suffrage général, manque apparemment d'une de ces qualités. Ainsi, quand on cherche les éloges du vulgaire, c'est moins comme une récompense flatteuse en elle-même, que comme le gage le plus sûr de la bonté d'un ouvrage. L'amour-propre qui n'annonce que des prétentions modérées, en déclarant qu'il se borne à l'approbation du petit nombre, est un amour-propre timide qui se console d'avance, ou un amour-propre mécontent qui se console après coup. Mais quel que soit le but d'un écrivain, soit d'être loué, soit d'être utile, ce but n'importe guère au public; ce n'est point là ce qui règle son jugement, c'est uniquement le degré de plaisir ou de lumière qu'on lui a donné. Il honore ceux qui l'instruisent, il encourage ceux qui l'amusent, il applaudit ceux qui l'instruisent en l'amusant. Or les bonnes pièces de théâtre me paraissent réunir ces deux derniers avantages. C'est la morale mise en action, ce sont les préceptes réduits en exemples; la tragédie nous offre les malheurs produits par les vices des hommes, la comédie les ridicules attachés à leurs défauts; l'une et l'autre mettent sous les yeux ce que la morale ne montre que d'une manière abstraite et dans une espèce de lointain. Elles développent et fortifient par les mouvements qu'elles excitent en nous, les sentiments dont la nature a mis le germe dans nos âmes.

On va, selon vous, s'isoler au spectacle; on y va oublier ses proches, ses concitoyens et ses amis. Le spectacle est au contraire celui de tous nos plaisirs qui nous rappelle le plus aux autres hommes, par l'image qu'il nous présente de la vie humaine, et par les impressions qu'il nous donne et qu'il nous laisse. Un poète dans son enthousiasme, un géomètre dans ses méditations profondes, sont bien plus isolés qu'on ne l'est au théâtre. Mais quand les plaisirs de la scène nous feraient perdre pour un moment le souvenir de nos semblables, n'est-ce pas l'effet naturel de toute occupation qui nous attache, de tout amusement qui nous entraîne? Combien de moments dans la vie où l'homme le plus vertueux oublie ses compatriotes et ses amis sans les aimer moins? et vous-même, monsieur, n'auriez-vous renoncé à vivre avec les vôtres que pour y penser toujours?

Vous avez bien de la peine, ajoutez-vous, à concevoir cette règle de la poétique des anciens, que le théâtre purge les passions en les excitant. La règle, ce me semble, est vraie, mais elle a le défaut d'être mal énoncée ; et c'est sans doute par cette raison qu'elle a produit tant de disputes qu'on se serait épargnées si on avait voulu s'entendre. Les passions dont le théâtre tend à nous garantir ne sont pas celles qu'il excite ; mais il nous en garantit en excitant en nous les passions contraires ; j'entends ici par passion, avec la plupart des écrivains de morale, toute affection vive et profonde qui nous attache fortement à son objet. En ce sens, la tragédie se sert des passions utiles et louables, pour réprimer les passions blâmables et nuisibles ; elle emploie, par exemple, les larmes et la compassion dans Zaïre, pour nous précautionner contre l'amour violent et jaloux ; l'amour de la patrie dans Brutus, pour nous guérir de l'ambition ; la terreur et la crainte de la vengeance céleste dans Sémiramis, pour nous faire haïr et éviter le crime. Mais si avec quelques philosophes on n'attache l'idée de passion qu'aux affections criminelles, il faudra pour lors se borner à dire que le théâtre les corrige en nous rappelant aux affections naturelles ou vertueuses que le Créateur nous a données pour combattre ces mêmes passions.

Voilà, *objectez-vous*, un remède bien faible et cherché bien loin : l'homme est naturellement bon ; l'amour de la vertu, quoi qu'en disent les philosophes, est inné dans nous ; il n'y a personne, excepté les scélérats de profession, qui avant d'entendre une tragédie, ne soit déjà persuadé des vérités dont elle va nous instruire ; et à l'égard des hommes plongés dans le crime, ces vérités sont bien inutiles à leur faire entendre, et leur cœur n'a point d'oreilles. *L'homme est naturellement bon, je le veux ; cette question demanderait un trop long examen :* mais vous conviendrez du moins que la société, l'intérêt, l'exemple peuvent faire de l'homme un être méchant. J'avoue que quand il voudra consulter sa raison, il trouvera qu'il ne peut être heureux que par la vertu ; et c'est en ce seul sens que vous pouvez regarder l'amour de la vertu comme inné dans nous, car vous ne croyez pas apparemment que le fœtus et les enfants à la mamelle aient aucune notion du juste et de l'injuste. Mais la raison ayant à combattre en nous des passions qui étouffent sa voix, emprunte le secours du théâtre pour imprimer plus profondément dans notre âme les vérités que nous avons besoin d'apprendre. Si ces vérités glissent sur les scélérats décidés, elles trouvent dans le cœur des autres une entrée plus facile ; elles s'y fortifient quand elles y étaient déjà gravées ; incapables peut-être de ramener les hommes perdus, elles sont au moins propres à empêcher les autres de se perdre ; car la morale est comme la médecine, beaucoup plus sûre dans ce qu'elle fait pour prévenir les maux, que dans ce qu'elle tente pour les guérir.

L'effet de la morale du théâtre est donc moins d'opérer un changement subit dans les cœurs corrompus, que de prémunir contre le vice les âmes faibles par l'exercice des sentiments honnêtes, et d'affermir dans ces mêmes sentiments les âmes vertueuses. Vous appelez passagers et stériles les mouvements que le théâtre excite, parce que la vivacité de ces mouvements semble ne durer que le *temps de la pièce ; mais leur effet, pour être lent, et comme insensible, n'en est pas moins réel aux yeux du philosophe. Ces mouvements sont des secousses par lesquelles le sentiment de la vertu a besoin d'être réveillé dans nous ; c'est un feu qu'il faut de temps en temps ranimer et nourrir, pour l'empêcher de s'éteindre.*

Voilà, monsieur, les fruits naturels de la morale mise en action sur le théâtre ; voilà les seuls qu'on en puisse attendre. Si elle n'en a pas de plus marqués, croyez-vous que la morale réduite aux préceptes en produise beaucoup davantage ? Il est bien rare que les meilleurs livres de morale rendent vertueux ceux qui n'y sont pas disposés d'avance ; est-ce une raison pour proscrire ces livres ? demandez à nos prédicateurs les plus fameux combien ils font de conversions par un, ils vous répondront qu'on en fait une ou deux par siècle, encore faut-il que le siècle soit bon : sur cette réponse les défendrez-vous de prêcher, et à nous de les entendre ?

Belle comparaison ! *direz-vous* ; je veux que nos prédicateurs et nos moralistes n'aient pas des succès brillants ; au moins ne font-ils pas grand mal, si ce n'est peut-être celui d'ennuyer quelquefois ; mais c'est précisément parce que les auteurs de théâtre nous ennuient moins, qu'ils nous nuisent davantage. Quelle morale que celle qui présente si souvent aux yeux des spectateurs des monstres impunis et des crimes heureux ? un Atrée qui s'applaudit des horreurs qu'il a exercées contre son frère ; un Néron qui empoisonne Britannicus pour régner en paix ; une Médée qui égorge ses enfants, et qui part en insultant au désespoir de leur père ; un Mahomet qui séduit et qui entraîne tout un peuple, victime et instrument de ses fureurs ? quel affreux spectacle à montrer aux hommes, que des scélérats triomphants ? *Pourquoi non, monsieur, si on leur rend ces scélérats odieux dans leur triomphe même ? peut-on mieux nous instruire à la vertu, qu'en nous montrant d'un côté les succès du crime, et en nous faisant envier de l'autre le sort de la vertu malheureuse ? ce n'est pas dans la prospérité ni dans l'élévation qu'on a besoin d'apprendre à l'aimer, c'est dans l'abjection et dans l'infortune. Or, sur cet effet du théâtre, j'en appelle avec confiance à votre propre témoignage ; interrogez les spectateurs l'un après l'autre au sortir de ces tragédies que vous croyez une école de vice et de crime ; demandez-leur lequel ils aimeraient mieux être, de Britannicus ou de Néron, d'Atrée ou de Thyeste, de Zopire ou de Mahomet ; hésiteront-ils sur la réponse, et comment hésiteraient-ils ? Pour nous borner à un seul exemple, quelle leçon plus propre à rendre le fanatisme exécrable, et à faire regarder comme des monstres ceux qui l'inspirent, que cet horrible tableau du quatrième acte de Mahomet, où l'on voit Séide, égaré par un zèle affreux, enfoncer le poignard dans le sein de son père ? vous voudriez, monsieur, bannir cette tragédie de notre théâtre ? plût à Dieu qu'elle y fût plus ancienne de deux cents ans ! l'esprit philosophique qui l'a dictée serait de même date parmi nous, et peut-être eût épargné à la nation française, d'ailleurs si paisible et si douce, les horreurs et les atrocités religieuses auxquelles elle s'est livrée. Si cette tragédie laisse quelque chose à regretter aux sages, c'est de n'y voir que les forfaits causés par le zèle d'une fausse religion, et non les malheurs encore plus déplorables où le zèle aveugle pour une religion vraie, peut quelquefois entraîner les hommes.*

Ce que je dis ici de Mahomet, je crois pouvoir le dire de même des autres tragédies qui vous paraissent si dangereuses. Il n'en est, ce me semble, aucune qui ne laisse dans notre âme, après la représentation, quelque grande et utile leçon de morale plus ou moins développée. Je vois dans Œdipe un prince, fort à plaindre sans doute, mais toujours coupable, puisqu'il a voulu, contre l'avis même des dieux, braver sa destinée ; dans Phèdre, une femme que la violence de sa passion peut rendre malheureuse, mais non pas excusable, puisqu'elle travaille à perdre un prince vertueux dont elle n'a pu se faire aimer ; dans Catilina, le mal que l'abus des grands talents peut faire au genre humain ; dans Médée et dans Atrée, les effets abominables de l'amour criminel et irrité, de la vengeance et de la haine. D'ailleurs quand ces pièces ne vous enseigneraient directement aucune vérité morale, seraient-elles pour cela blâmables ou pernicieuses ? Il suffirait pour les justifier de ce reproche, de faire attention aux sentiments louables, ou tout au moins naturels, qu'elles excitent en nous ; Œdipe et Phèdre l'attendrissement sur nos semblables, Atrée et Médée le frémissement et l'horreur. Quand nous irons à ces tragédies, moins pour être instruits que pour être remués, quel serait en cela notre crime et le leur ? elles seraient pour les honnêtes gens, s'il est permis d'employer cette comparaison, ce que les supplices sont pour le peuple, un spectacle où ils assisteraient par le seul besoin que tous les hommes ont d'être émus. C'est en effet ce besoin, et non pas, comme on le croit communément, un sentiment d'inhumanité qui fait courir le peuple aux exécutions des criminels. Il voit au contraire ces exécutions avec un mouvement de trouble et de pitié, qui va quelquefois jusqu'à l'horreur et aux larmes. Il faut à ces âmes rudes, concentrées et grossières, des secousses fortes pour les ébranler. La tragédie suffit aux âmes plus délicates et plus sensibles ; quelquefois même, comme dans Médée et dans Atrée, l'impression est trop violentes pour elles. Mais bien loin d'être alors dangereuse, elle est au contraire importune ; et un sentiment de cette espèce peut-il être une source de vices et de forfaits ? Si dans les pièces où l'on expose le crime à nos yeux, les scélérats ne sont pas toujours punis, le spectateur est affligé qu'ils ne le soient pas : quand il ne peut en accuser le poète, toujours obligé de se conformer à l'histoire, c'est alors, si je puis parler ainsi, l'histoire elle-même qu'il accuse ; et il se dit en sortant :

> *Faisons notre devoir, et laissons faire aux dieux.*

Aussi, dans un spectacle qui laisserait plus de liberté au poète, dans notre opéra, par exemple, qui n'est d'ailleurs ni le spectacle de la vérité ni celui des mœurs, je doute qu'on pardonnât à l'auteur de laisser jamais le crime impuni. Je me souviens d'avoir vu autrefois en manuscrit un opéra d'Atrée, où ce monstre périssait écrasé de la foudre, en criant avec une satisfaction barbare :

Tonnez, Dieux impuissants, frappez, je suis vengé.

Cette situation vraiment théâtrale, secondée par une musique effrayante, eût produit, ce me semble, un des plus heureux dénouements qu'on puisse imaginer au théâtre lyrique.

Si dans quelques tragédies on a voulu nous intéresser pour des scélérats, ces tragédies ont manqué leur objet ; c'est la faute du poète, et non du genre ; vous trouverez des historiens même qui ne sont pas exempts de ce reproche ; en accuserez-vous l'histoire ? Rappelez-vous, monsieur, un de nos chefs-d'œuvre en ce genre, La Conjuration de Venise de l'abbé de Saint Réal, et l'espèce d'intérêt qu'il nous inspire, sans l'avoir peut-être voulu, pour ces hommes qui ont juré la ruine de leur patrie ; on s'afflige presque après cette lecture de voir tant de courage et d'habileté devenus inutiles ; on se reproche ce sentiment, mais il nous saisit malgré nous, et ce n'est que par réflexion qu'on prend part au salut de Venise. Je vous avouerai à cette occasion, contre l'opinion assez généralement établie, que le sujet de Venise Sauvée me paraît bien plus propre au théâtre que celui de Manlius Capitolinus, quoique ces deux pièces ne diffèrent guère que par les noms et l'état des personnages ; des malheureux qui conspirent pour se rendre libres, sont moins odieux que des sénateurs qui cabalent pour se rendre maîtres.

Mais ce qui paraît, monsieur, vous avoir choqué le plus dans nos pièces, c'est le rôle qu'on y fait jouer à l'amour. Cette passion, le grand mobile des actions des hommes, est en effet le ressort presque unique du théâtre français, et rien ne vous paraît plus contraire à la saine morale que de réveiller par des peintures et des situations séduisantes un sentiment si dangereux. Permettez-moi de vous faire une question avant que de vous répondre. Voudriez-vous bannir l'amour de la société ? ce serait, je crois, pour elle un grand bien et un grand mal. Mais vous chercheriez en vain à détruire cette passion dans les hommes : il ne paraît pas d'ailleurs que votre dessein soit de la leur interdire, du moins si on en juge par les descriptions intéressantes que vous en faites, et auxquelles toute l'austérité de votre philosophie n'a pu se refuser. Or si on ne peut, et si on ne doit peut-être pas étouffer l'amour dans le cœur des hommes, que reste-t-il à faire, sinon de le diriger vers une fin honnête, et de nous montrer dans des exemples illustres ses fureurs et ses faiblesses, pour nous en défendre ou nous en guérir ? vous convenez que c'est l'objet de nos tragédies ; mais vous prétendez que l'objet est manqué par les efforts même que l'on fait pour le remplir, que l'impression du sentiment reste, et que la morale est bientôt oubliée. Je prendrai, monsieur, pour vous répondre, l'exemple même que vous apportez de la tragédie de Bérénice où Racine a trouvé l'art de nous intéresser pendant cinq actes avec ces seuls mots, je vous aime, vous êtes empereur et je pars ; et où ce grand poète a su réparer par les charmes de son style le défaut d'action et la monotonie de son sujet. Tout spectateur sensible, je l'avoue, sort de cette tragédie le cœur affligé, partageant en quelque manière le sacrifice qui coûte si cher à Titus, et le désespoir de

Bérénice abandonnée. Mais quand ce spectateur regarde au fond de son âme, et approfondit le sentiment qui l'occupe, qu'y aperçoit-il, monsieur ? un retour affligeant sur le malheur de la condition humaine, qui nous oblige presque toujours de faire céder nos passions à nos devoirs. Cela est si vrai, qu'au milieu des pleurs que nous donnons à Bérénice, le bonheur du monde attaché au sacrifice de Titus nous rend inexorables sur la nécessité de ce sacrifice même dont nous nous plaignons ; l'intérêt que nous prenons à sa douleur, en admirant sa vertu, se changerait en indignation s'il succombait à sa faiblesse. En vain Racine même, tout habile qu'il était dans l'éloquence du cœur, eût essayé de nous représenter ce prince, entre Bérénice d'un côté et Rome de l'autre, sensible aux prières d'un peuple qui embrasse ses genoux pour le retenir, mais cédant aux larmes de sa maîtresse ; les adieux les plus touchants de ce prince à ses sujets ne le rendraient que plus méprisable à nos yeux, nous n'y verrions qu'un monarque vil qui, pour satisfaire une passion obscure, renonce à faire du bien aux hommes, et qui va dans les bras d'une femme oublier leurs pleurs. Si quelque chose au contraire adoucit à nos yeux la peine de Titus, c'est le spectacle de tout un peuple devenu heureux par le courage du prince : rien n'est plus propre à consoler de l'infortune que le bien qu'on fait à ceux qui souffrent, et l'homme vertueux suspend le cours de ses larmes en essuyant celles des autres. Cette tragédie, monsieur, a d'ailleurs un autre avantage, c'est de nous rendre plus grands à nos propres yeux, en nous montrant de quels efforts la vertu nous rend capables. Elle ne réveille en nous la plus puissante et la plus douce de toutes les passions, que pour nous apprendre à la vaincre, en la faisant céder, quand le devoir l'exige, à des intérêts plus pressants et plus chers. Ainsi elle nous flatte et nous élève tout à la fois, par l'expérience douce qu'elle nous fait faire de la tendresse de notre âme, et par le courage qu'elle nous inspire pour réprimer ce sentiment dans ses effets, en conservant le sentiment même.

Si donc les peintures qu'on fait de l'amour sur nos théâtres étaient dangereuses, ce ne pourrait être tout au plus que chez une nation déjà corrompue, à qui les remèdes même serviraient de poison ; aussi suis-je persuadé, malgré l'opinion contraire où vous êtes, que les représentations théâtrales sont plus utiles à un peuple qui a conservé ses mœurs, qu'à celui qui aurait perdu les siennes. Mais quand l'état présent de nos mœurs pourrait nous faire regarder la tragédie comme un nouveau moyen de corruption, la plupart de nos pièces nous paraissent bien propres à nous rassurer à cet égard. Ce qui devrait, ce me semble, vous déplaire le plus dans l'amour que nous mettons si fréquemment sur nos théâtres, ce n'est pas la vivacité avec laquelle il est peint, c'est le rôle froid et subalterne qu'il y joue presque toujours. L'amour, si on en croit la multitude, est l'âme de nos tragédies ; pour moi, il m'y paraît presque aussi rare que dans le monde. La plupart des personnages de Racine même ont à mes yeux moins de passion que de métaphysique, moins de chaleur que de galanterie. Qu'est-ce que l'amour dans Mithridate, dans Iphigénie, dans Britannicus, dans Bajazet même et dans Andromaque, si on en excepte quelques traits des rôles de Roxane et d'Hermione ? Phèdre est peut-être le seul ouvrage de ce grand homme où l'amour soit vraiment terrible et tragique ; encore y est-il défiguré par l'intrigue obscure d'Hippolyte et d'Aricie. Arnauld l'avait bien senti, quand il disait à Racine : pourquoi cet Hippolyte amoureux ? *Le reproche était moins d'un casuiste que d'un homme de goût ; on sait la réponse que Racine lui fit :* eh, monsieur, sans cela qu'auraient dit les petits-maîtres ? *Ainsi c'est à la frivolité de la nation que Racine a sacrifié la perfection de sa pièce. L'amour dans Corneille est encore plus languissant et plus déplacé : son génie semble s'être épuisé dans le Cid à peindre cette passion, et il faut avouer qu'il l'a peinte en maître ; mais il n'y a presque aucune de ses autres tragédies que l'amour ne dépare et ne refroidisse. Ce sentiment exclusif et impérieux, si propre à nous consoler de tout ou à nous rendre tout insupportable, à nous faire jouir de notre existence ou à nous la faire détester, veut être sur le théâtre comme dans nos cœurs, y régner seul et sans partage. Partout où il ne joue pas le premier rôle, il est dégradé par le second. Le seul caractère qui lui convienne dans la tragédie, est celui de la véhémence, du trouble et du désespoir : ôtez-lui ces qualités, ce n'est plus, si j'ose parler ainsi, qu'une passion commune et bourgeoise. Mais, dira-t-on, en peignant l'amour de la sorte, il deviendra monotone, et toutes nos pièces se ressembleront. Et pourquoi s'imaginer, comme ont fait presque tous nos auteurs, qu'une pièce ne puisse nous intéresser sans amour ? sommes-nous plus difficiles ou plus insensibles que les Athéniens ? et ne pouvons-nous pas trouver à leur exemple une infinité d'autres sujets capables de remplir dignement le théâtre, les malheurs de l'ambition, le spectacle d'un héros dans l'infortune, la haine de la superstition et des tyrans, l'amour de la patrie, la tendresse maternelle ? Ne faisons point à nos Françaises l'injure de penser que l'amour seul puisse les émouvoir, comme si elles n'étaient ni citoyennes ni mères. Ne les avons-nous pas vues s'intéresser à la* Mort de César, *et verser des larmes à* Mérope *?*

Je viens, monsieur, à vos objections sur la comédie. Vous n'y voyez qu'un exemple continuel de libertinage, de perfidie et de mauvaises mœurs ; des femmes qui trompent leurs maris, des enfants qui volent leurs pères, d'honnêtes bourgeois dupés par des fripons de cour. Mais je vous prie de considérer un moment sous quel point de vue tous ces vices nous sont représentés sur le théâtre. Est-ce pour les mettre en honneur ? nullement ; il n'est point de spectateur qui s'y méprenne ; c'est pour nous ouvrir les yeux sur la source de ces vices ; pour nous faire voir dans nos propres défauts, dans des défauts qui en eux-mêmes ne blessent point l'honnêteté, une des causes les plus communes des actions criminelles que nous reprochons aux autres. Qu'apprenons-nous dans George-Dandin ? *que le dérèglement des femmes est la suite ordinaire des mariages mal assortis où la vanité a présidé ; dans* Le Bourgeois-Gentilhomme ? *qu'un bourgeois qui veut sortir de son état, avoir une femme de la cour pour maîtresse, et un grand seigneur pour ami, n'aura pour maîtresse qu'une femme perdue, et pour ami qu'un honnête voleur ; dans les scènes d'*Harpagon *et de son fils ? que l'avarice des pères produit la mauvaise conduite des enfants ; enfin dans toutes, cette vérité si utile, que les ridicules de la société y sont une source de désordres. Et quelle manière plus efficace d'attaquer nos ridicules, que de nous montrer* *qu'ils rendent les autres méchants à nos dépens ? en vain diriez-vous que dans la comédie nous sommes plus frappés du ridicule qu'elle joue, que des vices dont ce ridicule est la source. Cela doit être, puisque l'objet naturel de la comédie est la correction de nos défauts par le ridicule, leur antidote le plus puissant, et non la correction de nos vices qui demande des remèdes d'un autre genre. Mais son effet n'est pas pour cela de nous faire préférer le vice au ridicule, elle nous suppose pour le vice cette horreur qu'il inspire à toute âme bien née ; elle se sert même de cette horreur pour combattre nos travers ; et il est tout simple que le sentiment qu'elle suppose nous affecte moins, dans le moment de la représentation, que celui qu'elle cherche à exciter en nous, sans que pour cela elle nous fasse prendre le change sur celui de ces deux sentiments qui doit dominer dans notre âme. Si quelques comédies en petit nombre s'écartent de cet objet louable, et sont presque uniquement une école de mauvaises mœurs, on peut comparer leurs auteurs à ces hérétiques qui, pour débiter le mensonge, ont abusé quelquefois de la chaire de vérité.*

Vous ne vous en tenez pas à des imputations générales. Vous attaquez, comme une satire cruelle de la vertu, Le Misanthrope de Molière, ce chef-d'œuvre de notre théâtre comique, si néanmoins le Tartufe ne lui est pas encore supérieur, soit par la vivacité de l'action, soit par les situations théâtrales, soit enfin par la variété et la vérité des caractères. Je ne sais, monsieur, ce que vous pensez de cette dernière pièce, elle était bien faite pour trouver grâce devant vous, ne fût-ce que par l'aversion dont on ne peut se défendre pour l'espèce d'hommes si odieuse que Molière y a joués et démasqués. Mais je viens au Misanthrope. Molière, selon vous, a eu dessein dans cette comédie de rendre la vertu ridicule. Il me semble que le sujet et les détails de la pièce, que le sentiment même qu'elle produit en nous, prouvent le contraire. Molière a voulu nous apprendre que l'esprit et la vertu ne suffisent pas pour la société, si nous ne savons compatir aux faiblesses de nos semblables, et supporter leurs vices même ; que les hommes sont encore plus bornés que méchants, et qu'il faut les mépriser sans le leur dire. Quoique le Misanthrope divertisse les spectateurs, il n'est pas pour cela ridicule à leurs yeux : il n'est personne au contraire qui ne l'estime, qui ne soit porté même à l'aimer et à le plaindre. On rit de sa mauvaise humeur, comme de celle d'un enfant bien né et de beaucoup d'esprit. La seule chose que j'oserais blâmer dans le rôle du Misanthrope, c'est qu'Alceste n'a pas toujours tort d'être en colère contre l'ami raisonnable et philosophe que Molière a voulu lui opposer comme un modèle de la conduite qu'on doit tenir avec les hommes. Philinte m'a toujours paru, non pas absolument, comme vous le prétendez, un caractère odieux, mais un caractère mal décidé, plein de sagesse dans ses maximes et de fausseté dans sa conduite. Rien de plus sensé que ce qu'il dit au Misanthrope dans la première scène, sur la nécessité de s'accommoder aux travers des hommes ; rien de plus faible que sa réponse aux reproches dont le Misanthrope l'accable sur l'accueil affecté qu'il vient de faire à un homme dont il ne sait pas le nom. Il ne disconvient pas de l'exagération qu'il a mise dans cet accueil, et donne par-là beaucoup d'avantage au Misanthrope. Il devait répondre au contraire que ce qu'Alceste avait pris pour un accueil exagéré n'était qu'un compliment ordinaire et froid, une de ces formules de politesse dont les hommes sont convenus de se payer réciproquement lorsqu'ils n'ont rien à se dire. Le Misanthrope a encore plus beau jeu dans la scène du sonnet. Ce n'est point Philinte qu'Oronte vient consulter, c'est Alceste ; et rien n'oblige Philinte de louer comme il fait le sonnet d'Oronte à tort et à travers, et d'interrompre même la lecture par ses fades éloges. Il devait attendre qu'Oronte lui demandât son avis, et se borner alors à des discours généraux et à une approbation faible, parce qu'il sent qu'Oronte veut être loué, et que dans des bagatelles de ce genre on ne doit la vérité qu'à ses amis, encore faut-il qu'ils aient grande envie ou grand besoin qu'on la leur dise. L'approbation faible de l'Philinte n'on oût pas moins produit ce que voulait Molière, l'emportement d'Alceste, qui se pique de vérité dans les choses les plus indifférentes, au risque de blesser ceux à qui il la dit. Cette colère du Misanthrope sur la complaisance de Philinte n'en eût été que plus plaisante, parce qu'elle eût été moins fondée ; et la situation des personnages eût produit un jeu de théâtre d'autant plus grand, que Philinte eût été partagé entre l'embarras de contredire Alceste, et la crainte de choquer Oronte. Mais je m'aperçois, monsieur, que je donne des leçons à Molière.

Vous prétendez que dans cette scène du sonnet, le Misanthrope est presque un Philinte, et ses *je ne dis pas cela répétés* avant que de déclarer franchement son avis, vous paraissent hors de son caractère. Permettez-moi de n'être pas de votre sentiment. Le Misanthrope de Molière n'est pas un homme vrai ; ses *je ne dis pas cela*, surtout de l'air dont il les doit prononcer, font suffisamment entendre qu'il trouve le sonnet détestable ; ce n'est que quand Oronte le presse et le pousse à bout, qu'il doit lever le masque et lui rompre en visière. Rien n'est, ce me semble, mieux ménagé et gradué plus adroitement que cette scène ; et je dois rendre cette justice à nos spectateurs modernes, qu'il en est peu qu'ils écoutent avec plus de plaisir. Aussi je ne crois pas que ce chef-d'œuvre de Molière, supérieur peut-être de quelques années à son siècle, dût craindre aujourd'hui le sort équivoque qu'il eut à sa naissance ; notre parterre, plus fin et plus éclairé qu'il n'était il y a soixante ans, n'aurait plus besoin du Médecin malgré lui pour aller au Misanthrope. Mais je crois en même temps, que vous, que d'autres chefs-d'œuvre du même poète et de quelques autres, autrefois justement applaudis, auraient aujourd'hui plus d'estime que de succès ; notre changement de goût en est la cause : nous voulons dans la tragédie plus d'action, et dans la comédie plus de finesse. La raison en est, si je ne me trompe, que les sujets communs sont presque entièrement épuisés sur les deux théâtres, et qu'il faut d'un côté plus de mouvement pour nous intéresser à des héros moins connus, et de l'autre plus de recherche et plus de nuance pour faire sentir des ridicules moins apparents.

Le zèle dont vous êtes animé contre la comédie ne vous permet pas de faire grâce à aucun genre, même à celui où l'on se propose de faire couler nos larmes par des situations intéressantes, et de nous offrir dans la vie commune des modèles de courage et de vertu ; autant vaudrait, dites-vous, aller au

*sermon. Ce discours me surprend dans votre bouche. Vous prétendiez, un
moment auparavant, que les leçons de la tragédie nous sont inutiles, parce qu'on
n'y met sur le théâtre que des héros, auxquels nous ne pouvons nous flatter de
ressembler ; et vous blâmez à présent les pièces où l'on n'expose à nos yeux que
nos citoyens et nos semblables ; ce n'est plus comme pernicieux aux bonnes
mœurs, mais comme insipide et ennuyeux que vous attaquez ce genre. Dites,
monsieur, si vous le voulez, qu'il est le plus facile de tous, mais ne cherchez pas à
lui enlever le droit de nous attendrir ; il me semble au contraire qu'aucun genre
de pièces n'y est plus propre ; et s'il m'est permis de juger de l'impression des
autres par la mienne, j'avoue que je suis encore plus touché des scènes pathétiques
de L'Enfant prodigue, que des pleurs d'Andromaque et d'Iphigénie. Les
princes et les grands sont trop loin de nous, pour que nous prenions à leurs revers
le même intérêt qu'aux nôtres. Nous ne voyons, pour ainsi dire, les infortunes des
rois qu'en perspective ; et dans le temps même où nous les plaignons, un
sentiment confus semble nous dire pour nous consoler, que ces infortunes sont le
prix de la grandeur suprême, et comme les degrés par lesquels la nature
rapproche les princes des autres hommes. Mais les malheurs de la vie privée
n'ont point cette ressource à nous offrir ; ils sont l'image fidèle des peines qui
nous affligent ou qui nous menacent : un roi n'est presque pas notre semblable ;
et le sort de nos pareils a bien plus de droits à nos larmes.*

*Ce qui me paraît blâmable dans ce genre, ou plutôt dans la manière dont l'on
traité nos poètes, est le mélange bizarre qu'ils y ont presque toujours fait du
pathétique et du plaisant ; deux sentiments si tranchants et si disparates ne sont
pas faits pour être voisins, et quoiqu'il y ait dans la vie quelques circonstances
bizarres où l'on rit et où l'on pleure à la fois, je demande si toutes les
circonstances de la vie sont propres à être représentées sur le théâtre, et si le
sentiment trouble et mal décidé qui résulte de cet alliage des ris avec les pleurs,
est préférable au plaisir seul de pleurer, ou même au plaisir seul de rire ? Les
hommes sont tous de fer ! s'écrie l'enfant prodigue, après avoir fait à son
valet la peinture odieuse de l'ingratitude et de la dureté de ses anciens amis ; et
les femmes ? lui répond le valet, qui ne veut que faire rire le parterre ; j'ose
inviter l'illustre auteur de cette pièce à retrancher ces trois mots, qui ne sont là
que pour défigurer un chef-d'œuvre. Il me semble qu'ils doivent produire sur tous
les gens de goût le même effet qu'un son aigre et discordant, qui se ferait entendre
tout à coup au milieu d'une musique touchante.*

*Après avoir dit tant de mal des spectacles, il ne vous restait plus, monsieur,
qu'à vous déclarer aussi contre les personnes qui les représentent et contre celles
qui, selon vous, nous y attirent ; et c'est de quoi vous vous êtes pleinement
acquitté par la manière dont vous traitez les comédiens et les femmes. Votre
philosophie n'épargne personne, et on pourrait lui appliquer ce passage de
l'Ecriture, et manus ejus contra omnes.*

*Selon vous, l'habitude où sont les comédiens de revêtir un caractère qui n'est
pas le leur, les accoutume à la fausseté. Je ne saurais croire que ce reproche soit
sérieux. Vous feriez le procès sur le même principe à tous les auteurs de pièces de*

théâtre, bien plus obligés encore que le comédien de se transformer dans les personnages qu'ils ont à faire parler sur la scène. Vous ajoutez qu'il est vil de s'exposer aux sifflets pour de l'argent ; qu'en faut-il conclure ? que l'état de comédien est celui de tous où il est le moins permis d'être médiocre. Mais en récompense, quels applaudissements plus flatteurs que ceux du théâtre ? c'est là où l'amour-propre ne peut se faire illusion ni sur les succès, ni sur les chutes ; et pourquoi refuserions-nous à un acteur accueilli et désiré du public, le droit si juste et si noble de tirer de son talent sa subsistance ? je ne dis rien de ce que vous ajoutez, pour plaisanter sans doute, que les valets en s'exerçant à voler adroitement sur le théâtre, s'instruisent à voler dans les maisons et dans les rues.

Supérieur, comme nous l'êtes, par votre caractère et par vos réflexions, à toute espèce de préjugés, était-ce là, monsieur, celui que vous deviez préférer pour vous y soumettre et pour le défendre ? comment n'avez-vous pas senti, que si ceux qui représentent nos pièces méritent d'être déshonorés, ceux qui les composent mériteraient aussi de l'être ; et qu'ainsi en élevant les uns et en avilissant les autres, nous avons été tout à la fois bien inconséquents et bien barbares ? Les Grecs l'ont été moins que nous, et il ne faut point chercher d'autres causes de l'estime où les bons comédiens étaient parmi eux. Ils considéraient Esopus par la même raison qu'ils admiraient Euripide et Sophocle. Les Romains, il est vrai, ont pensé différemment ; mais chez eux la comédie était jouée par des esclaves ; occupés des grands objets, ils ne voulaient employer que des esclaves à leurs plaisirs.

La chasteté des comédiennes, j'en conviens avec vous, est plus exposée que celle des femmes du monde ; mais aussi la gloire de vaincre en doit être plus grande : il n'est pas rare d'en voir qui résistent longtemps, et il serait plus commun d'en trouver qui résistassent toujours, si elles n'étaient comme découragées de la continence par le peu de considération réelle qu'elles en retirent. Le plus sûr moyen de vaincre les passions, est de les combattre par la vanité ; qu'on accorde des distinctions aux comédiennes sages, et ce sera, j'ose le prédire, l'ordre de l'État le plus sévère dans ses mœurs. Mais quand elles voient que d'un côté on ne leur sait aucun gré de se priver d'amants, et que de l'autre il est permis aux femmes du monde d'en avoir, sans en être moins considérées, comment ne chercheraient-elles pas leur consolation dans des plaisirs qu'elles s'interdiraient en pure perte ?

Vous êtes du moins, monsieur, plus juste ou plus conséquent que le public ; votre sortie sur nos actrices en a valu une très violente aux autres femmes. Je ne sais si vous êtes du petit nombre des sages qu'elles ont su quelquefois rendre malheureux, et si par le mal que vous en dites, vous avez voulu leur restituer celui qu'elles vous ont fait. Cependant je doute que votre éloquente censure vous fasse parmi elles beaucoup d'ennemies ; on voit percer à travers vos reproches le goût très pardonnable que vous avez conservé pour elles, peut-être même quelque chose de plus vif ; ce mélange de sévérité et de faiblesse, pardonnez-moi ce dernier mot, vous fera aisément obtenir grâce ; elles sentiront du moins, et elles vous en sauront gré, qu'il vous en a moins coûté pour déclamer contre elles avec chaleur, *que pour les voir et les juger avec une indifférence philosophique. Mais comment allier cette indifférence avec le sentiment si séduisant qu'elles inspirent ? qui peut avoir le bonheur ou le malheur de parler d'elles sans intérêt ? Essayons néanmoins, pour les apprécier avec justice, sans adulation comme sans humeur, d'oublier en ce moment combien leur société est aimable et dangereuse ; relisons Épictète avant que d'écrire, et tenons-nous fermes pour être austères et graves.*

Je n'examinerai point, monsieur, si vous avez raison de vous écrier, où trouvera-t-on une femme aimable et vertueuse ? comme le sage s'écriait autrefois, où trouvera-t-on une femme forte ? *Le genre humain serait bien à plaindre, si l'objet le plus digne de nos hommages était en effet aussi rare que vous le dites. Mais si par malheur vous aviez raison, quelle en serait la triste cause ? l'esclavage et l'espèce d'avilissement où nous avons mis les femmes ; les entraves que nous donnons à leur esprit et à leur âme ; le jargon futile, et humiliant pour elles et pour nous, auquel nous avons réduit notre commerce avec elles, comme si elles n'avaient pas une raison à cultiver, ou n'en étaient pas dignes ? enfin l'éducation funeste, je dirais presque meurtrière, que nous leur prescrivons, sans leur permettre d'en avoir d'autre ; éducation où elles apprennent presque uniquement à se contrefaire sans cesse, à n'avoir pas un sentiment qu'elles n'étouffent, une opinion qu'elles ne cachent, une pensée qu'elles ne déguisent. Nous traitons la nature en elles comme nous la traitons dans nos jardins, nous cherchons à l'orner en l'étouffant. Si la plupart des nations ont agi comme nous à leur égard, c'est que partout les hommes ont été les plus forts, et que partout le plus fort est l'oppresseur du plus faible. Je ne sais si je me trompe, mais il me semble que l'éloignement où nous tenons les femmes de tout ce qui peut les éclairer et leur élever l'âme, est bien capable, en mettant leur vanité à la gêne, de flatter leur amour-propre. On dirait que nous sentons leurs avantages, et que nous voulons les empêcher d'en profiter. Nous ne pouvons nous dissimuler que, dans les ouvrages de goût et d'agrément, elles réussiraient mieux que nous, surtout dans ceux dont le sentiment et la tendresse doivent être l'âme ; car quand vous dites* qu'elles ne savent ni décrire ni sentir l'amour même, *il faut que vous n'ayez jamais lu les* Lettres d'Héloïse, *ou que vous ne les ayez lues que dans quelque poète qui les aura gâtées. J'avoue que ce talent de peindre l'amour au naturel, talent propre à un temps d'ignorance, où la nature seule donnait des leçons, peut s'être affaibli dans notre siècle, et que les femmes, devenues à notre exemple plus coquettes que passionnées, sauront bientôt aimer aussi peu que nous et le dire aussi mal ; mais sera-ce la faute de la nature ? A l'égard des ouvrages de génie et de sagacité, mille exemples nous prouvent que la faiblesse du corps n'y est pas un grand obstacle dans les hommes ; pourquoi donc une éducation plus solide et plus mâle ne mettrait-elle pas les femmes à portée d'y réussir ? Descartes les jugeait plus propres que nous à la philosophie, et une princesse malheureuse a été son plus illustre disciple. Plus inexorable pour elles, vous les traiterez, monsieur, comme ces peuples vaincus, mais redoutables, que leurs conquérants désarment ; et après avoir soutenu que la culture de l'esprit est pernicieuse à la vertu des hommes, vous en conclurez qu'elle le serait encore plus à celle des femmes. Il me semble au contraire que les hommes devant être plus vertueux à proportion qu'ils connaîtront mieux les véritables sources de leur bonheur, le genre humain doit gagner à s'instruire. Si les siècles éclairés ne sont pas moins corrompus que les autres, c'est que la lumière y est trop inégalement répandue ; qu'elle est resserrée et concentrée dans un trop petit nombre d'esprits ; que les rayons qui s'en échappent dans le peuple ont assez de force pour découvrir aux âmes communes l'attrait et les avantages du vice, et non pour leur en faire voir les dangers et l'horreur : le grand défaut de ce siècle philosophe est de ne l'être pas encore assez. Mais quand la lumière sera plus libre de se répandre, plus étendue et plus égale, nous en sentirons alors les effets bienfaisants ; nous cesserons de tenir les femmes sous le joug et dans l'ignorance, et elles de séduire, de tromper et de gouverner leurs maîtres. L'amour sera pour lors entre les deux sexes ce que l'amitié la plus douce et la plus vraie est entre les hommes vertueux ; ou plutôt ce sera un sentiment plus délicieux encore, le complément et la perfection de l'amitié, sentiment qui, dans l'intention de la nature, devait nous rendre heureux, et que pour notre malheur nous avons su altérer et corrompre.*

Enfin, ne nous arrêtons pas seulement, monsieur, aux avantages que la société pourrait tirer de l'éducation des femmes, ayons de plus l'humanité et la justice de ne pas leur refuser ce qui peut leur adoucir la vie comme à nous. Nous avons éprouvé tant de fois combien la culture de l'esprit et l'exercice des talents sont propres à nous distraire de nos maux et à nous consoler dans nos peines : pourquoi refuser à la plus aimable moitié du genre humain, destinée à partager avec nous le malheur d'être, le soulagement le plus propre à le lui faire supporter ? Philosophes que la nature a répandus sur la surface de la terre, c'est à vous à détruire, s'il vous est possible, un préjugé si funeste : c'est à ceux d'entre vous qui éprouvent la douceur ou le chagrin d'être pères, d'oser les premiers secouer le joug d'un barbare usage, en donnant à leurs filles la même éducation qu'à leurs autres enfants. Qu'elles apprennent seulement de vous, en recevant cette éducation précieuse, à la regarder uniquement comme un préservatif contre l'oisiveté, un rempart contre les malheurs, et non comme l'aliment d'une curiosité vaine, et le sujet d'une ostentation frivole. Voilà tout ce que vous devez et tout ce qu'elles doivent à l'opinion publique, qui peut les condamner à paraître ignorantes, mais non pas les forcer à l'être. On vous a vus si souvent, pour des motifs très légers, par vanité ou par humeur, heurter de front les idées de votre siècle ; pour quel intérêt plus grand pouvez-vous le braver, que pour l'avantage de ce que vous devez avoir de plus cher au monde, pour rendre la vie moins amère à ceux qui la tiennent de vous, et que la nature a destinés à vous survivre et à souffrir ; pour leur procurer dans l'infortune, dans les maladies, dans la pauvreté, dans la vieillesse, des ressources dont notre injustice les a privées ? On regarde communément, monsieur, les femmes comme très sensibles et très faibles ; je les crois au contraire, ou moins sensibles, ou moins faibles que nous. Sans force de corps, sans talents, sans étude qui puisse les arracher à leurs peines et les leur faire oublier quelques moments, elles les dévorent, et savent quelquefois les cacher mieux que nous ; cette fermeté suppose en elles, ou une âme

*peu susceptible d'impressions profondes, ou un courage dont nous n'avons pas
l'idée. Combien de situations cruelles auxquelles les hommes ne résistent que par
le tourbillon d'occupations qui les entraîne ? les chagrins des femmes seraient-ils
moins pénétrants et moins vifs que les nôtres ? ils ne devraient pas l'être. Leurs
peines viennent ordinairement du cœur, les nôtres n'ont souvent pour principe que
la vanité et l'ambition. Mais ces sentiments étrangers, que l'éducation a portés
dans notre âme, que l'habitude y a gravés, et que l'exemple y fortifie, deviennent,
à la honte de l'humanité, plus puissants sur nous que les sentiments naturels ; la
douleur fait plus périr de ministres déplacés que d'amants malheureux.*

*Voilà, monsieur, si j'avais à plaider la cause des femmes, ce que j'oserais dire
en leur faveur ; je les défendrais moins sur ce qu'elles sont que sur ce qu'elles
pourraient être. Je ne les louerais point en soutenant avec vous que la pudeur leur
est naturelle ; ce serait prétendre que la nature ne leur a donné ni besoins, ni
passions ; la réflexion peut réprimer les désirs, mais le premier mouvement, qui
est celui de la nature, porte toujours à s'y livrer. Je me bornerai donc à convenir
que la société et les lois ont rendu la pudeur nécessaire aux femmes ; et si je fais
jamais un livre sur le pouvoir de l'éducation, cette pudeur en sera le premier
chapitre. Mais en paraissant moins prévenu que vous pour la modestie de leur
sexe, je serai plus favorable à leur conservation ; et malgré la bonne opinion que
vous avez de la bravoure d'un régiment de femmes, je ne croirai pas que le
principal moyen de les rendre utiles serait de les destiner à recruter nos troupes.*

*Mais je m'aperçois, monsieur, et je crains bien de m'en apercevoir trop tard,
que le plaisir de m'entretenir avec vous, l'apologie des femmes, et peut-être cet
intérêt secret qui nous séduit toujours pour elles, m'ont entraîné trop loin et trop
longtemps hors de mon sujet. En voilà donc assez, et peut-être trop, sur la partie
de votre lettre qui concerne les spectacles en eux-mêmes, et les dangers de toute
espèce dont vous les rendez responsables. Rien ne pourra plus leur nuire, si votre
écrit n'y réussit pas ; car il faut avouer qu'aucun de nos prédicateurs ne les a
combattus avec autant de force et de subtilité que vous. Il est vrai que la
supériorité de vos talents ne doit pas seule en avoir l'honneur. La plupart de nos
orateurs chrétiens, en attaquant la comédie, condamnent ce qu'ils ne connaissent
pas ; vous avez au contraire étudié, analysé, composé vous-même, pour en mieux
juger les effets, le poison dangereux dont vous cherchez à nous préserver ; et vous
décriez nos pièces de théâtre avec l'avantage non seulement d'en avoir vu, mais
d'en avoir fait. Néanmoins cet avantage même forme contre vous une objection
incommode que vous paraissez avoir sentie en n'osant vous la faire, et à laquelle
vous avez indirectement tâché de répondre. Les spectacles, selon vous, sont
nécessaires dans une ville aussi corrompue que celle que vous avez habitée
longtemps ; et c'est apparemment pour ses habitants pervers, car ce n'est pas
certainement pour votre patrie, que vos pièces ont été composées. C'est-à-dire,
monsieur, que vous nous avez traité comme ces animaux expirants, qu'on achève
dans leurs maladies de peur de les voir trop longtemps souffrir. Assez d'autres
sans vous n'auraient-ils pas pris ce soin ; et votre délicatesse n'aura-t-elle rien à
se reprocher à notre égard ? je le crains d'autant plus, que le talent dont vous*

avez montré au théâtre lyrique de si heureux essais, comme musicien et comme poète, est du moins aussi propre à faire aux spectacles des partisans, que votre éloquence à leur en enlever. Le plaisir de vous lire ne nuira point à celui de vous entendre ; et vous aurez longtemps la douleur de voir Le Devin du village *détruire tout le bien que vos écrits contre la comédie auraient pu nous faire.*

Il me reste à vous dire un mot sur les deux autres articles de votre lettre, et en premier lieu sur les raisons que vous apportez contre l'établissement d'un théâtre de comédie à Genève. Cette partie de votre ouvrage, je dois l'avouer, est celle qui a trouvé à Paris le moins de contradicteurs. Très indulgents envers nous-mêmes, nous regardons les spectacles comme un aliment nécessaire à notre frivolité, mais nous décidons volontiers que Genève ne doit point en avoir ; pourvu que nos riches oisifs aillent tous les jours pendant trois heures se soulager au théâtre du poids du temps qui les accable, peu leur importe qu'on s'amuse ailleurs ; parce que Dieu, pour me servir d'une de vos plus heureuses expressions, les a doués d'une douceur très méritoire à supporter l'ennui des autres. Mais je doute que les Genevois, qui s'intéressent un peu plus que nous à ce qui les regarde, applaudissent de même à votre sévérité. C'est d'après un désir qui m'a paru presque général dans vos concitoyens, que j'ai proposé l'établissement d'un théâtre dans leur ville, et j'ai peine à croire qu'ils se livrent avec autant de plaisir aux amusements que vous y substituez. On m'assure même que plusieurs de ces amusements, quoiqu'un simple projet, alarment déjà vos graves ministres ; qu'ils se récrient surtout contre les danses que vous voulez mettre à la place de la comédie, et qu'il leur paraît plus dangereux encore de se donner en spectacle que d'y assister.

Au reste, c'est à vos compatriotes seuls à juger de ce qui peut en ce genre leur être utile ou nuisible. S'ils craignent pour leurs mœurs les effets et les suites de la comédie, ce que j'ai déjà dit en sa faveur ne les déterminera point à la recevoir, comme tout ce que vous dites contre elle ne les leur fera pas rejeter, s'ils imaginent qu'elle puisse leur être de quelque avantage. Je me contenterai donc d'examiner en peu de mots les raisons que vous apportez contre l'établissement d'un théâtre à Genève, et je soumets cet examen au jugement et à la décision des Genevois.

Vous vous transportez d'abord dans les montagnes du Valais, au centre d'un petit pays dont vous faites une description charmante ; vous nous montrez ce qui ne se trouve peut-être que dans ce seul coin de l'univers, des peuples tranquilles et satisfaits au sein de leur famille et de leur travail ; et vous prouvez que la comédie ne serait propre qu'à troubler le bonheur dont ils jouissent. Personne, monsieur, ne prétendra le contraire ; des hommes assez heureux pour se contenter des plaisirs offerts par la nature, ne doivent point y en substituer d'autres : les amusements qu'on cherche sont le poison lent des amusements simples, et c'est une loi générale de ne pas entreprendre de changer le bien en mieux ; qu'en conclurez-vous pour Genève ? l'état présent de cette république est-il susceptible de l'application de ces règles ? je veux croire qu'il n'y a rien d'exagéré ni de romanesque dans la description de ce canton fortuné du Valais, où il n'y a ni haine, ni jalousie, ni querelles, et où il y a pourtant des hommes. Mais si l'âge d'or s'est réfugié dans les rochers voisins de Genève, vos citoyens en sont pour le moins à l'âge d'argent ; et dans le peu de temps que j'ai passé parmi eux, ils m'ont paru assez avancés, ou si vous voulez assez pervertis, pour pouvoir entendre Brutus et Rome sauvée sans avoir à craindre d'en devenir pires.

La plus forte de toutes vos objections contre l'établissement d'un théâtre à Genève, c'est l'impossibilité de supporter cette dépense dans une petite ville. Vous pouvez néanmoins vous souvenir que des circonstances particulières ayant obligé vos magistrats, il y a quelques années, de permettre dans la ville même de Genève un spectacle public, on ne s'aperçut point de l'inconvénient dont il s'agit, ni de tous ceux que vous faites craindre. Cependant quand il serait vrai que la recette journalière ne suffirait pas à l'entretien du spectacle, je vous prie d'observer que la ville de Genève est, à proportion de son étendue, une des plus riches de l'Europe ; et j'ai lieu de croire que plusieurs citoyens opulents de cette ville, qui désireraient d'y avoir un théâtre, fourniraient sans peine à une partie de la dépense ; c'est du moins la disposition où plusieurs d'entre eux m'ont paru être, et c'est en conséquence que j'ai hasardé la proposition qui vous alarme. Cela supposé, il serait aisé de répondre en deux mots à vos autres objections. Je n'ai point prétendu qu'il y eût à Genève un spectacle tous les jours ; un ou deux jours de la semaine suffiraient à cet amusement, et on pourrait prendre pour un de ces jours celui où le peuple se repose ; ainsi d'un côté le travail ne serait point ralenti, de l'autre la troupe pourrait être moins nombreuse, et par conséquent moins à charge à la ville ; on donnerait l'hiver seul à la comédie, l'été aux plaisirs de la campagne et aux exercices militaires dont vous parlez. J'ai peine à croire aussi qu'on ne pût remédier par des lois sévères aux alarmes de vos ministres sur la conduite des comédiens, dans un Etat aussi petit que celui de Genève, où l'œil vigilant des magistrats peut s'étendre au même instant d'une frontière à l'autre, où la législation embrasse à la fois toutes les parties, où elle est enfin si rigoureuse et si bien exécutée contre les désordres des femmes publiques, et même contre les désordres secrets. J'en dis autant des lois somptuaires, dont il est toujours facile de maintenir l'exécution dans un petit Etat : d'ailleurs la vanité même ne sera guère intéressée à le violer, parce qu'elles obligent également tous les citoyens, et qu'à Genève les hommes ne sont jugés ni par les richesses, ni par les habits. Enfin rien, ce me semble, ne souffrirait dans votre patrie de l'établissement d'un théâtre, pas même l'ivrognerie des hommes et la médisance des femmes, qui trouvent l'une et l'autre tant de faveur auprès de vous. Mais quand la suppression de ces deux derniers articles produirait, pour parler votre langage, un affaiblissement d'Etat, je serais d'avis qu'on se consolât de ce malheur. Il ne fallait pas moins qu'un philosophe exercé comme vous aux paradoxes, pour nous soutenir qu'il y a moins de mal à s'enivrer et à médire, qu'à voir représenter Cinna et Polyeucte. Je parle ici d'après la peinture que vous avez faite vous-même de la vie journalière de vos citoyens, car je n'ignore pas qu'ils se récrient fort contre cette peinture ; le peu de séjour, disent-ils, que vous avez fait parmi eux, ne vous a pas laissé le temps de les connaître, ni d'en fréquenter assez les différents états, et vous avez *représenté comme l'esprit général de cette sage république, ce qui n'est tout au plus que le vice obscur et méprisé de quelques sociétés particulières.*

Au reste, vous ne devez pas ignorer, monsieur, que depuis cinq ans une troupe de comédiens s'est établie aux portes de Genève, et que Genève et les comédiens s'en trouvent à merveille. Prenez votre parti avec courage, la circonstance est urgente et le cas difficile. Corruption pour corruption, celle qui laissera aux Genevois leur argent dont ils ont besoin, est préférable à celle qui le fait sortir de chez eux.

Je me hâte de finir sur cet article dont la plupart de nos lecteurs ne s'embarrassent guère, pour en venir à un autre qui les intéresse encore moins, et sur lequel par cette raison je m'arrêterai moins encore. Ce sont les sentiments que j'attribue à vos ministres en matière de religion. Vous savez, et ils le savent encore mieux que vous, que mon dessein n'a point été de les offenser, et ce motif seul suffirait aujourd'hui pour me rendre sensible à leurs plaintes et circonspect dans ma justification. Je serais très affligé du soupçon d'avoir violé leur secret, surtout si ce soupçon venait de votre part ; permettez-moi de vous faire remarquer que l'énumération des moyens pour lesquels vous supposez que j'ai pu juger de leur doctrine n'est pas complète. Si je me suis trompé dans l'exposition que j'ai faite de leurs sentiments, d'après leurs ouvrages, d'après des conversations publiques où ils ne m'ont pas paru prendre beaucoup d'intérêt à la trinité ni à l'enfer, enfin, d'après l'opinion des autres concitoyens et des autres églises réformées, tout autre que moi, j'ose le dire, eût été trompé de même. Ces sentiments sont d'ailleurs une suite nécessaire des principes de la religion protestante ; et si vos ministres ne jugent pas à propos de les adopter ou de les avouer aujourd'hui, la logique que je leur connais doit naturellement les y conduire, ou les laissera à moitié chemin. Quand ils ne seraient pas sociniens, il faudrait qu'ils le devinssent, non pour l'honneur de leur religion, mais pour celui de leur philosophie. Ce mot de sociniens ne doit pas vous effrayer, mon dessein n'a point été de donner un nom de parti à des hommes dont j'ai d'ailleurs fait un juste éloge ; mais d'exposer par un seul mot ce que j'ai cru être leur doctrine, et ce qui sera infailliblement dans quelques années leur doctrine publique. A l'égard de leur profession de foi, je me borne à vous y renvoyer et à vous en faire juge ; vous avouez que vous ne l'avez pas lue, c'était peut-être le moyen le plus sûr d'en être aussi satisfait que vous le paraissez. Ne prenez point cette invitation pour un trait de satire contre vos ministres ; eux-mêmes ne doivent pas s'en offenser ; en matière de profession de foi, il est permis à un catholique de se montrer difficile, sans que des chrétiens d'une communion contraire puissent légitimement en être blessés. L'Eglise romaine a un langage consacré sur la divinité du Verbe, et nous oblige à regarder impitoyablement comme ariens tous ceux qui n'emploient pas ce langage. Vos pasteurs diront qu'ils ne reconnaissent pas l'Eglise romaine pour leur juge ; mais ils souffriront apparemment que je la regarde comme le mien. Par cet accommodement nous serons réconciliés les uns avec les autres, et j'aurai dit vrai sans les offenser. Ce qui m'étonne, monsieur, c'est que des hommes qui se donnent pour zélés *défenseurs des vérités de la religion* catholique, *qui voient souvent l'impiété et le scandale où il n'y en a pas même l'apparence, qui se piquent sur ces matières d'entendre finesse et de n'entendre point raison, et qui ont lu cette profession de foi de Genève, en aient été aussi satisfaits que vous, jusqu'à se croire même obligés d'en faire l'éloge. Mais il s'agissait de rendre tout à la fois ma probité et ma religion suspectes, tout leur a été bon dans ce dessein ; et ce n'était pas aux ministres de Genève qu'ils voulaient nuire. Quoi qu'il en soit, je ne sais si les ecclésiastiques genevois que vous avez voulu justifier sur leur croyance, seront beaucoup plus contents de vous qu'ils ne l'ont été de moi, et si votre mollesse à les défendre leur plaira plus que ma franchise. Vous semblez m'accuser presque uniquement d'*imprudence à leur égard ; vous me reprochez de ne les avoir point loués à leur manière, mais à la mienne, et vous marquez d'ailleurs assez d'indifférence sur ce socianisme dont ils craignent tant d'être soupçonnés. Permettez-moi de douter que cette manière de plaider leur cause les satisfasse. Je n'en serais pourtant point étonné, quand je vois l'accueil extraordinaire que les dévots ont fait à votre ouvrage. La rigueur de la morale que vous prêchez les a rendus indulgents sur la tolérance que vous professez avec courage et sans détour. Est-ce à eux qu'il en faut faire honneur ou à vous, ou peut-être aux progrès inattendus de la philosophie dans les esprits même qui en paraissent les moins susceptibles ? Mon article Genève n'a pas reçu de leur part le même accueil que votre lettre ; nos prêtres m'ont presque fait un crime des sentiments hétérodoxes que j'attribuais à leurs ennemis. Voilà ce que ni vous ni moi n'aurions prévu ; mais quiconque écrit, doit s'attendre à ces légères injustices, heureux quand il n'en essuie pas de plus graves.*

Je suis, avec tout le respect que méritent votre vertu et vos talents, et avec plus de vérité que le Philinte de Molière, etc.

GENÈVE ET ROUSSEAU : « DÉMYTHIFICATION » OU DÉSAFFECTION ?

Quand il s'élance au secours de ses concitoyens pour exorciser d'eux les démons du théâtre, Rousseau est au point culminant d'une passion filiale provisoirement réanimée ; il embellit, « mythifie » a-t-on dit, la réalité. Les textes permettent de nuancer ce jugement.

Sans doute ses échanges avec les historiens locaux, ses *Lettres écrites de la montagne*, ses projets de constitution pour la Corse et pour la Pologne, montrent celle de Genève comme l'arrière-plan permanent de sa réflexion politique, comme une donnée de référence obligée. Mais d'abord la *Lettre* n'est pas un dithyrambe de tous les moments et la première déception vint à l'auteur des pasteurs qu'il avait défendus : il rappellera leurs tergiversations avec verve dans ses

Lettres de la montagne : « De tout ceci je conclus qu'il n'est pas aisé de dire en quoi consiste à Genève aujourd'hui la sainte Réformation »; et il leur reproche leur insuffisance et leur ingratitude : « Loin de calmer les murmures excités par cet Article, l'Ecrit publié par les pasteurs l'avait augmenté, et il n'y avait personne qui ne sache que mon ouvrage leur fit plus de bien que le leur » (seconde et cinquième lettre, Pléiade, t. III, p. 717-718 et p. 801).

Peut-être faut-il, en effet, mettre au crédit de la *Lettre sur les spectacles* les mesures prises alors par le consistoire genevois pour interdire le théâtre : le roi de Sardaigne fut même convaincu de supprimer le privilège de Carouge et Voltaire attendit six ans une réhabilitation éphémère, vite mise en échec par le peu de succès obtenus sur la scène dite de « La Grange des étrangers » — bientôt anéantie dans les flammes. Mais Rousseau n'en retira aucune satisfaction, et n'y gagna que la haine définitive du seigneur de Ferney.

C'est que la désillusion avait en lui bientôt succédé à l'enthousiasme. Deux témoignages immédiats sont annonciateurs. L'ami Moultou émet déjà quelques doutes : « Si vous nous avez peints plus vertueux que nous ne sommes peut-être, c'est pour nous apprendre les vertus que nous devons avoir et nous mettre dans l'heureuse nécessité de les acquérir » (*Corr. géné.*, n° 582). Et Rousten va jusqu'à la douche froide : « Nos femmelettes du haut étage, nos demoiselles de goût, nos petits-maîtres doucereux et galants ne trouveront point bon que vous leur prouviez qu'ils ont été des sots d'aller au spectacle et qu'ils seraient des infâmes d'y retourner » (*Corr. géné.*, n° 565). Le pessimisme, qui apparaît par éclairs dans la *Lettre*, au point que le mot *décadence* y est employé, fit rapidement son chemin dans l'esprit et le cœur de Rousseau, et il est possible d'en dater le point de départ et le point d'arrivée : la désaffection demanda une année entre l'hiver 1757-1758, qui vit la rédaction de la *Lettre*, nourrie de bien des éléments préparés pour *La Nouvelle Héloïse*, et l'hiver 1758-1759, où le roman fut complété de deux parties.

C'est en effet dans la dernière partie, entre autres inventions de dernière heure pour refermer le cercle romanesque et fixer à chaque personnage une destinée, qu'on lit la lettre de Claire d'Orbe, devenue veuve et réservée à Saint-Preux, où elle décrit à sa cousine Julie, avec un mélange de sérieux et d'enjouement assez surprenant, la ville de Genève qu'elle vient de découvrir. Ce texte, qui a été négligé jusqu'à Bernard Guyon, devrait être mis en face de la troisième partie de la *Lettre*. Nous en retiendrons quelques « extraits ».

Le Genevois « se sent naturellement bon », « mais il aime trop

l'argent ». Presque tous marchands ou banquiers, « épars dans
l'Europe pour s'enrichir », ces « citoyens » ou « bourgeois » rapportent de l'étranger autant de vices que de trésors. « La fière liberté
leur paraît ignoble. » Les femmes ne sont plus ici exaltées : « dans
leur retraite », elles prennent dans les livres un « babil » qui les rend
« un peu précieuses ». « Tant que les Genevoises seront genevoises,
elles seront les plus aimables femmes de l'Europe, mais bientôt elles
voudront être françaises, et alors les Françaises vaudront mieux
qu'elles. Ainsi tout dépérit avec les mœurs. Le meilleur goût tient à
la vertu même ; il disparaît avec elle, et fait place à un goût factice et
guindé qui n'est plus que l'ouvrage de la mode. »

Avec ces trois dernières phrases, additions tardives selon les
manuscrits (Pléiade, t. II, p. 661, voir les variantes), s'achève, sinon
un retour aux condamnations globales du premier *Discours*, du moins
la découverte d'un tableau fort différent de la vision parfois utopique
de la *Lettre*. Bernard Guyon parle de « différence de ton » et s'est
interrogé sur ses causes (Pléiade, t. II, p. 1753-1754), car elle est
antérieure aux conflits qui devaient opposer Rousseau au gouvernement de sa patrie. L'explication nous semble être d'abord d'ordre
affectif ; il s'agit moins d'une « démythification rationnelle » que
d'une rupture passionnelle, analogue à tant d'autres qui jalonnèrent
l'existence de Jean-Jacques et que Diderot a qualifiées de *désunion*.
« Il s'est fait en moi une révolution que je n'aurais jamais imaginée.
La plus profonde indifférence a succédé à mon ancien zèle pour la
patrie. Genève est pour moi comme n'existant plus » (lettre du
15 juillet 1764, *Corr. géné.*, t. XI, p. 186). Rousseau avait déjà
renoncé à son titre de citoyen.

On voit donc quel chemin il avait parcouru depuis le printemps
1758, époque où, dans ses lettres à Vernes (*Corr. géné.*, n° 490 et 500),
il s'était montré déjà réticent mais encore entêté. Chemin que les
contemporains considérèrent comme une volte-face. Lorsque
d'Alembert publiera un dossier sur cette affaire, il ne se contentera
pas de répliquer aux pasteurs (voir déjà ses lettres à Voltaire des 11,
20 et 28 janvier 1758), il soulignera dans son *Avertissement* l' « opposition » entre les « assertions » de « Rousseau de Genève », et en
donnera les preuves : « le lecteur en verra mieux à quel point
Rousseau a changé d'avis. »

Aussi me paraît-il raisonnable de fixer bien avant 1764 la date de
composition de cette *Histoire de Genève* retrouvée depuis 1861 (voir
l'édition Launay, t. III, p. 381-387), parce que, bien qu'arrêtée au
XVIᵉ siècle, elle est empreinte de sympathie et de fidélité. Il me
paraît même possible d'y voir l'ébauche d'un texte destiné à
l'*Encyclopédie*.

NOTES

Page 137.

1. « Que les dieux traitent mieux leurs fidèles et réservent cet égarement à leurs ennemis » (*Géorgiques*, III, 513).

Page 140.

2. Rousseau va transcrire l'*Encyclopédie* parce que, comme il vient de le dire, elle n'est pas « entre toutes les mains » : en 1757, elle avait quatre mille souscripteurs, et le prix de souscription était très élevé. Il calcule exactement la partie de l'article qu'il cite et la citation elle-même est exacte, sauf en deux endroits minimes. A la première phrase, qui suit, on lit dans l'*Encyclopédie* : « à Genève de comédie ».

Page 141.

3. Le *traitant* a pour charge de recouvrer les créances de l'Etat, selon un traité qui lui accorde un pourcentage. A la phrase précédente, l'*Encyclopédie* écrit « sait-on quelque gré ».

4. Au moins à l'occasion des foires, Genève toléra, par périodes, les baladins et les « pantins » (c'est-à-dire les grandes marionnettes à fils).

Page 142.

5. Voir la *Réponse* de d'Alembert, p. 358, l. 5-14.

6. A compter de sa naissance, trente ans amènent à peu près Rousseau à Paris. D'Alembert dira dans son jugement sur *Emile* qu'il était complètement ignoré quand il le connut en 1742.

Page 143.

7. Nommé, dès le tome I, dans le *Discours préliminaire* (p. XLIII) comme auteur des articles de musique, Rousseau, après avoir donné au tome V *Economie politique,* l'est encore au tome VII (Avant-propos, p. XIV).

Page 144.

8. Une *feuille* comporte au minimum 4, et en général 12 ou 14 pages.

9. Rousseau justifie sa rupture avec Diderot dans une note ajoutée à une préface écrite après coup, à l'aide de versets de l'*Ecclésiastique*, qui dit quand on peut et doit quitter un ami ; comme l'a remarqué Jean Fabre, dans son étude capitale, « une accusation précise est incluse en chacun de leurs termes : outrage, reproche injurieux, révélation du secret, blessure faite ou trahison » (« Deux frères ennemis : Diderot et Rousseau », *Diderot studies* III, 1961, p. 155-213). Voici la traduction des deux versets : « 26. Quand vous auriez tiré l'épée contre votre ami, ne désespérez pas ; car il y a encore du retour. 27. Quand vous auriez dit à votre ami des paroles fâcheuses, ne craignez pas ; car vous pouvez encore vous remettre ensemble ; pourvu que cela n'aille point jusqu'aux injures, aux reproches, à l'insolence, à révéler le secret, et à porter des coups en trahison : car dans toutes ces rencontres votre ami vous échappera » (traduit par Le Maistre de Sacy, *La Sainte Bible*, Paris, Desprez, 1731). Le paragraphe suivant s'explique par l'origine de la rupture : Rousseau avait pris pour lui-même une formule lue dans *Le Fils naturel* : « il n'y a que le méchant qui soit seul » (voir *Les Confessions*).

Page 145.

10. L'*âpreté* de son ton est attribuée par Rousseau, dans une note tardive des *Confessions*, à l'influence de Diderot, qui, dit-il, « abusait de ma confiance pour donner à mes écrits ce ton dur et cet air noir qu'ils n'eurent plus quand il cessa de me diriger » (livre VIII, Folio, t. II, p. 137). Mais il l'attribue aussi à son effort pour vaincre sa timidité ; il avait « foulé aux pieds » les bienséances : « Je me fis cynique et caustique par honte ; j'affectai de mépriser la politesse que je ne savais pas pratiquer. » Il reconnaît que cette âpreté « s'est soutenue mieux et plus longtemps qu'on aurait dû l'attendre d'un effort si contraire à mon naturel » (p. 114). Sur la solitude, qui est pour lui une cure (p. 136) alors que Mme d'Epinay y voyait un danger, d'Alembert répondra (voir ci-dessus, p. 360. 1. 14-15).

Page 149.

11. Contrairement à ce qu'il avait annoncé en citant le passage de l'article *Genève* traitant du théâtre, Rousseau va d'abord consacrer un vingtième de sa *Lettre* à un autre passage, qui terminait l'article. Dans sa *Réponse*, d'Alembert laissera encore pour la fin cette question de la « foi ».

Page 150.

12. Le nom de *théologiens* est réversé aux pasteurs de Genève. Celui de la *secte*, le *socinianisme*, sera donné plus loin. D'Alembert avait été prudent : « Nos articles de théologie sont destinés à servir

d'antidote à celui-ci. » Les théologiens de l'*Encyclopédie* sont systématiquement orthodoxes.

13. La citation est tronquée et il ne s'agit pas d'une proclamation,
mais de résultats d'une enquête. D'Alembert donne ses raisons :
rejet des « mystères », respect de la raison, substitution (par
quelques-uns) de l'utilité à la nécessité de la « révélation » ; et
conclut sur la tolérance de ce clergé, qui entrave le développement
de l'incrédulité. Mais Rousseau se fait l'écho de la crise déclenchée à
Genève par l'article.

Page 151.

14. *En effet :* réellement. *Sans doute :* sans aucun doute.
15. Dans cette phrase, Rousseau a ajouté (dans les « additions »
placées à la fin du volume), au début les mots « juger ni », et la
dernière partie, depuis « et j'ajoute ». Dans la phrase suivante, il a
ajouté trois lignes, de « et même » à « pour elle ».

Page 153.

16. Dans cette phrase, « lumineuse et » est ajouté, et « évidemment » a remplacé « très clairement » (correction de fin de volume
dans l'originale).
17. *En imposer :* mentir (sens classique).

Page 154.

18. Le pasteur Jacob Vernet était professeur de théologie depuis
1756. Son ouvrage est intitulé *Instruction chrétienne* (Rousseau rectifiera dans sa note p. 159). Il critiquera l'article *Genève* en 1761 dans
ses *Lettres critiques d'un voyageur anglais.* Cette note est ajoutée à la fin
du volume.

Page 155.

19. La *Déclaration* des pasteurs est du 10 février et Rousseau dit
avoir achevé la *Lettre* le 9 mars, mais il en connaissait la teneur en
substance.

Page 156.

20. Est *officier* celui qui a reçu une charge, réelle ou symbolique.
La note renvoie à un des maîtres vénérés de d'Alembert comme de
Rousseau.
21. Le mot de *comédie*, employé par d'Alembert, désigne ici toutes
les pièces de *théâtre*, et ce dernier mot un local affecté aux
représentations.

Page 157.

22. Pour apprécier le ton de ce reproche, il faut interpréter la note, qui précise en apparence le mot *premier*. L'historien philosophe moderne est sans doute leur ami commun, l'abbé Raynal, et le traducteur de Tacite venait d'être attaqué par l'ennemi des philosophes, Fréron.

23. D'Alembert n'a ni « résolu » ni posé vraiment cette question, qui va occuper toute la première partie de la *Lettre*. Rousseau donne ici son plan. Voir notre analyse.

Page 158.

24. Cette formule sera reprise dans la *Réponse,* pour défendre les plaisirs et amusements nécessaires à l'homme.

25. L'anecdote du barbare figure dans les homélies, alias commentaires, de saint Jean Chrysostome sur l'évangile de Matthieu.

26. Voir la *Réponse*, p. 361, 1. 34.

Page 159.

27. La note est ajoutée en fin de volume.

Page 160.

28. Formule classique, expressément employée par Molière et Racine, qui sera reprise dans la *Réponse*, p. 360, 1. 43.

29. « Chacun est entraîné vers ce qui lui plaît » (Virgile, *Bucoliques*, II, 65).

Page 161.

30. Rousseau croit bon de rectifier sa formule dans une note, en alléguant l'échec du *Misanthrope,* fait historiquement inexact.

Page 162.

31. Autre « maxime évidente », cette fois opposée à la préface de Racine à son *Iphigénie*. Mais des auteurs s'inspiraient de Sophocle au siècle suivant.

Page 163.

32. *Arlequin sauvage* est l'œuvre de Delisle de la Drévetière. Mort depuis peu, il avait été le premier à fournir aux Comédiens Italiens des « pièces régulières ». Joué en 1721, *Arlequin sauvage* fut publié en 1753 ; le héros s'y oppose aux civilisés, faux et coquins : « Je suis d'un grand bois où il ne croît que des ignorants comme moi, qui ne savent pas un mot des lois, mais qui sont bons naturellement » (acte I, sc. 5).

33. Pour *bien concevoir* l'explication d'Aristote sur la « purgation des passions », il aurait fallu recourir au texte en bon helléniste, ce dont étaient incapables les classiques. D'Alembert adopte lui aussi l'interprétation qui va être exposée par Rousseau (*Réponse*, p. 361, l. 31).

Page 164.

34. Par *artiste,* Rousseau désigne ici, comme dans le *Discours,* celui qui pratique un art, mot de sens très large ; parmi ces artistes figurent les auteurs dramatiques.

Page 165.

35. L'Inquisition avait rendu célèbre cette colonie portugaise.
36. *Fomenter :* échauffer.
37. Rousseau déborde ici le sujet annoncé de la *première partie :* il ne s'agit plus des pièces « en elles-mêmes ». Il va plus loin dans sa note, en rappelant ses différends avec la troupe de l'Opéra ; il les rapporte tout au long dans les livres VI et surtout VIII des *Confessions :* « L'orchestre de l'Opéra fit l'honnête complot de m'assassiner quand je sortirais » (Folio, t. II, p. 132) et ajoute, amplifiant la référence à Suétone, que cela « serait digne de la plume de Tacite ».

Page 167.

38. Allusion à la *Médée* de Corneille et à la *Phèdre* de Racine. Le public est assimilé à un jury attendri par un contact direct avec les criminels.
39. Correction en fin de volume pour *faire naître.* Dans la note suivante de Rousseau, le second paragraphe est une addition donnée en fin de volume.
40. Rousseau reparlera de cette comédie de Voltaire, jouée en 1749, *Nanine ou le préjugé vaincu :* un riche comte y tombe amoureux d'une jeune fille aussi pauvre que vertueuse.

Page 168.

41. Autre formule d'Aristote, qui parle de crainte plutôt que de terreur.

Page 169.

42. L'exemple du tyran de Phères (et non Phèdre), Alexandre, est emprunté à Plutarque (*Vie de Pélopidas,* XIV) ou à Montaigne (« Couardise mère de la cruauté », II, XXVII ; Folio, II, p. 457). La référence qui suit, à Diogène Laërce, renvoie à sa biographie

d'Aristippe, moraliste grec souvent cité par les philosophes (voir l'article *Cyrénaïque* dans l'*Encyclopédie*).

43. Jean-Baptiste Dubos ou Du Bos, mort en 1742, a marqué son époque par ses *Réflexions critiques sur la poésie et la peinture* (1719). Le passage cité (1re partie, section 2), ajouté peut-être après coup, s'accorde assez mal avec ce qui suit.

Page 170.

44. Argumentant a fortiori, Rousseau allègue une pièce de 1678, *Le Comte d'Essex*, de Thomas Corneille, dont l'action se place au début du même siècle (Elisabeth Ire y est sexagénaire). Une distance chronologique analogue sépare *Le Misanthrope* et la *Lettre*.

45. L'*habit à la romaine* est le costume de scène arbitraire des comédiens pour la tragédie ; il sera abandonné sous l'influence de Mlle Clairon et de Le Kain, et avec le soutien de Voltaire.

Page 171.

46. Ce texte est une *correction* ajoutée en fin de volume. Texte original : les devoirs de la vie humaine ; à peu près comme ces gens polis qui croient avoir fait un acte de charité en disant au pauvre : Dieu vous assiste.

47. On passe ici du sens large au sens restreint du mot *comédie*.

48. Louis Béat de Muralt, originaire de Berne mais officier au service de la France, est un des grands inspirateurs de Rousseau, par ses *Lettres sur les Anglais et les Français* de 1725. Les deux paragraphes qui précèdent leur doivent beaucoup, de même que les lettres de Saint-Preux dans *La Nouvelle Héloïse*.

Page 172.

49. Transposition en latin d'une formule d'Aristote dans sa *Poétique :* « La comédie peint la réalité actuelle en noir, la tragédie en rose. »

50. Le mot *exemples*, qui sera aussi employé plus loin dans son sens moral, ne désigne pas ici de simples illustrations de l'idée ; il annonce un raisonnement par syllogisme, « argument oratoire » de la rhétorique anxienne, où l'exemple constitue la majeure.

51. La perfection dont il s'agit est d'ordre absolu : elle ne résulte pas d'une comparaison avec le théâtre antique ou moderne, par exemple celui de Shakespeare. Cet a priorisme se retrouve chez Voltaire.

52. Rousseau n'a pas été convaincu par les efforts de Diderot pour créer un drame moderne ; il en restera dans la suite au couple traditionnel tragédie / comédie.

Page 173.

53. Texte avant correction de Rousseau : « si extraordinaires ».

Page 174.

54. Les noms de *scélérats* cités sont aussi les titres de tragédies — de Crébillon (*Catilina*, 1748 ; *Atrée et Thyeste*, 1707) et de Voltaire (*Mahomet*, 1742) — placées dans l'ordre de l'examen qui va en être fait. D'Alembert répliquera en détail pour *Mahomet* et *Atrée* (*Réponse*, voir p. 363-364).

Page 175

55. Dernier vers de l'*Atrée* de Crébillon, qui avait écrit *fruit* et non *prix*.

Page 176.

56. Zopire, vertueux souverain de La Mecque, résiste au fourbe Mahomet.

Page 177.

57. Voir la *Réponse* de d'Alembert, p. 364.

58. Les *entretiens galants* unissent Plisthème, fils illégitime de Thyeste et d'Aéropé, femme d'Atrée, et Théodamia, fille légitime de Thyeste. Le sens figuré de *flexible* est classique.

Page 179.

59. L'anecdote du vieillard d'Athènes vient de Plutarque (*Dits notables des Lacédémoniens*, 57).

Page 181.

60. Comme la division du théâtre en genres, la reconnaissance comme valable de la seule comédie régulière et en vers en fixe l'origine à Molière, auquel va être consacrée la dixième partie de la *Lettre*. Ces pages deviendront célèbres, privilégiées dans les écoles, et d'Alembert le premier y répondra longuement.

Page 182.

61. *Honnête homme* équivaut ici à *gentilhomme,* homme du monde. Voir la note d'auteur qui suit.

62. Après *Le Bourgeois gentilhomme* et avant *L'Avare*, il s'agit de *Georges Dandin.*

Page 183.

63. C'est en effet l'avis de Voltaire et de Diderot. Ce ne sera pas celui de Beaumarchais.

64. D'Alembert rectifiera en disant du *Misanthrope :* « ce chef-d'œuvre de notre théâtre comique, si néanmoins le *Tartufe* ne lui est pas encore supérieur » (*Réponse*, voir plus haut, p. 368).

Page 184.

65. De *La Vida es sueño* de Calderón (1635) fut tirée une version italienne jouée en 1717 à Paris, publiée en 1718 avec une adaptation de Gueullette en français. Louis Boissy en fit une pièce en 3 actes et en vers (1732). Le thème est le transfert brutal d'un être élevé dans la solitude au sein du monde des hommes : il apparaît d'abord comme un monstre, avant d'être transformé par l'amour.

Page 185.

66. Molière a écrit au vers 119 : « méchants et malfaisants ».

Page 187.

67. Anecdote due à Donneau de Visé.
68. Rousseau charge Philinte des défauts mondains stigmatisés par les moralistes classiques, La Rochefoucauld (*Maximes,* 19) et La Bruyère (« Des biens de fortune ») ; il imaginera plus loin le *vrai* Philinte.

Page 188.

69. Le « méchant adroit » est-il Diderot ?

Page 189.

70. Au début du cinquième acte, Alceste, apprenant qu'il a perdu son procès, refuse d'interjeter appel.

Page 191.

71. Une *pointe* est un trait d'esprit, consistant souvent en un jeu sur les mots ; la *chute* est la fin du sonnet.

Page 192.

72. *Rien moins que :* nullement.
73. *Charges :* terme de peintre et d'écrivain qui désigne le grossissement des traits. « La prose et la poésie ont leurs *charges* comme la peinture. Ces charges dans lesquelles la vérité et la ressemblance exacte ne sont altérées que par l'excès du ridicule ne doivent jamais rendre l'objet méconnaissable. C'est une règle qui ne paraît pas assez scrupuleusement observée dans la plupart des pièces de théâtre, où les caractères dans le comique sont parfois trop chargés » (*Dictionnaire de Trévoux*).

Page 193.

74. L'*acception de personnes* consiste pour un juge à tenir compte de l'importance sociale, de la « condition » d'un plaignant.

Page 194.

75. *Apostropher :* interpeller, en interrompant le discours d'un autre ou de soi-même.

Page 195.

76. Après la publication du volume, Rousseau envoya à Rey cette version corrigée : « Ce sont eux qui, les premiers, ont introduit ces grossières équivoques, non moins proscrites par le goût que par l'honnêteté, qui firent longtemps l'amusement des mauvaises compagnies, l'embarras des personnes chastes, et dont le meilleur ton, lent dans ses progrès, n'a pas encore purifié certaines provinces. D'autres auteurs moins choquants dans leurs saillies, laissant les premiers amuser les femmes perdues, se chargèrent d'encourager les filous. Regnard, un des plus modestes, n'est pas le moins dangereux. » Il était trop tard pour éviter la réplique de Dancourt.

Page 196.

77. Le *Légataire universel,* écrit par Regnard en 1708, un an avant sa mort.

78. C'est-à-dire : de moitié dans les...

Page 187.

79. Critique de la « comédie larmoyante » de Destouches et Nivelle de La Chaussée. Voir la *Réponse* de d'Alembert.

80. Allusion probable aux succès obtenus au théâtre par Marivaux et Mme de Graffigny, tous deux romanciers. D'Alembert défendra longuement l'introduction de l'amour, et répliquera à la diatribe contre les femmes qui va suivre.

Page 198.

81. *Cénie :* comédie (1750) de Mme de Graffigny, laquelle affectait un comportement viril. Diderot a appelé Constance l'héroïne de son *Fils naturel,* mais c'était déjà le rôle principal du *Préjugé à la mode* (1735) de La Chaussée.

Page 199.

82. La citation latine (Horace, *Odes,* I, 5, v. 13) assimile l'amoureux inexpérimenté au marin « qui ignore les trahisons du vent ».

83. Anecdote empruntée à Plutarque (*Dits des Lacédémoniens*).

84. *Représenter :* figurer, prendre l'image de. Plus loin, *même en représentation :* même sous la forme d'un personnage.

Page 200.

85. La source est ici encore Muralt, qui s'inspire de Plutarque.
86. Dans le célèbre roman d'Antoine de la Sale (publié en 1456, réédité en 1724), *L'Histoire et plaisante chronique du petit Jehan de Saintré et de la jeune dame des Belles Cousines,* celle-ci admoneste le jeune homme « touchant les dix commandements de la Loi et l'état des vertus et bonnes mœurs » (ch. IX).

Page 201.

87. Rousseau sous-entend la suite du vers d'Ovide (*Amours,* I, 9, 4), « turpe senilis amor » : « Chose honteuse qu'un vieillard soldat, qu'un vieillard amoureux ».
88. Comme Lusignan est le père de Zaïre, Philippe Humbert est celui de Nanine.

Page 204.

89. Emprunt à Plutarque, *Vie de Caton le Censeur,* ch. 25 et *Préceptes conjugaux,* ch. 13.

Page 205.

90. C'est en novembre 1752 que Mlle Gaussin reprit avec éclat le rôle de Bérénice. Voltaire lui consacra une chanson où il dit trouver dans ses yeux « l'amour le plus sage ».

Page 206.

91. *Invitus* signifiant « malgré soi », Rousseau applique au spectateur la célèbre formule de Suétone (*Vie de Titus,* 7) : sans qu'il le veuille, sans qu'elle le veuille. C'est le thème de *La Nouvelle Héloïse.*

Page 210.

92. Ce paragraphe exprime en effet la conclusion de la première grande partie de la *Lettre,* consacrée aux spectacles « en eux-mêmes », c'est-à-dire aux effets du contenu des pièces de théâtre sur les spectateurs.

Page 213.

93. Les critiques portées ici sur les seuls *cafés* reprennent celles appliquées dans la Préface de *Narcisse* à tous les « amusements qui peuvent faire diversion à la méchanceté des hommes » (p. 133).
94. Maxime, assez lourde, de moraliste classique, qui fait songer à quelque « despotisme éclairé », de même que celle qui suit, sur

l'emploi de l'*ennui*. La seconde sera rectifiée cependant plus loin (p. 284) par l'évocation du risque que comporte l'ennui : celui de mener au vice. *Relâchantes :* qui détendent, terme de pharmacopée. *Soins :* soucis. *Avarice :* cupidité.

Page 214.

95. Portrait quelque peu romancé du « génie » de province, que vérifie cependant le cas de maint collaborateur de l'*Encyclopédie* habitant d'une *petite ville*, comme cette Chambéry qu'exalteront *Les Confessions.*

96. Sans jouer vraisemblablement sur le terme *spectacle*, Rousseau évoque un souvenir d'adolescent : il avait dix-huit ans quand il vit pour la première fois Neuchâtel. Cette principauté prussienne, où il devait se réfugier en 1762, était francophone et comprenait surtout, à l'ouest du lac du même nom, les vallons harmonieux du Jura, peuplés de paysans vivant de la manufacture dispersée, comme ceux de la région lyonnaise et beaucoup d'autres en France.

Page 215.

97. *Subdélégué :* subordonné de l'intendant en France.

Page 216.

98. *Poêle :* pièce où se trouve le grand poêle à bois.

99. Le « célèbre Valaisan » Rivaz, non pas Neuchâtelois, mais né dans la partie helvétique de Saint-Gingolph, perfectionna le pendule et l'échappement des horloges « franc-comtoises ».

100. Le huguenot Claude Goudimel, né à Besançon au XVIe siè-cle, écrivit des psaumes avant d'être massacré par les catholiques de Lyon.

Page 217.

101. Prémonition quant au retour, imposé par l'exil, en 1762, mais non quant à un bonheur durable. D'Alembert répondra sur la question des Montagnons.

102. *Idée :* image, évocation. Le raisonnement est maintenant d'ordre imaginaire et sera qualifié de *chimère.*

Page 219.

103. *Châtelain :* juge dont la circonscription judiciaire, de basse justice, est une ancienne châtellenie. Rousseau corrigera en *justicier.*

104. *Application :* conclusion par analogie à partir de l'*exemple.*

Page 221.

105. Allusion à un passage de l'article « Genève » de l'*Encyclopé-die,* déjà cité p. 141.

Page 222.

106. Les *Lois* sont un ouvrage de Platon. L'allusion, qui suit, à
Solon, vient de Plutarque.

107. On lira curieusement les mêmes remarques sous la plume de
Diderot dans l'*Essai sur les règnes de Claude et de Néron* (*Œuvres complètes*,
t. XXV, p. 299).

Page 223.

108. Plutarque ne dit pas *aimer*, mais *croire en*.

Page 224.

109. Une « digression » de 12 paragraphes va traiter du tribunal
des maréchaux, établi en 1643 et confirmé en 1657 pour juger du
« point d'honneur » entre gentilshommes et prévenir les duels. Bon
exemple d'un effort pour réformer, non les lois, mais les mœurs.

Page 230.

110. *Grièves :* lourdes, au sens étymologique.
111. Sources : Saint-Simon, *Mémoires,* XX, 44.

Page 232.

112. « Si l'on peut rapprocher le petit et le grand » (Virgile,
Géorgiques, IV, 176).

Page 236.

113. L'origine du mot *histrion* a suscité les hypothèses de Tite-Live
et Plutarque. Esope n'est pas le fabuliste grec, mais l'acteur Aesopus
(d'Alembert écrit Esopus dans sa *Réponse*). Cicéron a défendu deux
Roscius, dont un acteur, mais sa plaidoirie pour celui-ci, qui nous est
parvenue incomplète, ne porte pas sur l'art du comédien.

114. Formule abrégée provenant du *Digeste* de Justinien (III, II.
2) : « Que soit noté d'infamie celui qui sera monté sur la scène pour
jouer ou déclamer. » Le texte cité par Rousseau ajoute « dit le
préteur », c'est-à-dire le juge.

115. L'*exode* est une farce qui termine le spectacle ; l'*atellane* une
pièce populaire traditionnelle en Italie, transmise à travers les siècles
et modèle de la comédie « italienne » ; les gens du monde y
participaient comme au Carnaval.

Page 237.

116. L'acteur athénien Eschine fut ambassadeur.

Page 238.

117. Les archéologues avaient cependant déjà trouvé un théâtre à
Sparte, et J.-D. Leroy, auteur des *Ruines des plus beaux monuments de la*

Grèce, où il l'avait fait figurer, envoya son livre à Rousseau, qui ajouta une note rectificative, publiée en 1781.

Page 239.

118. D'Alembert répondra vertement sur ce point.

Page 240.

119. Léandre est le personnage du *Médecin malgré lui* ; Argan, celui du *Malade imaginaire,* peut être confondu avec l'Argante des *Fourberies de Scapin.* D'Alembert répliquera aussi à propos des valets en supposant que Rousseau « plaisante ». D'où une note rectificative (1781) : « On a relevé ceci comme outré et comme ridicule. On a eu raison. Il n'y a point de vice dont les comédiens soient moins accusés que la friponnerie. Leur métier, qui les occupe beaucoup et leur donne même des sentiments d'honneur à certains égards, les éloigne d'une telle bassesse. Je laisse ce passage parce que je me suis fait une loi de ne rien ôter, mais je le désavoue hautement comme une très grande injustice. »

Page 241.

120. Rousseau suit encore Muralt, dont la pensée imprègne *La Nouvelle Héloïse* (voir Pléiade, II, 1413).

Page 242.

121. La note rectifie l'expression. L'*Histoire de Clarisse Harlowe,* traduite en 1751, avait mis au pinacle Richardson, dont Diderot écrivit l'*Eloge. La Nouvelle Héloïse* est plutôt influencée par l'*Histoire du chevalier Grandisson,* traduite par Prévost en 1755.

Page 244.

122. Vers de Voltaire dans son *Sixième discours sur la nature de l'homme.* Rousseau avait d'abord écrit *Ces.*

Page 245.

123. Texte original : « languissants » (on accordait le participe présent).

124. C'est un lieu commun dans la poésie latine que les avantages de la honte chez la femme. Montaigne l'avait repris (« Que notre désir s'accroît par la malaisance », II, xv ; Folio, II, 360-366) et rassemblé beaucoup de citations sur les rapports amoureux et la différence entre l'amour et le mariage (« Sur des vers de Virgile », III, v ; Folio, III, 97 et 102-103). Mais l'évocation des réactions féminines dément les considérations morales, ce qui facilita à d'Alembert sa longue réplique (*Réponse,* voir ci-dessus, p. 371-374.

Page 248.

125. La note renvoie à l'avant-dernier paragraphe de la *Lettre*.

Page 250.

126. Allusion aux coutumes des « sauvages ». Rousseau n'a pas adhéré à l'utopie « tahitienne ».

Page 251.

127. *Montre :* étalage. La note vient de Plutarque, *Sylla*, 45.

128. La note est fondée sur un passage de Valère-Maxime (II, 1, 4) repris par Montaigne (II, XV, Folio, II, 366) et Bodin.

129. Entre autres observations sur les femmes égyptiennes, Hérodote (livre V, ch. 35) dit qu'elles vont au marché tandis que les hommes restent à la maison.

130. Interprétation inexacte : les femmes sont vues plutôt avec sympathie dans *Lysistrata*.

Page 252.

131. Allusion probable à Hortensia, digne fille d'un grand avocat. Selon Quintilien (I, 1, 6) et Valère-Maxime (VIII, 3, 3), elle plaida au contraire avec succès contre un nouvel impôt.

132. Ce raccourci étonnant qui met sur le même plan une dizaine de siècles a choqué bien des commentateurs.

Page 253.

133. La note renvoie à l'édition originale (1757) des *Entretiens*, où Diderot fait imaginer par Dorval les jours « solennels », où les habitants d'une Lampédouse idéale assisteront à « une bonne comédie qui les instruise de leurs devoirs et qui leur en inspire le goût ». A quoi l'auteur répond : « J'espère qu'on n'y verra pas la laideur jouer le rôle de la beauté » (Diderot, *Œuvres complètes*, X, 106).

134. Voir la *Réponse* de d'Alembert, ci-dessus, p. 371.

Page 254.

135. Boileau avait écrit exactement : « On peut trouver encore quelques femmes fidèles./Sans doute, et dans Paris, si je sais bien compter/Il en est jusqu'à trois que je pourrai citer » (*Satire* X, « Sur les femmes », v. 42-44, Poésie/Gallimard, p. 124).

136. Les *foyers* de théâtre réunissent actrices et spectateurs huppés.

Page 255.

137. Rousseau va enfin aborder le sujet annoncé par son titre et dans sa préface. *Rester* s'employait alors (souvent chez Rousseau)

avec l'auxiliaire avoir dans le sens de ne pas quitter un lieu. *Au cas que*, qu'on lira plus loin, est suivi du subjonctif dans l'usage classique.

Page 256.

138. *Positif :* sur quoi l'on peut compter, assuré, constant. Tels sont les revenus de la terre et du capital.

139. Correction de Rousseau pour « faubourg ».

Page 257.

140. Au tableau de l'industrieuse Genève manque l'activité, moins voyante, du monde des affaires et des banques.

141. Lyon comptera 200 000 habitants en 1789. Un nouveau théâtre y fut ouvert en 1756.

142. Les trois théâtres parisiens permanents étaient la Comédie-Française, la Comédie-Italienne (fusionnée seulement en 1762 avec l'Opéra-Comique) et l'Opéra. Le quatrième est le théâtre de la Foire, où ont été créées les pièces de Lesage et de Piron.

143. L'*Encyclopédie* donnera à Paris 700 000 habitants, mais ce nombre ne semble pas avoir été atteint avant 1830.

Page 258.

144. Le second paragraphe de la note est ajouté en fin de volume.

Page 259.

145. Les Quakers se distinguaient par leur sobriété vestimentaire.

Page 260.

146. Les portes de la cité ferment pour la nuit, et les théâtres jouent à cinq heures de l'après-midi.

147. Voir les textes de Sébastien Mercier et de Restif. Rousseau se promène à l'extérieur de Paris.

Page 261.

148. Les trois puissances sont à l'ouest la France, au sud la Savoie, au nord et à l'est les possessions de Berne, y compris le pays de Vaud avec Lausanne. Genève, qui n'entrera dans la Confédération helvétique qu'en 1815, est très proche de ses frontières.

Page 262.

149. Correction de Rousseau pour « faudrait ».

150. *Réformer :* dissoudre (une troupe).

151. « C'est à cette assemblée qu'appartiennent le pouvoir législatif, le droit de la guerre et de la paix, les alliances, les impôts, et l'élection des principaux magistrats, qui se fait dans la cathédrale

avec beaucoup d'ordre et de décence, quoique le nombre des votants
soit d'environ 1 500 personnes » (article *Genève*).

Page 263.

152. « *Coterie* en termes de conversation se dit particulièrement
des petites sociétés où l'on vit familièrement, de certaines compagnies de quartier, de famille, de parties de plaisir à certains jours
réglés. On fait souvent coterie avec ses voisins » *(Dictionnaire de
Trévoux)*. Le mot sera appliqué aux Parisiens par Saint-Preux (*La
Nouvelle Héloïse*, Pléiade, II, 234). Le mot était encore usité en
anglais, avant de céder la place à club. Le *Spectateur* désigne *The
Spectator*, périodique critique des moralistes Steele et Addison, qui
ridiculisèrent les *coteries* au printemps 1710. Les *mauvais lieux* sont les
« public houses » qui succédèrent aux « coffee houses » et qui se
rencontrent dans les romans anglais. Mais tout est vu ici par les yeux
de Muralt.

Page 264.

153. Une note prudente permet l'apologie utopique qui va suivre.
En français classique, *cercle* évoque les salons et les groupes
littéraires. A Genève, où les cercles fleurirent vers 1720, ils
suscitèrent des critiques qu'on retrouve, après la *Lettre*, sous les
plumes du banquier Lenieps et du théologien Perdriau (*Corr. géné.*,
n°s 572 et 574).

154. *Commerce :* jeu où des cartes sont achetées aux autres joueurs
ou au banquier.

Page 266.

155. La note vient d'Hérodote (III, 12, Folio, I, 269-270) par
Montaigne (« De l'usage de se vêtir », I, 36, Folio, I, 331-332).

Page 268.

156. *Académie :* gymnase, école d'équitation. *Nos* oppose les coutumes modernes (et non celles de Genève) à « l'ancienne gymasti-
que ». La critique des armées, qui suit, rappelle le *Discours* (p. 66-67).

Page 269.

157. *S'énerver :* voir la note 17 du *Discours*, p. 330. Sur Sparte, la
source est toujours la *Vie de Lycurgue* de Plutarque.

158. Si la note, qui semble tardive, répète en apparence la
diatribe antiféministe lancée plus haut contre les comédiennes, il
ne s'agit plus de mœurs, mais de nature, du génie ou plutôt du
manque de génie inné du sexe faible : on imagine la réaction de
Mme d'Epinay, entre autres. Exception n'est faite que dans le passé,

pour Sapho et pour « une autre » qui est apparemment l'Héloïse d'Abélard, dont on admirait les lettres passionnées ; on sent ici la simultanéité de rédaction avec *La Nouvelle Héloïse*, conçue sous forme épistolaire comme les *Lettres portugaises* (dont l'histoire littéraire a, depuis peu, confirmé l'attribution à un homme, Guilleragues).

Page 270.

159. Sur le *comptoir* de l'épicier, pour servir d'emballage : plaisanterie classique.

Page 274.

160. La note de 1758 a reçu un ajout, publié en 1781 : « On comprendra facilement que le manuscrit dont je parlais dans cette note était celui de *la Nouvelle Héloïse*, qui parut deux ans après cet ouvrage. »

Page 278.

161. Cette défense de l' « ivrognerie », comme celle de la « médisance des femmes », attirera l'ironie de d'Alembert (ci-dessus, p. 376) ; mais Rousseau suit Montaigne (« De l'ivrognerie », II, II, Folio, II, 25), qui renvoie aux *Lois* de Platon (livre II). Dans sa note Rousseau avait d'abord fait référence à la *République* de Platon (corrigé en fin de volume).

162. Le débat sur le jeu est traditionnel dans l'évaluation des péchés. Thomas d'Aquin avait distingué jeu interdit et jeu licite, celui-ci étant un repos pour l'esprit. Attaqués par les jansénistes, les casuistes furent relayés par les moralistes laïques défenseurs du « jeu modéré » (voir l'étude de J.-R. Armogathe dans *Le Jeu au XVIII* siècle, Aix, 1976).

Page 280.

163. *Inepte :* « Qui n'est point propre à quelque chose [...]. Ce mot sent un peu le collège », dit le *Dictionnaire de Trévoux*, qui ignore le mot « inapte ».

Page 282.

164. Le *Contrat social* consacre un chapitre (ch. VII du livre I ; Pléiade, III, 362) au *Souverain* ; dans une démocratie (voir deux paragraphes plus loin) le souverain est constitué par tous les citoyens, mais il s'agit ici de toutes les formes d'Etat.

Page 283.

165. Le *théâtre* est ici la scène, où depuis un siècle, sur les côtés, étaient placés sur des bancs les riches spectateurs. C'est seulement le

23 avril 1759 qu'ils disparurent, moyennant une indemnité versée aux comédiens par le comte de Lauraguais, applaudi par Voltaire. Rousseau donne les prix réels des places. *Tiercer :* augmenter d'un tiers.

166. La note, de ton « révolutionnaire », attaque les *imposteurs* (ceux qui taxent les denrées de première nécessité), mot emprunté à Bodin, l'auteur célèbre d'une *République* (1577). Même citation dans l'*Encyclopédie*, à la fin de l'article *Economie politique* (Pléiade, III, 278).

Page 286.

167. Platon, *République,* au livre II pour Homère, au livre III pour Hésiode.

Page 288.

168. *Tendre* a encore, comme chez Racine, le sens de « passionné ». Ce portrait des Genevois est repris dans la lettre de Claire d'Orbe, vers la fin de *La Nouvelle Héloïse* (partie VI, lettre V ; Pléiade, II, 659-660).

Page 289.

169. C'est lui-même que Rousseau pardonne d'avoir brûlé pour Mme d'Houdetot.

Page 290.

170. La note cite Platon dans une traduction latine : « Si donc un homme en apparence capable, par son habileté, de prendre toutes les formes et de tout imiter, venait dans notre ville pour s'y produire, lui et ses poèmes, nous le saluerions bien bas comme un être sacré, étonnant, agréable ; mais nous lui dirions qu'il n'y a point d'homme comme lui dans notre cité et qu'il ne peut y en avoir ; puis nous l'enverrions dans une autre ville, après avoir versé de la myrrhe sur sa tête et l'avoir couronné de bandelettes. Pour notre compte, visant à l'utilité, nous aurons recours au poète et au conteur plus austère et moins agréable qui imitera pour nous le ton de l'honnête homme et se conformera, dans son langage, aux règles que nous avons établies dès le début, lorsque nous entreprenions l'éducation de nos guerriers » (*République,* III, 398 ab , trad. R. Baccou, Garnier).

Page 291.

171. Le juriste Berthelier est un héros genevois qui anima la lutte contre le duc de Savoie et l'évêque catholique de Genève, et mourut exécuté en 1519. On ne connaît de Lévrery que ce qui est dit de lui dans la note. L' « épitaphe » peut se traduire ainsi : « Que pouvait me faire la mort ? La vertu reverdit après l'épreuve, elle ne périt pas

sur la croix ni par le glaive d'un tyran. » L'originale ne porte pas ici de point d'interrogation après « tragédies ».

Page 292.

172. Comme l'explique la note, le diable joue son rôle dans un drame historico-liturgique dont le titre rappelle un épisode glorieux de la lutte de Genève contre le duc de Savoie, en 1602. D'Alembert y avait fait allusion dans son article.

173. Rapprochement vague et contestable en ce qui concerne l'influence des *Nuées* d'Aristophane, jouées en 423, sur la condamnation de Socrate, en 399.

174. La source est Plutarque, mais le fait est contesté. Le reproche vise l'introduction du mensonge par la fiction.

Page 296.

175. *Si :* ainsi cependant.

176. Cette comédie de Poullain de Saint-Foix, créée en 1740, était restée au répertoire grâce à l'utilisation amusante de personnages muets aux gestes mécaniques, les prétendants proposés à la princesse Lucinde, parmi lesquels celle-ci choisit naturellement le fils vivant de la fée Souveraine. L'intrigue était assortie d'un texte plein de sous-entendus grivois.

Page 299.

177. *Concours :* affluence. Rappelons que *magnifiques* est l'épithète accolée aux « seigneurs » et au conseil de la République.

Page 300.

178. L'apologie des bals populaires innocents se retrouve, en grande partie textuellement, dans la bouche de l'héroïne de *La Nouvelle Héloïse* (partie IV, lettre 10 ; Pléiade, II, 456-457 ; voir les passages maintenus et les variantes, p. 1603).

Page 303.

179. D'Alembert avait écrit : « Il n'y a peut-être point de ville où il y ait plus de mariages heureux. »

Page 305.

180. La note, capitale, ne requiert que deux explications. Le comédien ici anonyme est soit Jelyotte qui coopéra au *Devin du village*, soit Lanoue, qui fit jouer *Narcisse* (*Confessions*, livre VIII, Folio, II, 127 et 135). La devise *Vitam impendere vero*, empruntée à Juvénal (*Satires*, IV, 9), avait été adoptée par Rousseau lors de sa « réforme » en 1754 : « Consacrer sa vie à la vérité. »

Page 308.

181. La source est encore Plutarque (ici *Vie de Lycurgue,* plus loin les *Dits des Lacédémoniens*).

Page 309.

182. L'*exactitude* (néologisme assez récent) « consiste à se conformer rigoureusement à des règles qu'on nous a prescrites, ou à des conditions acceptées » *(Dictionnaire de Trévoux).*

183. « Hélas, le feuillage protège mal les raisins mûrs » (Virgile, *Géorgiques*, I, 448).

Page 311.

184. Extrait des *Instituta Laconica,* ch. 5. On retrouve ici l'inspiration des *Fêtes de Ramire.*

Page 312.

185. C'est par un vers de Virgile : « O heureux les paysans, s'ils connaissaient leur bonheur ! » *(Géorgiques,* II, 458) que d'Alembert termine son article. Il faut être conscient de son bonheur et en jouir.

186. Rousseau, rappelons-le, vivra encore vingt ans et aura le temps d'écrire ses plus grandes œuvres.

DU MÊME AUTEUR

Dans la même collection

LES RÊVERIES DU PROMENEUR SOLITAIRE. *Préface de Jean Grenier. Édition établie par Samuel S. de Sacy.*
LES CONFESSIONS, I et II. *Préface de J.-B. Pontalis. Texte établi par Bernard Gagnebin et Marcel Raymond.*

COLLECTION FOLIO

Dernières parutions

*Impression Bussière à Saint-Amand (Cher),
le 3 septembre 1987.
Dépôt légal : septembre 1987.
Numéro d'imprimeur : 1158.*

ISBN 2-07-037874-8   Imprimé en France

Printed in the United States
By Bookmasters